Rosario García Mahamut (dir.)

La ley de amnistía
Cuestiones constitucionales

| Centro de | Estudios | Políticos y | Constitucionales |

Madrid, 2024

Catálogo general de publicaciones oficiales
https://cpage.mpr.gob.es

De esta edición, 2024:
© Rosario García Mahamut (dir.)

© Centro de Estudios Políticos y Constitucionales
Plaza de la Marina Española, 9
28071 Madrid
http://www.cepc.gob.es
X: @cepcgob
Facebook: CentrodeEstudiosPoliticosyConstitucionales
Instagram: cepc_gob

NIPO CEPC EN PAPEL: 145-24-071-X
NIPO CEPC EN PDF: 145-24-072-5
ISBN EN PAPEL: 978-84-259-2065-3
ISBN PDF: 978-84-259-2064-6
Depósito legal: M-22277-2024

Realización: Crisol Creación Gráfica, SL
Alejandro Ferrant, 9
28045 Madrid

Impreso en España — *Printed in Spain*

▩ Índice

LEY DE AMNISTÍA Y CUESTIÓN TERRITORIAL

Presentación

Me cumple el inmenso honor de presentar un libro que ancla su origen en la jornada de debate que organizó el Centro de Estudios Políticos y Constitucionales el día 24 de abril de 2024 bajo el título *Cuestiones constitucionales sobre la Ley de amnistía*. La organización de un encuentro en el que diferentes expertos debatieron sobre la entonces proposición de ley de amnistía, que tan intensa polémica ha suscitado, era parte inexcusable de la hoja de ruta de la dirección del Centro en cumplimiento de una de las funciones basilares de esta institución.

Era pues muy necesario un debate científico, riguroso y sosegado, entre un grupo de especialistas, en su mayoría constitucionalistas, plurales en sus opiniones y sensibilidades, y debía realizarse en este Centro que es nuestra casa común. Lejos de congregar a un colectivo de profesores que comulgaran todos en las mismas posiciones, partimos de la idea de que «la luz» siempre surge del debate plural, con mayor razón en una ley controvertida y delicada.

Son tiempos difíciles para la Constitución según nos ha advertido Gustavo Zagrebelsky. La Constitución parece haber perdido su dimensión integradora y unitaria a la vista de las frecuentes confusiones de los constitucionalistas, divididos cada vez que surge un conflicto político entre gobierno y oposición y luego se transforma —o encubre— en una controversia constitucional. Esto parece haber ocurrido con la ley de amnistía. Por ello, la pertinencia de celebrar esta jornada. Nunca es tarde para recordar que el parlamento posee un papel protagonista en una democracia representativa. Caben con frecuencia diversas orientaciones y soluciones políticas igualmente constitucionales. La Constitución no es un programa detallado y predeterminado de todas las actuaciones de los poderes públicos: lo que impone, entre otras muchas consideraciones, es un conjunto de límites al legislador democrático. Sólo las Cortes Generales pueden decidir sobre la oportunidad política de una ley conforme a la regla de la mayoría y sobre la desaparición de las consecuencias de un Derecho anterior que se modifica por otra ley más favorable, una sucesión de leyes en el tiempo, cuando el legislador busca conseguir el perdón, la clemencia, la concordia o la conciliación, y recuperar la convivencia.

El lector advertirá las diferentes consideraciones jurídicas de los autores, que se suscitaron en torno a tres ámbitos y mesas redondas, y podrá formar libremente su propia opinión desde la argumentación jurídica constrastada. La primera mesa abordó la constitucionalidad de la Ley de amnistía desde diversas perspectivas —abstracta o concreta— y posiciones y en ella participaron los profesores Luis López Guerra, Javier García Roca, Agustín Ruiz Robledo y la profesora Ana Carmona, correspondiendo la moderación al profesor Pedro Cruz Villalón.

En la segunda mesa, moderada por el profesor Rafael Bustos Gisbert, intervinieron la profesora Teresa Freixes Sanjuán y los profesores Alejandro Saiz Arnaiz, Ramón García Albero y Manuel Cancio Meliá, para abordar cuestiones referidas al encaje de la amnistía conforme a la protección nacional y europea —comunitaria y supranacional— de los derechos fundamentales.

Finalmente, una tercera mesa abordó una de las justificaciones políticas de la ley bajo la denominación "Ley de amnistía y cuestión territorial", ya que la ley no se explica si no es en el contexto de un serio conflicto en Cataluña. Estuvo moderada por la profesora Paloma Biglino Campos y participaron los profesores Xavier Arbós Marín, Enoch Albertí Rovira, y Tomás de la Quadra-Salcedo Janini y la profesora Esther Seijas Villadangos.

Debo agradecer a todos y a cada uno de los ponentes y moderadores la generosidad y el compromiso académico que mostraron aceptando la invitación a participar en esta jornada. Es de justicia poner en valor la excelencia de las aportaciones de las quince catedráticas y catedráticos, con brillantes trayectorias académicas y numerosas experiencias, que intervinieron en un rico debate. Subrayaré el tono documentado, sosegado y dialogante de las discusiones. Las reflexiones de los distintos autores, a mi juicio, aportan un haz de luz y distanciamiento sobre la constitucionalidad y la justificación de la amnistía. Una constitucionalidad que está pendiente de enjuiciamiento por el Tribunal Constitucional, en particular en la regularidad de las concretas medidas aprobadas.

Quiero poner de relieve una cuestión metodológica que da buena cuenta de la agilidad del debate que a lo largo de toda la jornada, mañana y tarde, se desarrolló y que afectó a su organización. En efecto, se tasó el tiempo de argumentación de los ponentes en una quincena de minutos, para reservar un buen tiempo al debate en cada una de las mesas. De manera que todos los ponentes junto con el público pudieron debatir libremente cuestiones eminentemente jurídicas.

Sin embargo, los ponentes no dejaron a un lado el enrarecido contexto social y político —un parlamentarismo fragmentado y radicalizado que dificulta en exceso alcanzar consensos— en el que se gestó la Ley Orgánica 1/2024, de 10 de junio, de amnistía para la normalización institucional, política y social en Cataluña. Tampoco orillaron el contexto en el que debe aplicarse dicha ley, con la intervención protagonista de los órganos judiciales que, y como no puede ser de otro modo, están obligados a respetar el imperio de la ley que es el fundamento de la independencia judicial. Huelga decir que las decisiones judiciales no son creaciones absolutamente libres en un Estado constitucional de Derecho, para no resultar arbitrarias, sino consecuencia de una sujeción motivada a la ley en la interpretación de sus normas.

El conjunto de trabajos que el lector tiene entre sus manos recoge de forma sistemática las ponencias que se defendieron, en una versión más elaborada para la publicación, siguiendo el orden de intervención en cada una de las mesas. Debo agradecer a los ponentes el esfuerzo de claridad y concisión realizado para que sus posiciones quedaran reflejadas finalmente en un texto escrito.

Conviene advertir que en este libro, que esperamos contribuya a formar opinión pública, dado su carácter argumentado y bastante completo, no se recoge una transcripción escrita del debate oral que se produjo entre los ponentes y un público especializado, que asistió al acto de manera presencial o en línea. No obstante, el desarrollo de toda la jornada quedó grabado y puede accederse a su contenido desde la página electrónica del Centro.

Solo me resta agradecer al equipo de dirección del Centro de Estudios Políticos y Constitucionales su esfuerzo para que tanto la Jornada como esta publicación vieran la luz.

Rosario García Mahamut

Directora del CEPC y catedrática de Derecho Constitucional

LA LEY DE AMNISTÍA:
UNA PERSPECTIVA CONSTITUCIONAL

La amnistía y su proyección constitucional[1]

Luis López Guerra

Catedrático de Derecho Constitucional.
Universidad Carlos III de Madrid

Entiendo mi tarea como la de comentar una proposición de ley que, es necesario decir, ha sido ya objeto de una amplia discusión en ámbitos académicos, así como ante la opinión pública. Discusión que ciertamente no puede dejar de tenerse en cuenta y que supone para el informante una notable ventaja, al contar ya con opiniones, análisis y puntos de vista muy diferentes y en muchos casos esclarecedores. Mi exposición no puede ser ciertamente ajena a esa discusión y los puntos sobre los que ha tratado.

Parece, dentro de lo razonable, que la proposición de ley será efectivamente aprobada y que entrará pronto en vigor[2]. Lo que conduce forzosamente a preguntarse sobre sus efectos y consecuencias desde una perspectiva constitucional. Aun cuando sea difícil separar tajantemente evaluaciones políticas y jurídicas, el objeto de mi intervención tratará de atenerse a un análisis eminentemente jurídico constitucional de diversas cuestiones planteadas por el texto.

Pues bien, a la vista del debate ya planteado tanto en términos académicos como políticos y del contenido de la proposición de ley, cabe prever que ante instancias jurisdiccionales y, en lo que aquí más interesa, ante el Tribunal Constitucional, se suscitarán dos tipos de cuestiones: por un lado, las referidas a los mandatos de la ley; por otro, a su misma justificación. Si se quiere, sobre el articulado de la ley, de una parte; sobre

---

[1] El presente texto recoge, con alguna ampliación, la intervención en la Jornada sobre la proposición de ley de amnistía que tuvo lugar en el Centro de Estudios Políticos y Constitucionales el 24 de abril de 2024.

[2] En el *Boletín Oficial del Estado* de 11 de junio de 2024 se publicó el texto de la Ley Orgánica 1/2024, de 10 de junio, de amnistía para la normalización institucional, política y social de Cataluña.

su exposición de motivos,de otra. Y, como señalaré más adelante, creo que el eventual pronunciamiento del Tribunal Constitucional respecto de este último aspecto es el que puede revestir mayor trascendencia, desde la perspectiva de la interpretación constitucional.

I.   El articulado de la proposición

La proposición de ley cuenta con una extensa Exposición de Motivos, que merece una especial atención, como se verá, y una parte dispositiva. Por lo que se refiere al articulado, se trata de una propuesta de actuación de las Cortes en ejercicio de la potestad legislativa del Estado, en términos del artículo 66.2 de la Constitución. Adelanto ya que, en mi opinión, y como he tenido la oportunidad de exponer ante la Comisión de Venecia y la Comisión de Justicia del Senado, no se derivarían problemas de constitucionalidad de los mandatos del articulado.

A)   ¿No mención constitucional de la amnistía?

Valga señalar inicialmente que un tema que ha sido sometido a extenso debate ha sido el referente a la no mención expresa de la amnistía en el texto constitucional y si de esa ausencia de mención debe deducirse que la amnistía no está prohibida o, por el contrario, que no está permitida. Pues bien, en mi opinión, creo que se trata en el fondo de un debate ocioso, si se tiene en cuenta que la Constitución atribuye a las Cortes el ejercicio de la potestad legislativa del Estado en forma general, potestad legislativa cuyo ejercicio no necesita de atribución concreta de materias, a diferencia de sistemas constitucionales en que las potestades legislativas están sujetas al principio de atribución. Literalmente, en la famosa STC 76/1983, caso LOAPA, el Tribunal Constitucional pudo establecer que «las Cortes Generales, como titulares de la potestad legislativa del Estado (artículo 66.2 de la Constitución) pueden legislar en principio sobre cualquier materia sin necesidad de poseer un título específico para ello» (FJ 4).

Las Cortes pueden, pues, legislar sobre todo tipo de materias, sin necesidad de atribución expresa, frente a otros ordenamientos (USA, UE) en que la competencia legislativa está regida por el principio de atribución. Claro está, como también precisa el Tribunal Constitucional, que el contenido de esa legislación, sea la materia que sea, está sujeto a los límites constitucionales. No representa esa legislación una potestad absoluta, sino que se ve sometida a límites constitucionales, tanto explícitos como implícitos. Pues la Constitución hay que leerla como un conjunto integrado.

En este caso, esa potestad legislativa se ejerce sobre una materia concreta, reconocida en la Constitución en varios artículos (62.i, 102.3, 87.3), esto es, el ejercicio de la prerrogativa de gracia. Reconocimiento que tiene, como se verá, importantes consecuencias. Y la Constitución establece ciertamente límites explícitos e implícitos al ejercicio de esa prerrogativa.

Como limitaciones expresas, esta prerrogativa aparece limitada en todo caso, y frente a todos los poderes públicos, en relación con la responsabilidad criminal de los miembros del Gobierno (art. 102.3). En lo que se refiere a su ejercicio por el ejecutivo por medio del indulto, en el artículo 62.i se establecen dos límites expresos: su ejercicio con arreglo a la ley y la exclusión de indultos generales. En lo que atañe a su ejercicio legislativo mediante la amnistía, que el Tribunal Constitucional ha señalado que se trata de una institución distinta del indulto (STC 147/1986) está sometido también a los límites derivados de la Constitución. Límites que afectan tanto a la forma de la disposición, a sus destinatarios, a la forma de ejecución y a su justificación.

En mi exposición, y en lo que atañe al articulado, me referiré primeramente a los diversos aspectos del texto propuesto en que pudieran plantearse preguntas sobre su adecuación a los límites impuestos por la Constitución.

B) FORMA

En cuanto a la forma de la disposición, ha merecido alguna atención el hecho de que se trate de un texto de naturaleza legislativa; esto es, que se regule una medida como la amnistía por vía de una ley orgánica. Ello parece justificado a la luz del artículo 81 de la Constitución, en cuanto que se refiere al desarrollo de derechos fundamentales, como entre otros el de la libertad. No se oculta que este aspecto ha sido y es objeto de controversia, arguyéndose que la vía de tramitación parlamentaria seguida ha sido incorrecta, al plantearse, desde una perspectiva crítica, que al tratarse de una proposición que se opone a preceptos constitucionales debería haber asumido la forma de propuesta de reforma constitucional. Ahora bien, y de acuerdo con la doctrina reiterada del Tribunal Constitucional, sólo la evidente y palmaria inconstitucionalidad de una propuesta puede conducir *prima facie* a su consideración como contraria a la Constitución impidiendo desde un principio su trámite parlamentario como proposición de ley; de no darse esa evidencia y palmariedad, corresponderá al Tribunal Constitucional decidir sobre la conformidad del texto propuesto con la Constitución. En consecuencia, todo juicio sobre la adecuación de la forma de ley orgánica y tramitación como tal queda supeditada a las consideraciones que siguen sobre la conformidad sustantiva del texto propuesto con los mandatos constitucionales.

c) ÁMBITO

En cuanto a sus destinatarios, debe señalarse que el título I de la ley emplea dos técnicas. Por una parte, lleva a cabo una enumeración de los beneficiados por la amnistía; de otra, de aquellos supuestos excluidos de ella. Todo ello, y siguiendo al parecer las directrices de la Comisión de Venecia, con una considerable prolijidad, enunciando una variedad de supuestos.

En lo que respecta a la primera técnica empleada, esto es, la enumeración de los sujetos beneficiarios de la amnistía, la ley lista seis supuestos, con inclusión de numerosas matizaciones y detalles. Así y todo, pese a la prolijidad del texto, y por la misma naturaleza de las normas jurídicas, que no pueden prever todo caso posible, la ley incluye conceptos que forzosamente deberán ser precisados por los tribunales, caso por caso. Desde luego, siempre son posibles mejoras en la técnica legislativa, eliminando en lo posible incertezas o ambigüedades, pero ello en último términos, y como muestra la experiencia, no puede excluir la tarea judicial de aplicar la norma a las peculiaridades del caso concreto.

Por lo que se refiere a los supuestos excluidos, se sigue una técnica similar de prolijidad expositiva, introduciendo la proposición notables matizaciones a cada supuesto. El objetivo esencial es claramente que los beneficios derivados de la amnistía no sobrepasen los límites constitucionales. En forma general, los casos de exclusión parecen obedecer a diversas causas, algunas de ellas coincidentes.

- Por un lado, una decisión del legislador,que no considera merecedores de amnistía determinadas conductas por su negativa valoración en todo caso.
- Por otro lado, y de manera destacada, las exclusiones de la amnistía derivan de la necesidad de no incidir en derechos constitucionales de terceros, que podrían verse perjudicados por la am-

nistía; así se entiende la exclusión de los casos de daños a la vida o integridad de las personas o en casos de tortura o malos tratos graves (art. 15 CE). En este respecto, la ley sigue para determinar la exclusión la doctrina del TEDH referida a daños graves en supuestos de tortura o malos tratos (*Margus c. Croacia*). Valga recordar que el Tribunal Europeo, en esta sentencia, estableció que las amnistías serían inaceptables en relación con violaciones graves de derechos humanos fundamentales, debido a la obligación de los Estados de prevenir y castigar tal tipo de violaciones.

A este respecto, y al excluir de los beneficios de la amnistía las vulneraciones graves de derechos humanos, la referencia a la tortura parece innecesaria, ya que es difícil prever una tortura que no sea grave; otra cosa son los malos tratos. Debe recordarse que el TEDH establece que la diferencia entre malos tratos y tortura es sobre todo una diferencia de grado y de gravedad. Hay pues, de acuerdo con el TEDH, una continuidad o escala de grados de la intensidad de daños.

En esta línea de protección de derechos fundamentales parece que debe entenderse la exclusión de la amnistía de los supuestos de discriminación (art. 14 CE) por razones de raza, ideología o similares.

• Otra posible explicación de las exclusiones de la amnistía sería el cumplimiento de obligaciones internacionales. Tal sería el supuesto de exclusión de los delitos de terrorismo en los términos de la Directiva de la UE, exclusión completada con la doctrina del TEDH. El concepto así no es enteramente coincidente con la definición del Código Penal. En la misma línea de cumplimiento con obligaciones internacionales parece situarse la exclusión del supuesto de daño a las finanzas europeas.

En conjunto, se trata de un texto que pretende precisar su alcance, temporal, objetivo y personal. En todo caso, toda mejora de la precisión resulta útil, si bien inevitablemente en la aplicación debe tener importante papel la interpretación judicial.

D)   APLICACIÓN DE LA AMNISTÍA

Los Títulos II y III de la proposición se refieren a la aplicación de la amnistía, esto es, a sus efectos y al procedimiento a seguir. También en

este supuesto se han planteado cuestiones relativas a los límites derivados de la Constitución, cuestiones que han sido objeto de amplio debate;
debate al que es necesario hacer referencia, y que se refiere en gran parte a los límites derivados del principio de separación de poderes y la
necesaria independencia del poder judicial.

- Desde luego, una ley de amnistía incide en situaciones derivadas
  de las decisiones ya adoptadas por los tribunales, al suponer la
  exención de responsabilidad por actuaciones ya decididas judicialmente. Ahora bien, esa exención deriva directamente del mismo concepto de la prerrogativa de gracia reconocido constitucionalmente, ya sea ejercida por el ejecutivo mediante el indulto o
  por el legislativo mediante una ley de amnistía en el ejercicio de
  su función legislativa. El ejercicio de la potestad de gracia mediante la amnistía, que supone la afectación de decisiones judiciales anteriores referidas a la determinación de responsabilidades y ejecución de las sentencias, es así una prerrogativa del
  legislativo: no le corresponde al juez pronunciarse sobre el ejercicio de la potestad legislativa. La función del juez es la de juzgar
  de acuerdo con la ley y ejecutar lo juzgado de acuerdo también
  con esa ley, en este caso una ley de amnistía. Y, en supuestos de
  duda, le corresponde plantear la cuestión de inconstitucionalidad
  o, si procede, la cuestión prejudicial ante el Tribunal de Justicia.
  Lo que queda fuera de la potestad judicial obviamente es decidir
  sobre el fondo de la ley.
  Así, a la vista de la proposición de ley, no queda afectada la
  independencia judicial, ni la separación de poderes. La potestad
  del juez de aplicar la ley en todo caso queda salvaguardada. La
  aplicación judicial de la ley de amnistía, en cumplimiento de sus
  funciones constitucionales y en estrecha conexión con los derechos de los ciudadanos a la tutela judicial efectiva, aparece garan-
  tizada sin excepciones en la proposición de ley.
- La amnistía se proyecta sobre tres tipos de responsabilidad: penal, administrativa y contable. Con respecto a todas ellas se pre-
  dica una intervención del poder judicial en la aplicación de la
  amnistía decidida por el legislador que conviene examinar separadamente.
  Debe apreciarse que en todos estos supuestos de responsabilidad se prevé la intervención judicial, bien en forma directa o inmediata, bien mediante recursos frente a decisiones administrativas o

contables. En estos últimos supuestos, que prevén la aplicación de la amnistía por autoridades administrativas o contables, la proposición establece expresamente en su artículo 16 que las resoluciones administrativas o contables referidas a la aplicación de la amnistía en el ámbito de la responsabilidad administrativa o contable estarán sometidas a los recursos previstos en el ordenamiento.

- La previsión de una intervención general del poder judicial, sometido al imperio de la ley, implica que en ningún caso la aplicación de la ley quedará, directa o indirectamente, fuera del ejercicio de la potestad judicial. Los órganos judiciales estarán en todo caso a cargo del control de la aplicación de la ley de amnistía, sometidos, desde luego, a ella, como establece el artículo 117 de la Constitución.

- En particular, y en lo que atañe a la responsabilidad penal afectada por la amnistía, su aplicación se reserva en exclusiva a los órganos judiciales competentes. En estos supuestos en todo caso la aplicación de la amnistía deberá llevarse a cabo por el órgano judicial competente y no por otra cualquier autoridad. Ello, bien de oficio, bien a instancia de parte; y en todo caso, con audiencia previa de las partes afectadas y del Ministerio Fiscal. La intervención judicial queda así asegurada no solo en la primera, sino también en las sucesivas instancias que se planteen. El juez, así, estará siempre en condiciones de aplicar la ley, juzgando y haciendo ejecutar lo juzgado, ejerciendo su potestad jurisdiccional. En el supuesto de dudas sobre la constitucionalidad de la ley podrá plantear la cuestión de inconstitucionalidad y en su caso la cuestión prejudicial ante el Tribunal de Justicia.

- Por lo que se refiere a una cuestión distinta de la decisión de fondo sobre la aplicación de la amnistía (por sobreseimiento o sentencia absolutoria), esto es, la cuestión de levantamiento de medidas cautelares, la proposición de ley establece su alzamiento en todo caso con la única excepción de las medidas de carácter civil. Se entiende de la proposición (art. 4.a) que ese levantamiento procede en relación con quienes sean beneficiarios de la amnistía (personas a las que resulte de aplicación la amnistía, art. 4.a y b) y corresponderá al juez competente la decisión sobre cada caso. No se trata pues de un levantamiento respecto de toda persona que invoque la aplicación de la amnistía, sino de aquellos a los que se aplique el correspondiente procedimiento previsto por la proposición.

Iniciado el procedimiento de aplicación, su eventual suspensión (por ejemplo, mediante el planteamiento de una cuestión de constitucionalidad) no supondrá el mantenimiento de medidas cautelares.

A este respecto, debe recordarse que tales medidas aparecen cono excepción a los principios comunes de legalidad sancionadora y de presunción de inocencia y sólo serán admisibles, según doctrina constante de la jurisprudencia constitucional y del TEDH, si se dan una serie de supuestos: desde luego, su previsión legal (no pueden ser creadas por el juez al margen de la ley), así como su fundamento en una finalidad legítima, su idoneidad, y su proporcionalidad. En todo caso, la predeterminación legal es decisiva y compete al legislador preestablecer si se han de adoptar medidas cautelares o no. El juez no puede sustituir al legislador en ese caso, adoptando medidas cautelares no previstas por la ley. Es al legislador a quien corresponde decidir si se deben o no adoptar medidas cautelares en cada proceso: su adopción concreta le corresponderá al juez a la vista de las circunstancias del caso.

2. La justificación constitucional de la proposición

Desde un análisis de los diversos mandatos contenidos en la proposición de ley, considerados uno a uno, no resulta que se enfrenten con objeciones de tipo constitucional. Pero no cabe olvidar que en el debate académico y político se han planteado también objeciones más amplias que atañen a lo que podríamos llamar compatibilidad global de la proposición con los mandatos constitucionales, especialmente en lo que se refiere a su justificación. Particularmente en lo que se refiere a la prohibición de discriminación del artículo 14 y la interdicción de la arbitrariedad de los poderes públicos del artículo 9.3. Se trata de una cuestión que exige especial atención a la Exposición de Motivos de la Ley, que engloba nueve de las dieciséis páginas del texto.

Ciertamente, el ejercicio de la prerrogativa de gracia supone en todo caso una excepción a la aplicación de las normas generales sancionadoras, tanto por parte del ejecutivo, en su variedad de indulto, como del legislativo, en su variedad de ley de amnistía, que se configura como una ley para un supuesto singular, no generalizable a situaciones futuras. La prerrogativa de gracia supone un tratamiento por definición diferente o desigual. La previsión constitucional, en diversos artículos del texto, de la prerrogativa de gracia da cobertura a su eventual aplicación por los poderes públicos. Ahora bien, ese tratamiento supone una excepción a mandatos constitucionales y por ello requiere que se someta al cumplimiento de condiciones derivadas de la misma Constitución, cumplimiento que ha de verse suficientemente justificado.

En este sentido, el ejercicio de la potestad de gracia implica un tratamiento en principio diferente o desigual de individuos (en el caso del indulto) o categorías de individuos (en el caso de una ley de amnistía). Este tratamiento desigual no deja de estar, obviamente, sometido , dentro de su especificidad, a los límites constitucionales generales a la actuación de los poderes públicos. Uno de ellos es la prohibición de la discriminación en caso de tratamientos desiguales del artículo 14 de la Constitución; otro, íntimamente relacionado, es la prohibición de arbitrariedad de los poderes públicos del artículo 9.3.

A)   IGUALDAD Y PROPORCIONALIDAD

En cuanto a lo primero, ciertamente la prerrogativa de gracia supone un tratamiento desigual, al aplicarse a unos determinados tipos de responsabilidad y no a otros. Ahora bien, y como resulta de la misma previsión constitucional de la gracia, y de la jurisprudencia tanto del Tribunal Constitucional como de jurisdicciones internacionales, no todo tratamiento desigual es discriminatorio y contrario al principio de igualdad, si consiste en tratar de forma diferente situaciones que son diferentes. Pero ello exige que se cumplan determinados requisitos.

Por un lado, que el tratamiento diferente esté claramente predeterminado por la ley, bien en lo que se refiere a la determinación y cumplimiento de las condiciones generales exigidas por la ley para la aplicación de indultos individuales, bien, en el caso, en cuanto a la precisión de los términos de la ley de amnistía como ley singular aplicable a un conjunto de individuos en una situación determinada. En segundo lugar, que ese tratamiento singular y excepcional en el caso de una ley de amnistía responda a un fin legítimo que se corresponda a un interés general y que justifique el tratamiento diferenciado. Finalmente, que el tratamiento diferenciado esté adecuado al fin perseguido, de acuerdo con el principio de proporcionalidad. De no darse esos requisitos, la medida de gracia resultaría discriminatoria por injustificadamente diferenciadora y por ende arbitraria, al no apoyarse en motivos razonables.

Pues bien, la necesidad de un fin legítimo justificador de la ley de amnistía explica la extensión de la Exposición de Motivos y su importancia a la hora de enjuiciar globalmente la constitucionalidad de la proposición. La Exposición señala en forma indubitada la justificación y fin legítimo de la amnistía: la recuperación de la concordia civil en Cataluña, rota en el plano social y político por los sucesos de 2017. Sin negar la adecuación a Derecho de los diversos tipos de sanciones previstas en el ordenamiento en relación con esos sucesos, ni de la aplicación en varios casos de esas sanciones a raíz de esos acontecimientos, la Exposición de Motivos justifica la conveniencia de suprimir esas actuales o posibles sanciones como vía para facilitar un adecuado desarrollo de la vida política en Cataluña.

No basta ciertamente para cumplir con parámetros de constitucionalidad con que una medida de gracia, por naturaleza excepcional, derive de un fin legítimo: es necesario además (para no ser considerada arbitraria) y de acuerdo con los criterios aceptados por toda la jurisprudencia constitucional e internacional, en cuanto afecta al tratamiento igual de los ciudadanos, que esa medida sea adecuada y proporcional a ese fin perseguido. Desde luego, no cabrá nunca una completa certeza en estos aspectos: en cuanto a que la medida efectivamente tenga éxito en lo que persigue, nunca cabrá una completa seguridad; y a este respecto son perfectamente legítimas todas las opiniones discrepantes en cuanto a la conveniencia de la medida, opiniones derivadas de las propias apreciaciones y convicciones. Pero, partiendo de que no se dé una manifiesta y evidente inadecuación (lo que aquí no parece ser el caso), el acuerdo sobre la adopción o no de esa medida se tratará de una decisión política, que dependerá de los valores y perspectivas de cada parte.

Por lo que se refiere a la proporcionalidad, es necesario aplicar una reflexión similar: dados los intereses en juego (que van más allá de la mera discrepancia política coyuntural), la adopción de una medida de tal entidad como la amnistía no resulta inmediatamente desproporcionada en relación con la relevancia de los fines se persiguen, aun cuando aquí también quepa una discrepancia por motivos de opinión o convicción.

b) INTERDICCIÓN DE LA ARBITRARIEDAD

Para analizar la adecuación a la interdicción de arbitrariedad, cabe destacar a este respecto que la política de concordia manifestada en la proposición no representa una innovación o novedad radical en la actuación política de quienes la proponen (esto es, el Grupo Socialista del Congreso y, por extensión, el Gobierno apoyado por ese grupo). En la actividad de los últimos años se destaca el seguimiento por parte del Gobierno de una actividad claramente tendente a paliar los efectos de los acontecimientos de 2017 y a conseguir una mayor concordia ciudadana, mediante la reducción, tanto por vía ejecutiva como legislativa, de las sanciones impuestas o a imponer como consecuencia de eso acontecimientos. Valga señalar así los indultos concedidos por los Reales Decretos 460/2021 y siguientes, de 23 de junio de 2021 (afectando a las penas impuestas a los dirigentes independentistas por la STS 459/2019), como ejercicio de la prerrogativa de gracia por el Gobierno, así como la reforma del Código Penal por la LO 14/2022 (afectando a los delitos de rebelión y sedición del art. 432 del CP), en vía legislativa. A lo podría añadirse la política de concordia manifestada en la creación de órganos de diálogo y negociación entre el Gobierno y las autoridades autonómicas.

Cabe así concluir por una parte que se cumple con el necesario requisito formal de una motivación de una decisión de tipo excepcional, mediante una amplia Exposición de Motivos, y por otra apreciar la razonabilidad de esa motivación, a la vista de los hechos en que se funda, así como su engarce con una política demostrada de concordia. Queda así excluida (al menos prima facie) la a veces alegada arbitrariedad de la medida y su derivación de motivos exclusivamente coyunturales y de oportunidad política. Ciertamente no cabe, so pena de ingenuidad, excluir la existencia también de esas consideraciones de oportunidad política en cuanto al momento de presentación de la proposición, pero desde luego esas consideraciones no se oponen a la presencia de unos claros motivos no sólo razonables, sino coherentes con una actuación y posición política anterior en cuanto al contenido y fines de la amnistía.

3. Control político y control jurídico

En estos aspectos, pues, no se plantea un problema de inconstitucionalidad, por cuanto se cubren los requisitos exigidos por los mandatos constitucionales, sino una cuestión de existencia de legítimas discrepancias en cuanto a la opción política elegida. Pero decía el juez del Tribunal Supremo norteamericano Oliver Wendell Holmes que «la predicción sobre lo que van a decidir los jueces, y no otra cosa, es lo que es para mí el Derecho». A este respecto, no cabe dudar de que tras la aprobación definitiva de la proposición la resultante ley de amnistía se verá sujeta al examen de la jurisdicción constitucional por alguna de las diversas vías disponibles; cabe también, aunque en estos casos las vías sean más dudosas en cuanto a su acceso, una revisión por tribunales inter o supranacionales. De acuerdo con la visión del Holmes, los resultados de tal revisión serán el Derecho definitivo sobre el asunto.

Ahora bien, y aparte de ello, no hay que olvidar la existencia de un control último en nuestro sistema constitucional sobre la ley de amnistía. La adopción de una decisión política de este tipo, aún no contraria a la Constitución, supone un riesgo de acertar o no en cuanto a sus reales efectos y está ciertamente sujeta a un control de adecuación. Pero no se trata ya de un control jurídico, sino de un control político, por cuanto en un régimen democrático serán los electores quienes en su momento se pronuncien, en un juicio sobre sus autores, sobre el mayor o menor acierto de una medida de gracia, que aunque sea jurídicamente compatible con la Constitución puede ser más o menos apropiada en la práctica. Pero ello es tarea de los electores, que no puede verse sustituida por la acción de ningún otro poder del Estado.

El lugar de la amnistía en la Constitución[1]

JAVIER GARCÍA ROCA

Catedrático de Derecho Constitucional. Universidad Complutense de Madrid

1. Agradezco la invitación de la directora del Centro de Estudios Políticos y Constitucionales, Rosario García Mahamut, para dirigirme a ustedes, pero la amnistía es un tema sobre el que no me resulta grato hablar, porque ha producido una fuerte división entre los juristas en general y los constitucionalistas en particular y, sobre todo, porque ha generado una prolongada exageración y tensión emocional en la sociedad española. Es un episodio más de la política de la hipérbole en que vivimos. Una constitución debe mantener unida a una comunidad política: esa su principal función política. En este asunto, por el contrario, nos hemos arrojado unos y otros la Constitución a la cabeza en vez de sostener un debate político sobre la oportunidad de la medida y la eficiencia de sus fines pacificadores.

Les voy a contar lo mismo que expuse a la Comisión de Venecia cuando comparecí ante ella en este Centro y en mi comparecencia en la Comision conjunta en el Senado. He escrito en este tiempo un artículo que se llama «La amnistía en la Constitución: los constitucionalistas divididos» y que se publicará en la *Revista Española de Derecho Constitucional*. No tendré tiempo ahora de explicar ahora todas las razones que allí he expuesto a favor o en contra de la constitucionalidad de la amnistía. Pero esta publicación en una revista de referencia, sometida a la revisión externa de pares, evidencia que he intentado distanciarme, estudiar y recuperar el oficio de un constitucionalista, no actuar como un

---

[1] He preferido mantener en el texto escrito el tono informal y sintético —lejos de ser exhaustivo— propio de mi participación oral en una jornada en el Centro de Estudios Políticos y Constitucionales.

militante o un activista: un consultor del príncipe o su debelador. He querido escribir un artículo con un método científico como habría hecho sobre cualquier otro tema.

2.   Sin embargo, el contexto está contaminado y también para mí. Vivimos en un *parlamentarismo fragmentado y radicalizado* y me temo que esta situación nos contamina también a los juristas. Debemos distanciarnos, dar razones e intentar alcanzar agunos acuerdos y para todo ello es esencial bajar el tono del discurso. Ésta es la sincera voluntad de lo que les diré: recuperar la unidad constitucional en algunos puntos.

Creo, como ha dicho Martín Rebollo (2024), que las críticas políticas a la amnistía son bastante más sólidas que las críticas jurídicas, pero puede equivocarme. El debate es más de «legitimidad», como ha explicado Cruz Villalón (2023-2024), que de «constitucionalidad». El interrogante sería, según este autor, si ese supuesto déficit de legitimidad de la medida tiene excepcionalmente alguna incidencia en el juicio de constitucionalidad. Algo que no creo sea posible, pues excede de la lógica del control de constitucionalidad de las normas y es un ingrediente que no se halla entre los vicios de inconstitucionalidad que integran el parámetro de control. Sin embargo, el discurso político y la dureza de la función de oposición, los emocionales hilos en las redes sociales y los medios de comunicación han centrado la mayor parte del debate en la constitucionalidad de la ley de amnistía, exceso que, entre otras cosas, nos ha hurtado un verdadero debate político. El debate sobre la constitucionalidad ha contribuido a rehuir la controversia política sobre el fondo del asunto.

Mas no me voy a pronunciar sobre la oportunidad política de la amnistía. Zagrebelsky (2023) ha sostenido que los constitucionalistas no hacemos ni augurios ni profecías, carecemos del don de hacer predicciones, recordando el mito de Casandra. No voy pues a hacer predicciones y asumiré las servidumbres de mi condición de jurista. Es difícil saber si la amnistía va a arreglar el problema catalán. Estimo que los constitucionalistas —como tales— no deberíamos opinar sobre esta cuestión por motivos ligados al positivismo jurídico y a la modestia. No somos más listos que los periodistas o comunicadores ni que los representantes del pueblo y deberíamos dejarles a ellos que hagan su trabajo y nosotros centrarnos en el nuestro, es difícil hacer las dos cosas a un tiempo. Es un autorrestricción que me impongo.

3.   La *ocasión* de la ley ha sido ciertamente distinta a la *justificación* que la exposición de motivos expone. La *ocassio* estuvo ligada a la con-

secución de un número suficiente de votos para permitir la investidura del Presidente, en un proceso con un digestión muy complicada entre fuerzas políticas muy diversas, algunas de las cuales reclamaban una amnistía. Un compromiso parlamentario con escasa publicidad, que no se explicó suficientemente a la opinión pública, de lo que emanan algunos problemas de legitimidad. Además, la amnistía no se llevó en el programa electoral de algunos de los partidos que la apoyaron —a diferencia de lo que ocurrió en la II República—, lo que podría, piensan algunos (Cruz Villalón, 2023)— restarle legitimidad, pero no todo lo que es objeto de un programa de investidura lo fue del programa electoral. Es una práctica frecuente y el parlamento es un gran dispensador de legitimidad democrática. En todo caso, insitiré en que la ocasión de las leyes no siempre es la misma que su justificación. Es difícil oponerse, en términos de constitucionalidad, a una ley cuya exposición de motivos dice que busca la normalización política en Cataluña, la pacificación, recuperar la convivencia y la cohesión social, encauzar conflictos políticos arraigados o volver al Estado de Derecho. Son unos fines legales plenamente constitucionales y convencionales. Por otro lado, en un juicio de proporcionalidad de la ley la revisión de los fines asumidos por un legislador democrático, según todos los estudios —subrayaré el de Bernal Pulido (2007)—, no puede ser muy intensa. La propia Comisión de Venecia ha admitido su legitimidad en la Opinión que ha dictado sobre la proposición de ley. Otra cosa es que puedan albergarse ciertas dosis de escepticismo sobre la eficiencia de la medida. Si bien las elecciones al Parlamento de Cataluña de 2024 —posteriores a mi conferencia y anteriores a la redacción de este escrito— han contribuido a disipar algunas dudas sobre su impacto a la hora de amortiguar las pulsiones independentistas.

4. Me parece que el debate que hemos sostenido ha confundido y mezclado cuatro *niveles de vicios* que deben desagregarse y analizarse separadamente para poder avanzar.

Primero, si la amnistía cabe en la Constitución, que creo que sí, aunque los expertos estamos divididos.

Segundo, si la ley es constitucional en las concretas medidas que dispone. Hablamos de cuestiones como son la ambigua categoría de terrorismo o la malversación como delitos excluidos de su ámbito, de la suspensión inmediata de las medidas cautelares incluso cuando vaya a plantearse una cuestión de inconstitucionalidad o prejudicial. Según sostuvo la Comisión de Venecia en su opinión de 18 de marzo, el problema está realmente en delimitar con precisión el ámbito objetivo y temporal

(«The Rule of Law requirements of amnesties with particular reference to the parliamentary bill on the organic Law on amnesty for the institutional political and social normalisation of Catalonia»). Estimo que en estos asuntos y en otros semejantes debió haberse centrado el debate parlamentario y jurídico, no en la constitucionalidad en abstracto de la facultad de amnistía.

Tercero, la intensidad que cabe esperar del control europeo. El Tribunal Europeo de Derechos Humanos tiene como practica habitual en asuntos delicados, políticos o morales, respetar un margen de apreciación nacional; así, por ejemplo, no se revisan normalmente decisiones sobre situaciones de emergencia y hay precedentes en los que ha admitido amnistías.

Cuarto, finalmente, la oportunidad política del perdón o clemencia, que es la decisión política más compleja y cuya solución deberíamos dejar a las cámaras parlamentarias y, en último extremo, a una responsabilidad política difusa ante el electorado. Las elecciones al Parlamento de Cataluña de 12 de mayo de 2024 fueron un indicador, pero habrá otros. Me centraré en la controversia sobre el lugar de la amnistía en la Constitución, si bien algunos solapamientos serán inevitables.

5.   Intentando distanciarme, doy especial valor a los estudios de quienes escribieron de este asunto en la primera década de este siglo, pues estaban plenamente descontaminados y no conocían el problema catalán. Poseían la perspectiva lejana, propia del *jurista persa*, que aconsejaba mantener Cruz Villalón (2006), parafraseando a Montesquieu. Estoy pensando en el trabajo de Aguado Renedo (2001) y en la monografía de García Mahamut (2004). Junto con los anteriores estudios de Linde Paniagua (1976; 1979), todos creían que la amnistía cabía la Constitución. No hubo disidencias, salvo la excepción, muy brevemente motivada en unas líneas, de Aragón Reyes (2001) en el prólogo al libro de su discípulo César Aguado.

Hay asimismo una espléndida monografía de Zagrebelsky (1974), presidente que fue de la Corte Constitucional italiana, que me temo no ha leído apenas nadie entre nosotros y desde luego no algunos de los más críticos con la ley. Este clásico analiza la naturaleza jurídica de la amnistía y no le plantea ningún problema teórico. Una institución que sitúa ligada a las fuentes del Derecho y separada del indulto. Un instrumento legal para resolver conflictos políticos. Ciertamente, la amnistía está expresamente prevista en la Constitución italiana, a diferencia de la española, pero esto no quita validez a los argumentos generales o abstractos que en ese libro se formulan. En definitiva, todos los que no estaban contaminados como estamos nosotros por la cuestión catalana no dudaban de la constitucionalidad de la amnistía.

Insistiré en que la amnistía tiene una *naturaleza jurídica* entre las fuentes del Derecho muy separada del indulto, siendo incluso contraproducente mezclar ambas instituciones. Por eso la vieja ley de indulto no habla de amnistía ni podría hacerlo, no cabe una regulación legal y general de la amnistía sino aplicaciones específicas. La herramienta que es la amnistía está pensada para resolver graves conflictos políticos en distintas situaciones de hecho y no se circunscribe solo un cambio de régimen político, como se ha sostenido y *verbi gratia* ocurrió en la transición a la democracia desde la dictadura. Esta ocasión muy excepcional no agota todos los supuestos de hecho en que es posible se aplique la figura. El informe de la Comisión de Venecia da varios ejemplos comparados de amnistías pacificadoras y de conflictos territoriales que dieron lugar a leyes de amnistía. Francia dictó una amnistía tras la independencia de Argelia y otras relacionadas con las tensiones separatistas en Nueva Caledonia y Guadalupe.

La amnistía por sí misma no supone una destrucción del Estado constitucional o del Estado de Derecho o de la división de poderes, porque una ley no puede abrogar una sentencia, pero puede cambiar otra ley anterior y precisamente eso se llama democracia representativa. Eso sí entraña una excepción a la comprensión de la igualdad. Es, por definición, una *ley excepcional*. Una ley que suspende temporalmente la igualdad ante la ley en virtud de otra ley que modifica, deroga o suspende la ley previa. La exposición de motivos de la proposición de ley de amnistía la califica como una *ley singular*. Una tesis que hace suya la ley y ya sostenía García Mahamut (2005) siguiendo a otros autores. Es una calificación de la que —admitiré— he dudado, pero que he acabado por aceptar, pues son singulares el supuesto de hecho, los destinatarios y las propias medidas, y sobre todo porque no puede ser objeto de constantes repeticiones sin comprimir en exceso valores como son, entre otros, la seguridad jurídica y la justicia.

Esta ley singular y excepcional da un *mandato a los órganos judiciales* para aplicar la amnistía y por eso no viola la tutela judicial efectiva o el debido proceso. Una amnistía no es una ley autoaplicativa. Los criterios generales y abstractos se recogen en la ley, pero se aplican por los órganos judiciales caso a caso tras una ponderación y de forma motivada. No cabría introducir un listado legal de concretos destinatarios de la amnistía, una aplicación automática y *ope legis*, sería una técnica inconstitucional por transgredir la reserva de jurisdicción. Es además fácil imaginar, dado el contexto, que la aplicación de la amnistía por una pluralidad de órganos judiciales estará plagada de episodios complicados e interpretaciones discutibles, de cuestiones prejudiciales y de inconstitucionalidad y que no será rápida.

Como en todo Derecho excepcional, tiene que haber eso sí razonables *límites* —formales, temporales y de procedimiento— para impedir la desproporción y el exceso y es precisamente sobre esos límites sobre los que deberíamos discutir, si concluimos que la genérica oportunidad política no es trabajo para juristas.

6.   En mi artículo —que ya he mencionado— he sistematizado diversos argumentos a favor y en contra de la constitucionalidad de la amnistía. No puedo explicarlos todos, pero si alguno les parece especialmente interesante, podríamos discutirlo en el coloquio.

Primero, creo que las *prohibiciones constitucionales* deben ser expresas y taxativas (García Roca, 2023). El criterio de interpretación constitucional que debe elegirse depende de la estructura de la norma y no de la psicología del intérprete. Las prohibiciones deben ser taxativas. El legislador no puede estar sometido a inferir prohibiciones vagas que no están expresadas con claridad o certeza en las normas constitucionales (la impredectibilidad es por cierto una de las más serias críticas que se han hecho al desarrollo por leyes autonómicas de normas básicas no formalizadas en leyes). Las prohibiciones deben ser predecibles y albergar suficiente «calidad de ley». Desde esta lógica, baste con subrayar que no existe una prohibición expresa en el artículo 62.i) CE, que simplemente prohíbe los «indultos generales», que es una institución muy distinta. No es lo mismo un indulto que propone al jefe del Estado el Gobierno tras tramitar un procedimiento administrativo y aplicar la ley que regula el indulto que aprobar una ley excepcional y específica, que, por definición, puede cambiar la ley anterior en una democracia representativa. La prohibición de los indultos generales se explica por razones históricas: su concesión arbitraria o abusiva y festiva durante la dictadura, ante cualquier festividad o pretexto para descargar la saturación carcelaria, consecuencia del mal estado de las cárceles y de un código penal con penas excesivas. El fin de la norma prohibitiva no es el mismo que el de la amnistía. Cuesta además pensar que prácticamente los mismos parlamentarios que dieron dos amnistías prohibieran la amnistía en la Constitución poco después.

Al hilo de este argumento, tampoco comparto el razonamiento *a minore ad maius* que emplea Gimbernat (2024) y también Tajadura Tejada

(2024), pero se usa tradicionalmente: el que prohíbe lo menos prohíbe lo más. Una prohibición implícita. Un motivo de uso clásico por la mayor parte de la doctrina penal, que tiende a equiparar indulto y amnistía, a diferencia del enfoque constitucional, que debe claramente diferenciarlos como modalidades de clemencia. Sin embargo, el razonamiento por analogía arranca de la existencia de una misma razón de decidir que lleva a su extensión a otros asuntos semejantes. Pero hablamos aquí de manzanas y peras, son cosas heterogéneas, Sobre todo, no cabe analogía donde existe una prohibición que, por su misma estructura normativa, reclama una *lex stricta, praevia et certa*: taxatividad. Las prohibiciones constitucionales no pueden inferirse de juicios lógicos. Otra cosa bien diferente es que ciertas conductas puedan venir limitadas como consecuencia de la ponderación de diversos derechos, principios y bienes constitucionales. Son bastantes los que han solapado ambas cosas: prohibir no es lo mismo que limitar.

Segundo, nuestra Constitución asume un concepto de *ley formal*. No hay en ella un precepto que contenga una reserva constitucional de materias que quede acantonada en manos de la ley, una reserva general con carácter positivo y negativo, aunque si existen reservas singulares a las leyes orgánicas, los estatutos de autonomía, la ley de presupuestos, los decretos leyes y otros tipos de leyes (entre otros, García Roca, 1997). Hubo una reserva material durante la elaboración de la Constitución, al modo francés, pero desapareció del texto final. No estamos en el esquema de fuentes del Derecho de las leyes fundamentales y no puede seguir comprendiéndose la ley como en tiempos de la dictadura en términos de reserva. El concepto de ley entre nosotros es formal. La ley es el resultado de tramitar un procedimiento legislativo, constitucional y reglamentariamente dispuesto. No tenemos una reserva material de ley y sería prácticamente imposible desglosar todas las materias de las que se ocupa la ley en un ordenamiento jurídico contemporáneo. La amnistía es parte de la ley. Nuestra Constitución asume una poderosa comprensión de la función legislativa. «No hay materia alguna que, estando la legislación atribuida al Estado, no pueda ser regulada por el legislador», «el legislador es un poder potencialmente ilimitado» (STC 35/1982). La Constitución es un conjunto de límites a las leyes, no un programa de actuaciones, como se creyó tras la revolución portuguesa por el pensamiento de izquierdas durante un tiempo: el mito de la Constitución programa. Por eso no puede sostenerse como han dicho algunos administrativistas que la ley reclama una expresa habilitación competencial para actuar. Es justo al revés. La función legislativa no solo se puede ejercer sobre lo expresamente previsto en la Constitución, sino que además la ley puede entrar en cualquier tema que no esté expresamente limitado o excluido por la Constitución, porque la Ley Fundamental no es sólo un programa de actuaciones para el legislador democrático sino un limite a sus actuaciones. El argumento más importante en favor de la constitucionalidad de la amnistía es el poderoso concepto formal de ley. De nuevo, eso se llama democracia representativa

Tercero, creo que del *debate constituyente* no se saca tampoco una prohibición de la amnistía ni se cosechan materiales que deban reservarse como algunos han colegido. Efectivamente, se rechazaron dos enmiendas (presentadas por Raúl Morodo y por César Llorens) que introducían una previsión expresa de la amnistía, pero no fueron al mencionado artículo 62 CE, al hablar del llamado derecho de gracia, sino al artículo 66 CE, que recoge las funciones de las Cortes Generales, una norma muy diversa. Haber dicho que la amnistía es una función de las Cortes sería un grave error conceptual. No conozco ningún manual de Derecho Constitucional o de Derecho Parlamentario que identifique la amnistía entre las funciones parlamentarias de las cámaras, pese al amplio debate doctrinal que ha habido sobre su número y contenido y sus solapamientos. El artículo 66 CE menciona únicamente las funciones representativa, legislativa, presupuestaria y de control, que son las funciones parlamentarias más consagradas, aunque puede haber otras. Nadie ha razonado con detalle que la amnistía alcance a ser una función parlamentaria independiente y segregada de la función legislativa y carecería de sentido. Por otro lado, no hay motivaciones expresas del rechazo de esas enmiendas, que, muy significativamente, no se reservaron para su defensa en el Pleno, lo que indica su escasa relevancia. Poco se saca de esta mina…

Con carácter general, Aguado Renedo (2001) revisó el debate constituyente y concluyó que no hubo una verdadera discusión que quedara reflejada en el Diario de Sesiones. No hubo pues un debate como, por el contrario, sí existió al aprobarse la Constitución de la II República en 1931, cuando se produjo una interesante controversia —que he leído— con una aguda intervención nada menos de que de Luis Jiménez de Asúa, admitiendo la aprobación de amnistías por ley. Unos argumentos que conservan su validez lógica.

Desde otra perspectiva de mayor caldado, este argumento —el rechazo de sendas enmiendas— suscita serios problemas de método, porque la interpretación constitucional debe indagar la *voluntas legis* y no la *voluntas legislatoris*. No habría pues que seguir necesariamente una interpretación originaria. Sobre todo, esta interpretación originaria es imposible: ¿cómo identificamos la voluntad de la asamblea constituyente? Ya se ha dicho que nada se recoge en el Diario de Sesiones. Algunos han aludido a la voluntad de algunos constituyentes expresada en nuestros días en los medios de comunicación, pero ese ejercicio parcial de reconstrucción histórica no entraña una metodología adecuada para reconstruir en Derecho la voluntad de los constituyentes. No podemos presumir la voluntad de quienes aprobaron la Constitución y de ahí presumir la prohibición de la amnistía, son demasiadas prohibiciones. Sería un eror metodológico grave.

Cuarto, deviene esencial la relevancia de los claros precedentes en nuestro *constitucionalismo histórico* y en el *Derecho comparado* propio de la cultura del constitucionalismo y las tradiciones constitucionales comunes. La amnistía no es una *rara avis* española. Por más que no sea ocioso recordar que hemos tenido nada menos que dieciocho amnistías de 1832 a 1918 con la finalidad de alcanzar la tranquilidad del país (Linde Paniagua, 1976). Además, el Frente Popular impulsó una amnistía para los hechos ocurridos en Cataluña el 6 de octubre de 1934, llevó la iniciativa en su programa electoral y fue dictada en 1936, también con fuerte oposición política al igual que ahora. Sin embargo, nuestras constituciones históricas silenciaron la institución, salvo las Constituciones de 1869 y 1931, sin que nunca se entendiera que existía una prohibición implícita.

La comparación es uno de los criterios centrales de la interpretación constitucional en nuestros días y con mayor razón en un escenario europeo de pluralismo de constituciones. Un excelente administrativista me decía hace poco en una mesa redonda que no es así, porque su voluntad era interpretar esta controversia exclusivamente desde el tenor del artículo 62 CE y no desde la historia constitucional o el Derecho Comparado. El argumento es obsoleto. Esta pretensión, según le dije, es hoy muy inadecuada y probablemente lo sería también hace medio siglo, pero el universo constitucional ha cambiado mucho y ha confirmado la nueva tendencia. La interpretación constitucional en un momento de pluralismo de constituciones está abierta al Derecho europeo y al Derecho comparado y, sobre todo, a la cultura del constitucionalismo (así lo he expuesto en García Roca, 2023). Así trabaja frecuentemente el Tribunal Constitucional: recordemos por todas la sentencia del matrimonio igualitario con brillante ponencia del magistrado Pérez Tremps (STC 198/2012), donde la información comparada fue un criterio esencial de decisión para apoyar una interpretación evolutiva. El Tribunal Europeo de Derechos Humanos es el tribunal comparado por excelencia a la búsqueda de un *common background* europeo.

La Comisión de Venecia publicó unas extensos cuadros con información comparada («Comparative table of constitutional and legislative provisions relating to the amnesty in Venice Commission Member States», de 23 de febrero de 2024) que iluminaron su Opinión, un método de trabajo que sigue habitualmente. Pues bien, esto supuesto, existe un gran número de países de nuestro entorno cultural donde se han aprobado amnistías como una facultad de clemencia y están previstas bien en la constitución, bien en la ley o, incluso, en convenciones constitucionales como en el Reino Unido (reciente amnistía sobre los sucesos en Irlanda del Norte). La amnistía no es una herramienta insólita sino un instrumento excepcional, pero las tabla de la Comisión de Venecia nos muestran que se ejerce de tiempo en tiempo en otros países ante graves conflictos políticos.

Quinto, se ha sostenido que la amnistía viola la la *igualdad ante la ley* de los españoles. La respuesta reside en que es una ley excepcional para situaciones muy singulares, ponderando otros bienes constitucionales e intereses generales a los que el legislador puede atender. La igualdad no impone la indiferenciación, no obliga a tratar igual situaciones de hecho que son desiguales. Guste o no, unos representantes políticos independentistas, que llegaron a ser mayoritarios en el Parlamento de Cataluña y representaban a un amplio colectivo de ciudadanos que compartían sus ideas, pese a que incumplieron gravemente las leyes, no están en la misma situación objetiva que los ciudadanos ordinarios. El legislador puede libremente diferenciar el tratamiento de ambas conductas, si cree que la clemencia sirve al diálogo y a la pacificación. En definitiva, si piensa que sirve a conseguir que Cataluña siga siendo España y mantener unida nuestra comunidad política nacional frente a la pretensiones de los secesionistas.

Sexto, la amnistía no lesiona la *tutela judicial efectiva* ni las garantías constitucionales del derecho a un proceso debido por varias razones. La aplican exclusivamente los órganos judiciales, ponderando la diversidad de situaciones de los justiciables. Caben recursos internos, apelación o casación, en distintas instancias, frente a la decisión donde se dicte la amnistía que puede ser revisada y, en su caso, habrá un recurso de revisión de sentencias firmes en algunos casos. Los órganos judiciales que conozcan de estos asuntos en los diferentes procesos podrán plantear la cuestión de inconstitucionalidad al Tribunal Constitucional y la cuestión prejudicial al Tribunal de Justicia de la Unión Europea si dudan de la adecuación de la ley a la Constitución y al Derecho de la Unión. La ley no abroga la sentencia condenatoria, invadiendo la función judicial, sino que deroga la ley previa en el pleno ejercicio de la función legislativa. En suma, la ley que nos ocupa no excluye el lugar de las distintas jurisdicciones sino que, todo lo contrario, otorga un papel protagonista a los órganos judiciales como tendremos ocasión de comprobar en el futuro próximo.

Séptimo, el *Tribunal Constitucional* ha aceptado implícitamente la amnistía. No existe un solo pronunciamiento expreso del Tribunal Constitucional que impida adoptar leyes de amnistía por ser en abstracto una facultad inconstitucional (entre otros muchos, Cámara Villar, 2023-2024). Al contrario, las SSTC 63/1983, 147/1986 y 73/2017, entre otras, definieron la amnistía como excepcional y, aunque anularon sendas amnistías —laboral y fiscal—, no porque nuestro ordenamiento constitucional rechace de plano la amnistía sino, respectivamente, por lesionar la seguridad jurídica y aprobarse por decreto-ley. Si la amnistía hubiera sido inconstitucional, previsiblemente tales sentencias y otras habrían declarado la inconstitucionalidad de las leyes enjuiciadas por la falta de competencia del legislador para aprobar amnistías en vez de revisarlas.

Octavo, los *estándares convencionales europeos* construidos por el TEDH y la Comisión de Venecia, de un lado, y el *Derecho de la Unión Europea,* de otro, admiten amnistías con ciertas limitaciones. No tengo tiempo de detallarlo, pero el TEDH en *Margus c. Croacia*, de 27 de mayo de 2014, aceptó la amnistía «en determinadas circunstancias» como parte de «un proceso de reconciliación» si no existieron graves violaciones de derechos humanos, matizando una línea previa de jurisprudencia algo confusa (párrafo 73 de la Opinión de la Comisión de Venecia).

Asimismo, la Recomendación del Comité de Ministros del Consejo de Europa, de 17 de noviembre de 2010, párrafo 17, establece como excepción a la prohibición de que el legislativo invalide las decisiones judiciales «amnesty, pardon or similar measures».

Con claridad, la Opinión 710/2012 de la Comisión de Venecia sobre los prisioneros políticos en la Ley de Amnistía de Georgia, de 8 y 9 de marzo de 2013, no cuestionó esa «elección política» de los representantes, pero aseveró que una ley de amnistía debe cumplir con ciertos principios propios del *Rule of Law:* legalidad (transparencia), prohibición de arbitrariedad, no discriminación e igualdad ante la ley. En suma, en ningún caso, ambos órganos del Consejo de Europa han entendido que las leyes de amnistía violen frontalmente el Estado de Derecho, la igualdad ante la ley y la separación de poderes. Otro argumento muy exagerado e improcedente que se ha manejado en el debate político.

Tampoco estamos ante una *autoamnistía* en el sentido estricto con el que manejan la expresión la Comisión y la Corte Interamericana de Derechos Humanos para vedar la figura. Pues ni el contexto es una dictadura ni ha habido graves crímenes contra la humanidad según el Derecho Internacional ni contra el derecho a la vida y la prohibición de tortura que intenten convertirse en impunes por sus autores y gobernantes ni se ha impedido la investigación de tales delitos. La Corte Interamericana ha admitido amnistías en ciertos contextos que buscan la paz.

Noveno, algunos profesores en sus estudios y algunos Letrados de Cortes en sus informes han sostenido que la aprobación de una amnistía reclama necesariamente una *reforma constitucional* como condición previa. Esta es la posición que han defendido doctrinalmente en varias ocasiones Ramos Tapia y Ruiz Robledo (2023; 2024) y que no comparto. La reforma constituciona aclararía ciertamente las cosas ante la división doctrinal imperante, pero dista de ser necesaria o imprescindible. Una duda de inconstitucionalidad justificará el planteamiento de cuestiones de inconstitucionalidad según el artículo 163 CE (cuando la ley «pueda ser contraria a la Constitución», asevera), pero no es motivo bastante para dictar un pronunciamiento de inconstitucionalidad y desvirtuar la fuerte presunción de constitucionalidad de la ley. La consagración de un vicio de inconstitucionalidad de la ley debe ir más allá en la argumentación y disipar las dudas.

También asume esa posición el informe de las letradas de Cortes en la Comisión de Justicia del Congreso de los Diputados —sin apenas motivación— y asimismo los muy extensos informes de la secretaria general del Senado —a diferencia del letrado mayor del Congreso— y del letrado de la Comisión Conjunta de Asuntos Constitucionales y Comunidades Autónomas del Senado. Me sorprende que estos informes se apartaron del uso habitual en las cámaras consistente en emanar notas escuetas sin intentar redactar todo un borrador de una sentencia constitucional como ahora se ha hecho en los dos casos en el Senado. Es muy discutible que esa sea la verdadera función del informe de un letrado en el procedimiento legislativo, acometer un juicio de constitucionalidad pleno en vez de liminar o superficial, sin entrar en el fondo del asunto, con la finalidad de no hurtar complejos juicios políticos y jurídicos que corresponden al pleno y a la correspondiente comisión y no a sus funcionarios. ¿Podría este informe en un control preventivo invadir el lugar de la jurisdicción constitucional en un control sucesivo e impedir y obstaculizar el debate parlamentario? ¿Va a mantenerse este riguroso estadar por los letrados en todos los procedimientos legislativos o estamos ante una excepción?

Retomado el hilo central del argumento, si existen dudas sobre la constitucionalidad de una ley de amnistía lo razonable no es presumir su inconstitucionalidad y reclamar una reforma de la Constitución como requisito ineludible para aprobarla. Todas las razones que en esta conferencia y en mi artículo he dado, así como otros expertos, avalan que la inconstitucionalidad dista de ser manifiesta. Ciertamente, podría ser oportuno o preferible hacer una reforma constitucional, cuando la oportunidad llegue, como dice la Comisión de Venecia. Pero mucho me temo que es un argumento ilusorio y ubicado fuera de la historia, pues no hemos podido reformar la Constitución en cuestiones centrales y sólo la hemos reformado en dos ocasiones ligadas al Derecho de la Unión y una tercera del artículo 49 para sustituir el desafortunado y obsoleto término «minusválidos» por el más afortunado de «personas con discapacidad». Posponer la aprobación de la amnistía a una reforma de la Constitución sería en la práctica diferirla *sine die:* un argumento ilusorio, no real y efectivo como razona habitualmente el TEDH, que no se justifica suficientemente, pues no han llegado a construirse más que simples dudas.

Décimo, Aragón Reyes (2001; 2024) sostiene —y es un argumento más sólido— que la aprobación de una amnistía viola la reserva de jurisdicción y que las excepciones a este monopolio no podrían hacerse más que en la propia Constitución. A su juicio, la separación de poderes lleva a reconocer una atribución exclusiva a los órganos judiciales del poder jurisdiccional que «sólo puede ser excepcionada si la Constitución ha previsto esa excepción expresamente». Sin embargo, tampoco creo que este argumento resulte de recibo. Nuestro modelo de separación de poderes no es rígido y absoluto sino flexible. No existe jurisdicción sin la interposición de la ley. La jurisdicción es, por definición, precisamente sujeción a la ley, pues es una función que consiste en aplicar las leyes en un caso, unas leyes que pueden ser modificadas, derogadas o suspendidas de forma retroactiva por una amnistía. Toda jurisdicción es consecuencia de la configuración legal y también lo son el derecho al proceso debido y el derecho de acceso a la justicia. No hay una jurisdicción que nazca directamente de la Constitución y permita ejercer pretensiones a los justiciables *ope costituionis*. Con carácter general, el legislador y no la Constitución —ha dicho el Tribunal Constitucional— determina las normas relativas a la competencia jurisdiccional (STC 140/2018, sobre regulación de la jurisdicción universal).

Undécimo, también se ha reprochado a la ley de amnistía una supuesta arbitrariedad o exceso de poder y se ha invocado la interdicción de la arbitrariedad de «todos los poderes públicos» (Delgado Barrio, 2023), incluido el legislador, imputando una ausencia de justificación racional o un abuso de la discrecionalidad a la ley de amnistía. Pero las elaboraciones doctrinales sobre ambas doctrinas y su aplicación a la ley distan de estar consolidadas o siquiera bien construidas y no hay claros precedentes jurisprudenciales. La idea de desviación de poder se construyó por la doctrina (entre otros, Chinchilla Marín, 2004) y la jurisdicción contencioso-administrativa en otro contexto muy diferente, ya que se proyecta sobre los reglamentos y los actos administrativos, que están positivamente vinculados a los fines que las leyes señalen e intenta impedir que se aparten de ellos. Pero ese no el caso de las leyes, que en su libertad de configuración normativa pueden seleccionar sus fines sin más limitaciones que la vinculación negativa a la Constitución (Chinchilla Marín, 2004; en sentido contrario Atienza y Ruiz Manero, 2018, quienes acaso no advierten suficientemente la fuerza de un concepto formal de ley en una democracia representativa). Este el error de perspectiva.

Asimismo, la doctrina italiana ha hablado del exceso de poder legislativo en los años cuarenta y cincuenta (Rodríguez Zapata, 1983) como un motivo de incompetencia si por ejemplo invade la reserva de jurisdicción. Pero la tesis no permite que la Corte Costituzionale se pronuncie sobre la oportunidad política o conveniencia de las leyes enjuiciadas, porque eso no sería un control de constitucionalidad normativo sino otro muy distinto, *di merito*, que viene vedado. Un tribunal —ni siquiera uno de índole constitucional— no puede hacer valoraciones políticas de oportunidad o sobre la legitimidad de las leyes, la amnistía entre ellas. No hay precedentes.

En suma, estos reproches al legislador deberían reconducirse al juicio de proporcionalidad y bien revisarse si la medida es necesaria o existían otras alternativas menos dañinas para el interés general, bien si el fin es legítimo. ¿Podría haberse dictado otra medida para contribuir a la paz social en Cataluña? Pues ustedes me dirán cuál. La amnistía es parte de un paquete de medidas junto a los indultos, la mesa de diálogo o la reanudación de la comision bilateral, es parte de una estrategia política diseñada por el Gobierno y la mayoría parlamentaria para poner fin a un largo y muy intenso conflicto político no pacificado por la actuación de los órganos judiciales e incluso la intervención federal ex artículo 155 CE. Son actividades de dirección política o acción de gobierno: decisiones políticas no revisables jurisdiccionalmente. ¿Puede un tribunal constitucional o uno de los dos tribunales europeos revisar la legitimidad del un fin legítimo en esta situación tan compleja asumiendo un control muy intenso? No es, sin duda, su práctica habitual y tienden a mostrarse deferentes.

7. Concluiré: advierto más peso en las críticas políticas o de legitimidad a la amnistía que en los reproches jurídicos a su constitucionalidad. Las críticas no permiten vaciar la poderosa función legislativa de las Cortes Generales en la que la amnistía se integra. La intervención de la ley transforma la naturaleza de la amnistía y ubica el problema entre las fuentes del Derecho, lejos del indulto, que dicta el ejecutivo, y es otra herramienta muy diversa. El silencio constitucional no equivale a una prohibición implícita, pues no puede razonarse por analogía en el artículo 62.i) CE. En nuestra historia constitucional, el silencio no impidió las amnistías y hay numerosos precedentes. El debate constituyente no se recoge en el Diario de Sesiones y, en consecuencia, no se puede reconstruir la voluntad de la constituyente ni pueden colegirse prohibiciones implícitas de las enmiendas rechazadas. La reforma constitucional no es ineluctable. El Derecho comparado de nuestro entorno recoge la práctica de la amnistía con o sin previsión constitucional. La amnistía en abstracto no viola ni el Estado de derecho ni la división de poderes ni la tutela judicial ni la igualdad ante la ley, pero es un derecho excepcional que debe tener límites materiales. Por eso estimo que el debate parlamentario debió ser muy distinto y centrase en los concretos contenidos de la ley, orillando el dramatismo: en particular, la amplitud y definición del ámbito objetivo y temporal de aplicación de la ley, la suspensión de medidas cautelares, la identificación del terrorismo como delitos excluidos o el procedimiento razonable de aprobación. Pero esto ya sería otro artículo.

Bibliografía

AGUADO RENEDO, César (2001). *Problemas constitucionales del ejercicio de la potestad de gracia.* Madrid, Civitas.

ARAGÓN REYES, Manuel (2001). «Prólogo» a *Problemas constitucionales del ejercicio de la potestad de gracia*, de C. Aguado Renedo. Madrid, Civitas

— (2024). «La Constitución no permite la amnistía», en M. Aragón; E. Gimbernat; A. Ruiz Robledo (dir.). *La amnistía en España. Constitución y Estado de Derecho.* A Coruña, Colex.

ATIENZA, Manuel; RUIZ MANERO, Juan (2000). *Ilícitos atípicos. Sobre el abuso del derecho, el fraude a la ley y la desviación de poder*. Madrid, Trotta.

BERNAL PULIDO, Carlos (2007). *El principio de proporcionalidad y los derechos fundamentales*. Madrid, Centro de Estudios Políticos y Constitucionales.

CÁMARA VILLAR, Gregorio (2023-2024). «La amnistía ante el silencio de la Constitución», *El Cronista del Estado Social y Democrático de Derecho*, 108-109 (monográfico *La Constitución de 1978 cumple 45 años*).

CHINCHILLA MARÍN, Carmen (2004). *La desviación de poder*. Madrid, Civitas.

CRUZ VILLALÓN, Pedro (2006). *La curiosidad del jurista persa y otros estudios sobre la Constitución*, Madrid, Centro de Estudios Políticos y Constitucionales.

— (2023). «Constitución menguante». *El País*, 21 de septiembre de 2023.

— (2023-2024). «Primeras consideraciones sobre el control de constitucionalidad de la ley de amnistía», *El Cronista del Estado Social y Democrático de Derecho*, 108-109 (monográfico *La Constitución de 1978 cumple 45 años*).

DELGADO BARRIO, Javier (2023). «Una amnesia arbitraria». *El Mundo,* 26 de octubre de 2023.

GARCÍA MAHAMUT, Rosario (2004). *El indulto. Un análisis jurídico constitucional*. Madrid, Marcial Pons.

GARCÍA ROCA, Javier (1997). «La decostruzione della legge del Parlamento», en G. Rolla; E. Ceccherini (a cura di): *Profili di Dirito Parlamentare in Italia e in Spagna*. Torino, Giappichelli.

— (2023). *Lecciones de Derecho Constitucional*. Madrid, Civitas.

GIMBERNAT, Enrique (2024). «Indultos generales y amnistías», en M. Aragón; E. Gimbernat; A. Ruiz Robledo (dir.). *La amnistía en España. Constitución y Estado de Derecho*. A Coruña, Colex.

LINDE PANIAGUA, Enrique (1976). *Amnistía e indulto en España*. Madrid, Tucar.

— 1979). «Amnistía e indulto en la Constitución española de 1978», *Revista de Derecho Político*, 2.

MARTÍN REBOLLO, Luis (2024). «Amnistías, amnistía y Constitución (Sobre la reciente proposición de la Ley de amnistía)», *El Cronista del Estado Social y Democrático de Derecho*, 108-109 (monográfico *La Constitución de 1978 cumple 45 años*).

RAMOS TAPIA, Inmaculada; RUIZ ROBLEDO, Agustín (2023). «¿Se olvidó la Constitución de la amnistía?», *Diario La Ley*, 10345, 11 de septiembre de 2023.

— (2024). «Si el Gobierno quiere amnistiar a Puigdemont debe reformar la Constitución», en M. Aragón; E. Gimbernat; A. Ruiz Robledo (dir.). *La amnistía en España. Constitución y Estado de Derecho*. A Coruña, Colex.

RODRÍGUEZ-ZAPATA, Jorge (1983). «Desviación de poder y discrecionalidad del legislador», *Revista de Administración Pública*, 100-102.

TAJADURA TEJADA, Javier (2024). «Estado constitucional y amnistía», en M. Aragón; E. Gimbernat; A. Ruiz Robledo (dir.). *La amnistía en España. Constitución y Estado de Derecho*. A Coruña, Colex.

ZAGREBELSKY, Gustavo (1974). *Amnistia, indulto e grazia. Profili costituzionali*. Milano, Giuffrè.

— (2023). *Tempi difficile per la Costituzione. Gli smarrimenti dei costituzionalisti*. Bari/Roma, Laterza.

La amnistía antes y ahora

Agustín Ruiz Robledo

Catedrático de Derecho Constitucional. Universidad de Granada

I.   Si las elecciones generales de julio de 2023 demostraron la actualidad de la famosa frase, popularizada por Churchill, acerca de que «la política hace extraños compañeros de cama», también han demostrado que la política hace que los académicos nos pongamos a trabajar sobre extraños temas jurídicos. Así, a partir de esas elecciones los juristas nos hemos puesto a estudiar —y discutir, a veces acaloradamente— la amnistía en la Constitución española, un tema al que no le habíamos dedicado una sola monografía en todos los años que llevamos de vida constitucional y que prácticamente ningún manual de Derecho Constitucional mencionaba antes de esa fecha, a pesar de que en el pasado se dieron tantas que Salvador de Madariaga pudo escribir que «España es el país de las amnistías».

Como la amnistía no se inventó en el caluroso verano de 2023, creo que para esta intervención es conveniente remontarnos —siquiera brevemente— a su origen, *ad ovo*, como nos enseñó el gran Horacio en su *Arte Poética*. Precisamente, la amnistía fue un invento de los atenienses, a los que tanto admiraba Horacio (y en general todos los romanos). Y como otras muchas instituciones jurídicas, su invención sirvió para resolver un conflicto social: los demócratas atenienses del siglo IV a.C, capitaneados por el general Trasíbulo, *olvidaron* las conductas de los que habían colaborado con la dictadura de los Treinta Tiranos (pero no a estos). Con ello, se recobró la paz social y se cohesionó Atenas, de tal forma que se reforzó frente a su gran enemiga, Esparta. Muchas otras amnistías demuestran su utilidad para superar conflictos políticos y sociales. Así, en los dos siglos de nuestra turbulenta Edad Contemporánea se pueden citar muchas amnistías aprobadas en todo el amplio mundo por Estados liberales que buscaban mejorar la convivencia y la cohesión social. Por limitarnos a algunas antiguas muy importantes: la amnistía que dio en 1802 el Consulado (controlado ya por Napoleón) a los nobles exiliados; la del presidente de los Estados Unidos Andrew Johnson en 1868 para los rebeldes sureños; la amnistía *Togliatti* en Italia en 1946 para perdonar tanto los delitos de los colaboracionistas como los excesos de los *partisanos*; la amnistía de 1982 de la Asamblea Francesa para perdonar a los condenados en la Guerra de Argelia, etc.

Pero las amnistías también se han usado no para pacificar una sociedad e integrar a diversas sensibilidades políticas, sino para lograr la impunidad de ciertos políticos frente a los nuevos gobiernos democráticos o para evitar la cárcel a los partidarios del Gobierno. No tenemos muy lejanos los ejemplos de las leyes de punto final y obediencia debida aprobadas en la década de los ochenta del pasado siglo en varios Estados latinoamericanos, posteriormente impugnadas por las fuerzas progresistas. Y está muy cerca la autoamnistía que en 2019 se empezó a tramitar en Rumania para poner en libertad a varios políticos del gobernante partido socialdemócrata, pero que el mismo Gobierno rumano de Viorica Dăncilă abandonó gracias a la enérgica intervención del presidente de la Comisión Europea, Jean-Claude Juncker.

En España no han faltado amnistías de este tipo, que podemos llamar torticeras, en cuanto retuercen el noble fin con el que se inventó la institución. Desde la lejana amnistía que dio Napoleón en 1808 para dividir a los españoles que luchaban contra el gobierno de José I, las dos amnistías más torticeras que tenemos son, paradójicamente, las dos que se dieron en la República, pues en ninguna de ellas hubo voluntad de reconciliación y sí de salvar a «los nuestros»: la aprobada por la mayoría derechista del Congreso en abril de 1934 para liberar al general Sanjurjo y demás implicados en el golpe de Estado de 1932 y la autorizada por la Diputación Permanente del Congreso en febrero de 1936 para amnistiar a todos los implicados en los alzamientos de octubre de 1934. Ahora bien, estas dos amnistías sectarias tuvieron la legitimidad de haber sido incluidas en los respectivos programas electorales de las coaliciones triunfantes en las elecciones de noviembre de 1934 y febrero de 1936, respectivamente la Unión de Derechas y el Frente Popular.

Así que la Historia nos enseña que utilizar la *clementia principis* para excepcionar el ordenamiento punitivo de un Estado puede ser tanto una sabia decisión política que sirve para reconciliar a una sociedad dividida, como una torticera forma de buscar la impunidad de un grupo con el suficiente poder como para imponer sus intereses al conjunto de la sociedad. Por eso, todavía tiene vigencia la famosa frase de Cesare Beccaria: «Dichosa la nación en la que la clemencia y el perdón fuesen funestos».

II.   En 1977 las Cortes constituyentes democráticas aprobaron, por amplísima mayoría, la generosa Ley 46/1977, de 15 de octubre, de Amnistía, que se concibió como un instrumento para la paz social y el reencuentro de las distintas sensibilidades políticas históricamente enfrentadas, incluso como una sutil condena de la dictadura. Paralelamente, en ese segundo semestre de 1977, la ponencia constitucional estuvo discutiendo el Anteproyecto constitucional. Por las actas de sus sesiones sabemos que los siete padres de la Constitución debatieron dos veces a puerta cerrada la amnistía en el texto, para concluir: «se acuerda no constitucionalizar este tema».

Frente a esta exclusión, se presentaron dos enmiendas, que pretendían que el texto constitucional permitiera que las Cortes pudieran amnistiar. La primera, presentada por el Grupo Mixto, proponía: «Las Cortes Generales, que representan al pueblo español, ejercen la potestad legislativa, sin perjuicio de lo dispuesto en el título VIII, otorgan amnistías, controlan la acción del Gobierno y tienen las demás competencias que les atribuye la Constitución». El primer firmante de esta enmienda era Raúl Morodo, al que le acompañaba en el Grupo Mixto Enrique Tierno Galván, dos catedráticos socialistas de lo que entonces se denominaba Derecho Político. La enmienda fue rechazada por la ponencia y, aunque no explicó sus motivos, creo que nos dejó una pauta importante para interpretar el texto constitucional: para los enmendantes una cosa era la potestad legislativa y otra la capacidad de otorgar amnistías, en línea con el precedente de la Constitución republicana de 1931, que regulaba la amnistía en artículo distinto a la potestad legislativa, y en consonancia con el artículo 161 de la Constitución Portuguesa de 1976, que al listar las competencias «políticas» de la Asamblea de la República distingue entre «c) Hacer leyes sobre todas las materias [...] f) Conceder amnistías y perdones genéricos».

La segunda enmienda al Anteproyecto la realizó el diputado de UCD César Llorens para incluir en el título del Poder Judicial un nuevo artículo, prácticamente copiado de la Constitución de 1931: «Se prohíben los indultos generales. Los individuales serán concedidos por el Rey, previo informe del Tribunal Supremo y del Fiscal del Reino, en los casos y por el procedimiento que las leyes establezcan. Las amnistías solo podrán ser acordadas por el Parlamento». La enmienda tuvo bastante éxito porque la Ponencia la admitió en lo «relativo a la prohibición de indultos generales, aunque acuerda regular esta materia junto con el derecho de gracia». Otra vez los siete padres de la Carta Magna se negaron a la inclusión de la amnistía sin explicar los motivos de su rechazo. Ahora bien, tal y como quedó el texto del artículo 62.i), supone un importante elemento de interpretación: al prohibir la Constitución que el legislador pudiera conceder indultos generales (no me estoy equivocando, léase con tranquilidad el artículo 62 y se verá que la prohibición va dirigida a la ley), se deduce una prohibición implícita de la amnistía, pues si las Cortes no pueden aprobar indultos generales, mucho menos podrán aprobar amnistías, según el argumento lógico *a minori ad maius*. Pero más todavía: si los constituyentes no quisieron copiar el texto de 1931, que permitía a las Cortes adoptar amnistías, quien ahora en 2024 interpreta el silencio constitucional como una remisión al legislador está llegando al mismo resultado que si se hubiera adoptado la enmienda, cuando fue rechazada.

Desde luego, a los constituyentes no le faltaban motivos políticos para prohibir la amnistía, empezando por no poner en manos de mayorías coyunturales un instrumento que no se había usado con prudencia en la anterior fase democrática española; además, también se mandaba un mensaje de dureza a todos los terroristas que en esa época atacaban a la naciente democracia: no habría una segunda amnistía para los que continuaran con sus crímenes. Refuerza ese razonamiento que casi todos los constituyentes vivos que en estos días de 2023 y 2024 se han pronunciado sobre la amnistía la hayan considerado prohibida por la Constitución: Miguel Herrero Rodríguez de Miñón (miembro de la ponencia constitucional), Felipe González, Alfonso Guerra, Antonio López Pina, Ramón Vargas-Machuca y Virgilio Zapatero, si llevo bien la cuenta. Los cinco últimos, socialistas, por cierto. Miquel Roca Junyent sí ha considerado que la Constitución la permite, pero curiosamente en sus declaraciones para nada alude a los debates constituyentes, sino que se limita a señalar que el silencio constitucional puede interpretarse como una remisión al legislador.

III. Si de la elaboración de la Constitución pasamos a la jurisprudencia de su máximo intérprete, encontramos que en veintidós sentencias del Tribunal Constitucional se menciona de una forma u otra la amnistía. Como en ellas no se declara derogada la Ley 46/1977, algunos juristas han considerado que la Constitución no prohíbe la amnistía. Sin embargo, no es posible compartir ese razonamiento ya que la doctrina del Tribunal Constitucional sobre los efectos de la disposición derogatoria de la Constitución es más compleja que decir que lo que no se puede hacer hoy supone que las leyes pasadas no pueden mantenerse; si así fuera, habría desaparecido casi todo el ordenamiento jurídico previo, producto de unas Cortes que no eran representativas de la voluntad popular. Por eso, el Tribunal Constitucional tiene establecido que «la promulgación de la Constitución no ha roto la continuidad del orden jurídico preconstitucional más que con respecto a aquellas normas que no puedan ser interpretadas de conformidad con la Constitución» (STC 32/1981, de 28 de julio, expresamente reiterada en la STC 76/1986, relativa a la amnistía). Más todavía: «para que opere la derogación, la disconformidad con la Constitución solo podrá declararse cuando su incompatibilidad con la norma suprema resulte indudable por ser imposible interpretarla conforme con la Constitución» (STC 1/1982, de 28 de enero). Evidentemente, una ley de amnistía aprobada por las mismas Cortes constituyentes que buscaban paliar los efectos penales de una dictadura y la reconciliación entre españoles no debe ser especialmente difícil de interpretar según la Constitución. Así que no cabe deducir del hecho de que el Tribunal Constitucional no haya declarado derogada (o que incurre en inconstitucionalidad sobrevenida) la Ley de Amnistía de 1977 que una nueva ley de amnistía sería constitucional.

Vayamos ahora a estudiar las sentencias concretas de las que algunos han deducido la constitucionalidad de esa nueva amnistía. La primera sentencia que se cita a favor de esa tesis es la STC 63/1983, de 20 de julio, un recurso de amparo de la Asociación de Aviadores de la República, que reclamaba la aplicación de la amnistía a las personas que se habían incorporado al Ejército republicano después del 18 de julio de 1936, igual que se les aplicaba a los funcionarios civiles. Por eso, los recurrentes pretendían que se les reconocieran los nombramientos realizados por el Gobierno de la República, así como las consecuencias económicas pertinentes. Ninguna de las partes reclamó la nulidad de la Ley de amnistía de 1977 y la controversia se centró en si la distinción entre civiles y militares que la ley estableció era compatible con la Constitución (algo que el Tribunal Constitucional admitió).

A pesar de que la *ratio decidendi* no gira sobre la constitucionalidad de la amnistía, se ha considerado que esta STC 63/1983 respalda la capacidad actual de las Cortes para aprobar leyes de amnistía partiendo de tres frases usadas por el Constitucional: a) «la amnistía es un instituto fundado en la clemencia y un ejercicio del derecho de gracia»; b) «para ciertos expertos solo comporta la extinción de la pena, para algunos implica la extinción del delito e incluso de la norma anterior»; y c) «la legislación sobre la amnistía ha de conciliarse con el principio de igualdad pues es algo que se asienta firmemente en el valor igualdad».

No parece deducirse de estas tres citas (todas referidas a la legislación sobre amnistía previa a la Constitución) que también sería constitucional una ley posterior porque definir cualquier institución jurídica no supone considerar que la Constitución la admita, lo mismo que aplicar la igualdad en la interpretación de una ley previa a la Constitución no nos dice mucho sobre la admisibilidad futura del contenido de una ley cualquiera.

Sin embargo, sí que hay alguna afirmación en esta STC 63/1983 que más bien hacen dudar de que el Tribunal Constitucional admita las amnistías posteriores a la entrada en vigor de la Constitución: «La amnistía responde así a una razón de justicia, como exigencia derivada de la negación de las consecuencias de un Derecho anterior». Si la amnistía debe responder a una razón de justicia, ¿qué razón de justicia hay para amnistiar a los condenados e investigados por el acto de proclamación ilegal de la independencia de Cataluña en contra del ordenamiento democrático español usando, además, las propias instituciones creadas por la Constitución? ¿Y cuál sería el Derecho anterior que ahora no se admite? Desde luego, el independentismo considera que sí hay razones sobradas, empezando por argumentar que sus conductas nunca debieron ser reprimidas penalmente, pero no es esa la opinión mayoritaria de los juristas, ni desde luego de las instituciones europeas, pues de considerar injustas y contrarias al Estado de Derecho toda las investigaciones judiciales que ha originado el desafío separatista tanto la Unión Europea como el Consejo de Europa habrían intervenido de alguna manera contra ese Estado *represor* y vulnerador de los principios democráticos.

La segunda sentencia que se usa para defender que el Tribunal Constitucional admite las amnistías posconstitucionales es la STC 76/1986, de 9 de junio. Se trata de un recurso de inconstitucionalidad contra las leyes del País Vasco 11/1983, de 22 de junio, sobre derechos profesionales y pasivos del personal que prestó sus servicios a la Administración Autónoma del País Vasco y 8/1985, de 23 de octubre, que complementa la anterior. Ahora bien, esas leyes no conceden amnistías, entre otras cosas porque hasta la fecha la duda doctrinal está en si las Cortes pueden hacerlo, pero hay unanimidad doctrinal en que las comunidades autónomas no tienen competencia para concederlas. Lo que hacen estas leyes es —según declara el propio Tribunal Constitucional— «atribuir una serie de derechos económicos, pasivos y profesionales a un círculo de destinatarios caracterizado por haber prestado servicios a la Administración vasca desde el 7 de octubre de 1936 al 6 de enero de 1978». Además, la referencia más clara a la amnistía que hace en esa sentencia el Tribunal Constitucional revela —como en la STC 68/1983— su concepción de la amnistía como elemento de una justicia transicional, reparadora del derecho injusto de la dictadura: «sobre este presupuesto operará la amnistía extinguiendo la responsabilidad, según unos (el delito o la falta, según otros), para hacer desaparecer, con fundamento en una idea de justicia, las consecuencias de un Derecho anterior, que se repudian al constituirse un orden político nuevo, basado en principios opuestos a los que motivaron la tacha de ilicitud de aquellas actividades».

La siguiente sentencia citada a favor de la constitucionalidad de la amnistía es la STC 147/1986, de 25 de noviembre, en la que se tratan diversas cuestiones de inconstitucionalidad sobre la «Disposición adicional de la Ley 1/1984, de 9 de enero, de adición de un nuevo artículo a la Ley 46/1977, de 15 de octubre, de Amnistía». Por fin nos encontramos con una sentencia que, aparentemente, trata de una ley posconstitucional de amnistía, aunque los hechos regulados en esa Ley 1/1984 son previos a la instauración del Estado de Derecho en España. Como el propio Tribunal Constitucional se encarga de razonar: «la Ley 1/1984 no tiene sentido autónomo, sino que puntualiza algunos aspectos discutidos del régimen jurídico de la Ley de 1977, en la que verdaderamente se materializa el ejercicio de la facultad de gracia». La conclusión que se obtiene de esa falta de autonomía la señala el mismo Tribunal Constitucional: «la Ley 1/1984 ni siquiera supone en sí misma manifestación del ejercicio del derecho de gracia, pues constituye una mera precisión en el régimen jurídico de aquél, consistiendo el problema en determinar si el legislador no ha vulnerado con el contenido de la referida Ley otras previsiones constitucionales que las contenidas en el art. 62.i) de la CE». Dicho esto, no puede extrañar que el fallo no tenga mucho que ver con la amnistía en sí, sino con la vulneración de la seguridad jurídica en la que incurría la Ley 1/1984 al declarar imprescriptibles las acciones laborales deducidas de la Ley 46/1977. Así que, si esa Ley no era una ley de amnistía en sentido estricto, no regulaba hechos posteriores a la entrada en vigor de la Constitución y además fue declarada inconstitucional, no parece muy consistente defender que las opiniones que el Tribunal Constitucional dio sobre ella pueden respaldar hoy la constitucionalidad de una ley de amnistía.

Es verdad que el intérprete supremo de la Constitución hace una afirmación en esta STC 147/1986 que, a primera vista, puede ser considerada (así lo hacen los partidarios de la amnistía y, como veremos más adelante, la misma Ley Orgánica 1/2024) como una impugnación a la interpretación *ad minoris ad maius* que se ha expuesto más arriba sobre la prohibición expresa de los indultos generales: «Prescindiendo del hecho de que es erróneo razonar sobre el indulto y la amnistía como figuras cuya diferencia es meramente cuantitativa, pues se hallan entre sí en una relación de diferenciación cualitativa...». Dejando al margen que el principio de la frase ya nos señala que esa afirmación es simplemente un *obiter dictum*, lo cierto es que esa diferencia cualitativa entre el indulto y la amnistía, primero, no impide que las dos sean modalidades del derecho de gracia (lo afirma el propio Tribunal Constitucional reiteradamente) y, segundo, que a los efectos de la interpretación *ad minoris* del indulto general (no del individual que puede conceder el Gobierno) no se advierte esa diferencia cualitativa: es al legislador, y no al Gobierno, al que va dirigida la prohibición, en los términos literales del artículo 62.i) CE: «ejercer el derecho de gracia de acuerdo a la ley, que no podrá autorizar indultos generales».

La cuarta y última sentencia cuyo contenido se cita expresamente a favor del respaldo del Tribunal Constitucional a una amnistía en 2023 es la STC 81/2022, de 27 de junio, que trata de un recurso de amparo en el que se pide la anulación de dos sentencias de las salas de lo penal del Tribunal Supremo y de la Audiencia Nacional que desestimaron una solicitud de revisión de la condena impuesta por un tribunal de Turquía. El proceso no gira, pues, sobre ninguna ley de amnistía española sino sobre si la pena impuesta en Turquía de quince años violaba el derecho a la libertad de la recurrente. Pero se aprovecha una frase de la sentencia para interpretar que el Tribunal Constitucional respalda la amnistía planeada en 2023 cuando en realidad lo que está diciendo es que no se vulneraría el Convenio de Estrasburgo sobre traslado de personas condenadas por reducir en un Estado la pena impuesta en otro. Si se lee la sentencia, se aprecia que nada dice sobre la constitucionalidad de la amnistía en España: «la posible adaptación de una pena implica en el presente caso una medida mucho menos gravosa que la prevista en el art. 12 del propio Convenio de 1983, que permite a las partes 'conceder el indulto, la amnistía o la conmutación de la pena **de conformidad con su Constitución** o sus demás normas jurídicas» (el subrayado es mío). Es decir, el Tribunal Constitucional solo copia lo que dice un Convenio del Consejo de Europa, no afirma que el Convenio obligue a establecer la amnistía en España. Si leemos el Convenio en lugar de la sentencia, llegaremos a la misma conclusión: se refiere a la amnistía porque varios de sus Estados firmantes la recogen en sus constituciones, pero no hay ningún mandato a los Estados para que la regulen en sus ordenamientos internos.

Así las cosas, en mi opinión la jurisprudencia del Tribunal Constitucional para nada respalda el encaje de una ley de amnistía a los condenados e investigados por el *procés*. Dicho esto, también me parece necesario señalar que no existe una jurisprudencia que expresamente afirme que la Constitución de 1978 prohíbe, siempre y en todo caso, las amnistías porque sencillamente nunca se le ha presentado una ley de amnistía posconstitucional que pretenda afectar a hecho ocurridos después de 1978. Pero si no hay una jurisprudencia expresa, sí hay varias afirmaciones en sus sentencias que sirven para reforzar los razonamientos de que el silencio constitucional implica una prohibición implícita. Ya he citado las referencias del Tribunal Constitucional a la ley de amnistía como corrección de lo roto —por usar una expresión de Ortega— en las SSTC 63/1983 y 76/1986. Ahora se puede añadir una tercera cita en la que no solo queda clara la idea de que la amnistía responde a una razón de justicia, sino de que se trata de un momento excepcional, de tránsito de un régimen a otro: «la amnistía que se pone en práctica y se regula en ambas leyes es una operación jurídica que, fundamentándose en un ideal de justicia (STC 63/1983), pretende eliminar, en el presente, las consecuencias de la aplicación de una determinada normativa —en sentido amplio— que se rechaza hoy por contraria a los principios inspiradores de un nuevo orden político. Es una operación excepcional, propia del momento de consolidación de los nuevos valores a los que sirve» (STC 147/1986, de 25 de noviembre).

IV.   Una vez analizados el debate en las Cortes Constituyentes y la jurisprudencia constitucional, podemos adentrarnos en el análisis del propio texto. Recordemos que, según el propio Tribunal Constitucional, la amnistía es una manifestación del derecho de gracia. Ese *poder de perdonar*, que Kant denominaba *ius aggratiandi*, es cualitativamente distinto a la potestad legislativa, que se proyecta bien sobre la realidad física, bien sobre relaciones sociales, y tiene una pretensión de generalidad que no tiene la amnistía que se acota en el tiempo y en los destinatarios. La ley es una norma general y abstracta, mientras que la amnistía no establece ningún mandato jurídico que obligue a los ciudadanos, solo pretende perdonar determinados delitos e infracciones administrativas a determinadas personas; no deroga ninguna norma, simplemente excepciona de su aplicación a quienes cumplan ciertos requisitos y se agota tras su aplicación a esas personas a la que se dirige. Por eso, cuando se intenta ahormar la amnistía dentro de la potestad legislativa vemos que no encaja en ella. Así, no se le puede calificar como una ley penal negativa o *desincriminadora*, porque es un acto singular y excepcional. Mientras las leyes se aprueban, las amnistías se otorgan. Como no modifica el Código Penal, la amnistía no puede ser manifestación del *ius puniendi* estatal y sí —como afirma el propio Tribunal Constitucional— del derecho de gracia, la vieja *clementia principis* que ha sobrevivido excepcionalmente en los estados democráticos. Por la misma razón, tampoco su constitucionalidad puede encontrar apoyo en la posibilidad de dictar normas retroactivas favorables de derechos individuales (art. 9.3 CE): cualquier amnistía supone que dejan de aplicarse (no de derogarse) determinados artículos a determinadas personas. Lo que, además, implica una excepción al principio de igualdad: el mismo delito será punible o no según la *calidad* de la persona que lo cometió; en el caso concreto de la amnistía del *procés*, si el autor lo hizo o no movido por el deseo de lograr la independencia de Cataluña.

También es una excepción a la división de poderes, a la tutela judicial efectiva (que desaparece para las víctimas) y al mandato de cumplimiento de las sentencias, como el profesor Manuel Aragón viene explicando con brillantez desde hace más de veinte años: «la división de poderes que nuestra Constitución establece, atribuyendo en exclusiva a los jueces y tribunales el poder jurisdiccional, con lo que se crea, en definitiva, una reserva de jurisdicción, que sólo puede ser excepcionada si la propia Constitución ha previsto esa excepción expresamente. Es lo que ocurre con el indulto, que no podría existir si la Constitución no la hubiera previsto. No estando reconocida expresamente la amnistía en la Constitución, que además viene a prohibir los indultos generales, me parece que el legislador no puede realizarla».

Por todos estos motivos, la amnistía es una *ruptura constitucional* que no es posible incluir bajo el manto de la potestad legislativa general y necesita una habilitación expresa de la Constitución; de la misma forma que la tiene el indulto o, en el régimen jurídico del jefe del Estado, la preferencia del varón sobre la mujer en la sucesión a la Corona (art. 57.1), que rompe con la igualdad de los hijos (art. 39.2). Luis Jiménez de Asúa y demás constituyentes de 1931 así lo entendieron y configuraron la amnistía como una competencia de las Cortes distinta a la potestad legislativa y regulada en un título diferente, el relativo a Justicia. Con agudeza, Rafael Bustos Gisbert ha notado, después de leer con detenimiento los debates constituyentes, que la ponencia presidida por Jiménez de Asúa entendió que el artículo 102 afrontaba una cuestión esencial del nuevo Estado «a la vista de la práctica de los regímenes anteriores en la que, con inusitada frecuencia, se procedía a **vaciar la actuación de los**

jueces mediante la concesión de indultos generales y amnistías por parte del Gobierno, especialmente en los casos de los llamados delitos políticos y sociales» (el subrayado es mío). En sentido similar, ya he recogido más arriba cómo el artículo 161 de la Constitución portuguesa de 1976 distingue la potestad legislativa de la capacidad del Parlamento para conceder amnistías.

V.   Durante cuarenta años esta idea de la prohibición constitucional de la amnistía fue patrimonio común de todos los partidos políticos. Tanto fue así que no solo ningún partido propuso en todo ese tiempo que se aprobara una ley especificando cuándo y cómo se podrían dar amnistías en España sino que además, cuando en 1995 se presentó el proyecto de ley de nuevo Código Penal, nadie objetó que no apareciera la amnistía como una de las causas de extinción de la responsabilidad penal, tal y como sí hacía el Código Penal franquista de 1973. Y solo muchos años después, y a partir del desafío separatista de 2017, apareció en los propios programas electorales de las fuerzas independentistas. Pero todavía en fecha tan cercana como en marzo de 2021 la Mesa del Congreso rechazó una proposición de ley de amnistía por considerarla palmariamente inconstitucional, decisión que apoyaron tanto el PSOE como el PP.

Sin embargo, después de las elecciones generales de julio de 2023 un tema que no había sido objeto de debate electoral, ni se encontraba en el programa de ninguno de los cuatro partidos más votados, pero sí en el de los partidos independentistas catalanes, pasó a ser el objeto principal del debate político, hasta el punto de que la primera gran iniciativa parlamentaria de la XV Legislatura fue la proposición de ley de amnistía presentada por el Grupo Parlamentario Socialista el 13 de noviembre de 2023, antes de la investidura. Para entenderla, y procurando evitar repetirme cansinamente, me parece conveniente analizar tanto las opiniones pioneras de ciertos autores defendiendo lo que podríamos llamar la constitucionalidad abstracta de la amnistía para ver, después, la propia *autodefensa* de la proposición concreta.

VI.   El principal argumento de los defensores de la constitucionalidad se basa en la libertad de configuración del legislador (*Gestaltungsfreiheit*), que solo se ve constreñida por las prohibiciones expresas establecidas en la propia Constitución, lo que no es el caso de la amnistía. Ante el silencio de la *Lex legum*, el legislador podrá tomar la decisión que considere conveniente, como puede ser adoptar una amnistía que supere el «conflicto político» y logre la reconciliación política y la paz social en Cataluña. Es decir, no habría ningún obstáculo jurídico que le impidiera aprobar una ley de amnistía de los delitos, juzgados o no, del *procés*. Sería tan constitucional como otras leyes que versan sobre materias que no están expresamente recogidas en la Constitución: la Ley 1/2023, de 20 de febrero, de Cooperación para el Desarrollo Sostenible y la Solidaridad Global; la Ley 10/2021, de 9 de julio, de trabajo a distancia, etc.

Además de este argumento del silencio constitucional que sería una habilitación implícita al legislador se pueden añadir otros complementarios, empezando por la regulación de la amnistía en la Ley de Enjuiciamiento Criminal, el hecho de que ya se hayan dictado amnistías fiscales y, usando el *quinto método de interpretación*, la aprobación de leyes de amnistía en Estados europeos, como los dos más próximos, Francia (en los ochenta) y Portugal (en 1996). Es más, el Derecho constitucional histórico español la avala igualmente: en febrero de 1936, el Gobierno dictó un decreto-ley de amnistía previamente autorizado por la Diputación Permanente de las Cortes. Incluso buscando con paciencia en la Constitución se puede encontrar un indicio de que la Constitución admite la amnistía: cuando el artículo 87.3 regula la iniciativa legislativa popular hace una relación de materias excluidas entre las que se menciona la «prerrogativa de gracia», referencia implícita a la amnistía, que es la única que se otorga por el legislador, mientras que el indulto le corresponde al ejecutivo. Veamos estos argumentos uno a uno.

1.   El argumento de la libertad de configuración del legislador, que supone que al no estar prohibida expresamente la amnistía cabe dentro de la potestad legislativa, debe ser matizado so pena de mantener disparates evidentes como considerar que, ante el mismo silencio constitucional, la Constitución permite la esclavitud y el ostracismo, otras dos instituciones típicas de Atenas. El mismo Tribunal Constitucional ya dijo en una de sus primeras sentencias que las Cortes gozaban de «un poder potencialmente ilimitado (**dentro de la Constitución**)» (STC 35/1982, de 14 de junio, FJ 2, el subrayado es mío). Así que la validez de la regulación legal de la amnistía o la de cualquier otra institución jurídica depende de si es compatible con los mandatos y principios de la Constitución española de 1978, no simplemente de que no esté *expressis verbis* prohibida en ese texto. Ya he dado mi opinión con cierto detalle más arriba: la amnistía es una excepción a la generalidad de la ley, al principio de igualdad y a la división de poderes, por tanto, esta ruptura constitucional tiene que adoptarla la propia *Lex legum*, que además prohíbe al legislador que autorice indultos generales. No es convincente argumen-

tar que una ley de amnistía de los acusados y condenados por el *procés* no afecta al Poder Judicial, sino al Gobierno que propuso y al Senado que autorizó la aplicación del artículo 155 en el otoño de 2017; ello no es así porque ninguno de los condenados por sedición y malversación lo ha sido por vulnerar el Real Decreto 944/2017, de 27 de octubre, por el que se designan órganos y autoridades en Cataluña, sino por infringir el Código Penal. Es más, hubieran sido condenados igualmente, aunque no se hubiera aplicado el artículo 155. El indulto de junio de 2021 a los nueve condenados por la STS 459/2019, de 4 de octubre, afectó sin ninguna duda al mandato constitucional de cumplimiento de las sentencias (art. 118), en cuanto unos condenados que, según su sentencia, deberían estar en la cárcel dejaron de estarlo. La amnistía a los condenados por esa sentencia volvería a afectarle. Con razón ha podido escribir Vicente Conde, magistrado emérito del Constitucional, que el valor de cosa juzgada, garantizado en este artículo 118, se convierte en un «obstáculo insalvable de una ley de amnistía».

2.   Tampoco es convincente el otro razonamiento que se esgrime para negar que la amnistía afecte al monopolio jurisdiccional de jueces y magistrados: el indulto y las rebajas de las penas por beneficios penitenciarios producen los mismos efectos «sin que nadie se la haya ocurrido sostener que son inconstitucionales». Al contrario, este argumento sirve, paradójicamente, para reforzar la inconstitucionalidad de la amnistía: quitemos del razonamiento los beneficios penitenciarios, que decide un juzgado de vigilancia penitenciaria (es decir, un órgano del Poder Judicial) siguiendo los mandatos legislativos aplicables por igual a todos los condenados, y nos queda una afirmación completamente verdadera: el indulto atenta contra el principio de división de poderes porque «impide juzgar y hacer ejecutar lo juzgado en su integridad». Precisamente, por ese carácter excepcional, está reconocido en la Constitución. De la misma forma debería de estar la amnistía para ser admisible en nuestro ordenamiento.

3.   Es verdad que la amnistía está recogida en el artículo 666.4 de la vigente Ley de Enjuiciamiento Criminal. Ahora bien, el principio de jerarquía normativa supone que habría que estudiar si la ley es constitucional, no que la norma inferior sirva para interpretar a la *Lex legum*; pero, en cualquier caso, al citarla, no habría que olvidar que el artículo 666 está en la Ley de Enjuiciamiento Criminal desde que lo aprobó el Real Decreto de 14 de septiembre de 1882 y que, como nunca se ha aplicado después de 1978, ningún tribunal ha tenido ocasión de comprobar si está vigente o derogado. Es más, también la amnistía se recogía como una causa de extinción de la responsabilidad penal en el preconstitucio-

LA LEY DE AMNISTÍA. CUESTIONES CONSTITUCIONALES

nal y franquista Código Penal de 1973 y se suprimió en el Código Penal de la democracia de 1995. Si en la década de 1990 se hubiera aprobado una nueva ley procesal penal lo más probable es que, igualmente, la amnistía hubiera desaparecido de ese ordenamiento procesal. Por eso, basarse en ella para demostrar la constitucionalidad de la amnistía es un razonamiento tan poco sólido como sería afirmar que la pena de muerte en tiempos de paz existió en España hasta que el Código Penal de 1995 derogó al de 1973, pues se mantuvieron en su texto muchos artículos que se referían a la pena de muerte, a pesar de que la Constitución la abolió en 1978.

4. Igual de paradójico es citar el Derecho comparado para refrendar la constitucionalidad en España de la amnistía: los que ponen como ejemplo a Francia y Portugal como estados democráticos que han aprobado leyes de amnistía olvidan que las Constituciones de los dos países no solo las recogen expresamente, sino que lo hacen al margen de la potestad legislativa, tal y como se ha señalado más arriba. Pero dicho esto, sí que es verdad que existen algunos Estados democráticos que conceden amnistías sin tenerlas recogidas expresamente en sus Constituciones, como la Comisión de Venecia ha recopilado en su Opinión sobre las exigencias del Estado de Derecho en materia de amnistías, con especial referencia a la proposición de «Ley Orgánica de Amnistía para la normalización institucional, política y social en Cataluña». Ahora bien, esa lista mucho más corta de la de Estados que sí la recogen *expressis verbis* no nos puede llevar a la conclusión de que en España es posible la amnistía a pesar del silencio constitucional porque no sabemos si, como en nuestro proceso constituyente, se rechazó su inclusión en el texto constitucional, en contra de los precedentes históricos democráticos (como son las constituciones españolas de 1869 y 1931) y si en sus constituciones se prohíbe al legislador que apruebe indultos generales. Por eso, me parece que la conclusión más adecuada a la que se llega estudiando el Derecho comparado no es que la mayoría de los ordenamientos homologables al español admiten la amnistía sin tenerla en su Constitución, sino al revés: la mayoría de esos ordenamientos ha estimado que si se quería que sus Parlamentos pudieran otorgar amnistías era necesario que, primero, el constituyente la recogiera expresamente en su *Lex legum*.

5. El argumento de las precedentes «amnistías fiscales» aprobadas en España (1984 y 1991 con gobiernos socialistas y 2012 con gobierno popular) como prueba irrefutable de que la Constitución admite las amnistías es de gran debilidad a poco que se compare el régimen jurídico de

estos perdones fiscales con la verdadera amnistía política. Así, esas «amnistías» —nunca denominadas de esa forma en la legislación, solo en el lenguaje coloquial— no son técnicamente amnistías porque ni afectaron a las personas ya condenadas ni suponían un perdón incondicional, sino que exigían a sus beneficiarios hacer una declaración tributaria especial aflorando bienes y derechos patrimoniales que hasta ese momento estaban ocultos. Es más, no podían acogerse a ellas quienes estuvieran siendo investigados tanto judicialmente como por la inspección fiscal. Por eso, los perdones fiscales no anularon ni una sola sentencia condenatoria, mientras que la amnistía ordinaria supone tanto la anulación de esas sentencias como la paralización de todos los procedimientos penales y administrativos por posibles violaciones de la legalidad. En fin, si el régimen jurídico de esos perdones fiscales fuera el que se aplicase a Puigdemont y demás investigados, no cabe duda de que lo rechazarían: ni siquiera reconociendo expresamente que cometieron delitos y violaron la Constitución podrían beneficiarse del derecho de gracia.

6.   No merece la pena insistir en que el precedente de las amnistías de la República no prueba que la Constitución de 1978 las permita, porque la Constitución de 1931 sí que recogía expresamente la amnistía en su texto; por eso, es más bien prueba de lo contrario: si ya en 1931 se sintió la necesidad de que la amnistía estuviera dentro de la Constitución, mucho más necesario sería cuarenta años después. Pero, además, la amnistía de 1936 —como ya he señalado— tuvo dos características que la diferencian sustancialmente de la prevista ahora: fue recogida en el programa electoral del Frente Popular y su aprobación en la Diputación Permanente fue abrumadora porque, a la vista de los resultados electorales (y posiblemente por la presión ambiental en las calles de Madrid), también recibió el voto favorable de los diputados de derechas.

7.   De la misma forma, no parece sólido considerar que la prohibición de la iniciativa popular en la materia del derecho de gracia, establecida en el artículo 87.3 de la Constitución, supone una admisión implícita de la amnistía basándose en lo poco probable que sería que solo se refiriera a algo tan restringido como posibles modificaciones de la ley del indulto. Aunque sea una exclusión de algo restringido, la interpretación de la prohibición de la iniciativa popular en la regulación legal de los indultos individuales es la única interpretación posible: primero, porque en los debates constitucionales de la iniciativa legislativa popular nada se dice sobre la exclusión de la amnistía y, segundo, porque supone una interpretación absurda (entiéndaseme bien, absurda en términos técnicos: *ad absurdum nemo tenetur*): los mismos constituyentes que no

quisieron constitucionalizar expresamente la amnistía ni en el artículo 66 ni en el 72, ¿la constitucionalizaron implícitamente en el 87?

VII. Cuando el 13 de noviembre de 2023, tres días antes de celebrarse el debate de investidura de Pedro Sánchez, el portavoz del Grupo Parlamentario Socialista presentó la «Proposición de Ley Orgánica de amnistía para la normalización institucional, política y social en Cataluña», la gran mayoría de la opinión pública entendió que el PSOE estaba cumpliendo el pacto electoral firmado con Junts para que este partido apoyara la candidatura del líder socialista. *Facio ut facias*, diríamos en la mejor tradición contractualista, que sin duda es acreedora de las severas palabras del profesor Esteve Pardo: la proposición «es un brusco avance en la tendencia negociadora contractualista privada y comporta una descalificación deconstructiva de la fuerza constitucionalmente llamada a preservar la igualdad, la generalidad, frente al particularismo del contrato: la ley, el imperio de la ley». Sin embargo, a partir del 24 de julio algunas personalidades de la órbita socialista han encontrado grandes efectos taumatúrgicos a una amnistía que antes no habían visto o que incluso habían considerado inconstitucional.

Sin duda, la Exposición de Motivos de la proposición podrá referirse a la «búsqueda de la mejora de la convivencia y la cohesión social, así como de una integración de las diversas sensibilidades políticas» (y así hasta ocho veces más que la exposición de motivos de la proposición de ley de amnistía menciona la «convivencia» como su fin) y con la Comisión de Venecia podemos admitir que ese es un objeto legítimo porque las «amnistías están motivadas por razones de reconciliación». Pero por debajo de este solemne propósito, muy pocas personas negarán en España que el PSOE presentó la proposición de ley antes de la investidura —acción sin precedentes en las legislaturas anteriores— porque necesitaba los votos de Junts. Por eso, Jesús Manuel Villegas ha razonado que ese trueque de votos por impunidad supone —usando terminología civil— una causa torpe que invalidaría la ley, mientras que para Javier Delgado Barrio y José J. Jiménez Sánchez supone que la proposición se basa en un interés personal alejado de los intereses públicos que podrían justificar la amnistía, de tal manera que, como se produce una falta la justificación, la amnistía es un caso de rotunda arbitrariedad, con vulneración del artículo 9.3 de la Constitución; Manuel Atienza, Jaime Lozano y Luis Rodríguez Ramos consideran que se trata de una desviación de poder, igual que Araceli Mangas, quien también señala su arbitrariedad. Por mi parte, creo que el contraste entre la verdadera causa de la presentación de la proposición de ley y los motivos alegados en ella demuestra que no ha perdido actualidad la aguda observación atribuida a Voltaire: «en todo asunto importante hay siempre un pretexto que se pone en vanguardia, y una razón verdadera que se disimula».

VIII.   El hecho de que la causa del cambio de opinión del PSOE esté en la necesidad de los votos para investir presidente a su candidato —«hacer de la necesidad virtud», admitió el propio secretario general— sería suficiente para calificar la proposición de ley que presentó el PSOE como una autoamnistía indirecta. Sin embargo, esa proposición tiene un par de características que permite calificarla como auténtica autoamnistía, lo que por sí mismo debería de ser suficiente para calificarla de contraria al Derecho internacional de los derechos humanos:

a)   La proposición pudo ser tomada en consideración y luego aprobada por el Pleno del Congreso porque los afiliados de los partidos que se van a favorecer de ella (Junts y ERC) votaron a favor. Así, si se restan los 14 votos de esos partidos en la votación final del Pleno del 15 de marzo de 2024, el resultado hubiera sido el rechazo: 172 en contra por 164 a favor.

b)   Un notorio militante de ERC y especialista en Derecho, el profesor Joan Ridao, ha dicho públicamente que es uno de los autores de la proposición, sin que se le haya desmentido desde el PSOE.

c)   Igualmente, el 6 de marzo PSOE, ERC y Junts comunicaron a la opinión pública que había logrado un acuerdo sobre el texto de las enmiendas que no hicieron público en ese momento sino al día siguiente «antes de la Comisión de Justicia del Congreso de los Diputados convocada a tal efecto». Dejando ahora de lado la quiebra evidente del Derecho Parlamentario (el artículo 69 de Reglamento del Congreso exige que los textos que se van a debatir se entreguen al menos 48 horas antes), lo cierto es que demuestra de forma indubitada que los dos partidos beneficiados por la amnistía fueron los redactores de los puntos más controvertidos del texto final.

IX.   La sesquipedálica exposición de motivos (ocho páginas, la mitad de la iniciativa) de la proposición de ley acumula razones para defender la constitucionalidad de la amnistía, que en el momento en que se presentó tenía una catarata de argumentos en contra de muchas instituciones y no pocos académicos. La mayoría de estos argumentos ya habían sido expuestos por los precursores que hemos visto en el epígrafe anterior, comenzando por tomar por autorización al legislador la falta de una prohibición expresa en la Constitución, continuando por señalar que la amnistía es una institución utilizada por otros Estados democráticos, sin olvidar afirmar que se ha venido reconociendo implícitamente en nuestro ordenamiento (Ley de Enjuiciamiento Criminal, así como en otras normas), además de añadir que la ha admitido el Tribunal Constitucional y afirmar que es una ley singular que responde a una situación excepcional, no viola la igualdad y es proporcional.

Como no deseo repetir lo afirmado al analizar los argumentos usados por los defensores de la amnistía y dadas las muy fundadas críticas que ha recibido de la doctrina, solo voy a hacer unas cuantas puntualizaciones a algunas de las afirmaciones más sesgadas, que componen lo que el profesor Aragón ha denominado un «monumento a la tergiversación». Antes de eso, no me resisto a señalar que la exposición de motivos, llevada por lo que podríamos calificar como su *ardor legiferante,* ha caído no solo en reiteraciones, sino en divagaciones sobre la solidez del sistema democrático, los valores constitucionales y los beneficios del diálogo como forma de lograr acuerdos, cuya utilidad no se me alcanza ya que nadie los discute. Enredada en su propia logomaquia presenta la iniciativa como una «demostración de respeto a la ciudadanía» (p. 4), cuando el PSOE no llevaba la amnistía en su programa electoral. En fin, para mí que cae en el ridículo cuando afirma que una de las razones de la amnistía es evitar que, como hay muchos empleados públicos acusados (no se da el número, pero según los cálculos de los propios independentistas podrían ser unos 300), su inhabilitación «produciría un trastorno grave en el funcionamiento de los servicios en la vida diaria de sus vecinos» (p. 4).

El primer argumento de la exposición de motivos es la afirmación de que la amnistía no afecta ni a la separación de poderes, ni a la exclusividad de la jurisdicción porque «el Poder Judicial está sometido al imperio de la ley y es precisamente una ley la que prevé los supuestos de exención de la responsabilidad». Dicho así, parece cierto. Es más, la misma Opinión de la Comisión de Venecia admite este razonamiento, pero se olvida que la proposición no regula supuestos de exención general, tanto para las personas como para el tiempo cronológico, sino una concreta excepción (la propia proposición reconocerá que se trata de una ley singular): para determinadas conductas y durante determinado tiempo y, además, con capacidad para anular sentencias ya firmes, contradiciendo el valor de cosa juzgada consagrado en el artículo 118 de la Constitución. Dicho de forma un tanto apodíctica: aunque este artículo 118 ordena que es obligado cumplir las sentencias, ahora la ley va a tener el efecto práctico de añadir «salvo que el legislador ordene otra cosa». Y, evidentemente, el legislador no puede autorizarse a sí mismo a ordenar otra cosa. Esa decisión solo le corresponde al poder constituyente, como en su momento permitió que la ley pudiera regular los indultos individuales. Usando unos términos más técnicos: las medidas de gracia son una ruptura constitucional, una excepción a los principios constitucionales de generalidad de la ley, igualdad y división de poderes, que solo la propia Constitución puede adoptar. Permitió una medida, el indulto; prohibió expresamente otra, el indulto general; y prohibió implícitamente la tercera, la amnistía.

De las veintidós sentencias del Tribunal Constitucional de las que hablé más arriba, la exposición de motivos toma una, la STC 147/1986 y añade otra del Tribunal Supremo, la STS 101/2012, de 27 de febrero. Como en ellas no se deroga la Ley 46/1977, la exposición de motivos las presenta como muestra indudable de la admisión constitucional de la amnistía. Precisamente, ya he tenido ocasión de estudiar antes las sentencias que supuestamente avalan lo que nunca se ha producido hasta la fecha: una ley de amnistía después de 1978 sobre hechos posteriores a la Constitución. Me limito ahora a reafirmarme en mis conclusiones: una ley de amnistía preconstitucional aprobada para acabar con las injustas consecuencias penales de una dictadura es perfectamente compatible con los valores constitucionales y supera el test de constitucionalidad de las leyes previas a 1978. Esa ley formó parte —como con acierto dice la proposición— del «pacto fundacional de la democracia española». La ley de 1977, no una habilitación genérica al legislador para aprobar amnistías cuando las matemáticas parlamentarias hagan posible que se cambie impunidad por un puñado de votos para seguir siendo presidente del Gobierno.

X. El gran descubrimiento argumental de la exposición de motivos —apenas esbozado por los precursores— es que la amnistía se ha venido «reconociendo implícitamente en nuestro ordenamiento jurídico que, con normalidad, incorpora en distintos preceptos esta figura». Y es un descubrimiento porque ni los juristas ni los partidos políticos —empezando por el propio autor de la iniciativa, el PSOE— que llevan cuarenta y muchos años elaborando las leyes se habían enterado de que había un buen número de normas que admitían la constitucionalidad de la amnistía. En su ignorancia, el propio PSOE estuvo de acuerdo con la decisión de la Mesa del Congreso de marzo de 2021 de rechazar por inconstitucional la proposición de ley que presentaron los partidos independentistas catalanes. El sesgo de este razonamiento se advierte cuando se leen las normas que se citan como prueba irrefutable: o bien son anteriores a la Constitución (como el Decreto de 14 de septiembre de 1882, cuya «amnistía» no se ha aplicado nunca después de 1978, por lo que no ha debido pasar el test de constitucionalidad), o bien son normas reglamentarias de personal que arrastran de las normas antiguas la «amnistía» como una causa de extinción de la responsabilidad disciplinaria. Recuerdo lo ya señalado: para saber si la amnistía está expresamente reconocida en la legislación ordinaria lo adecuado es leer el Código Penal de la democracia, de 1995, y al hacerlo se verá que no la recoge como una causa de extinción de la responsabilidad penal, como hacía el anterior Código de 1973. Precisamente, ese silencio —conocido por los autores de la proposición— se salva ahora incluyendo una disposición adicional para modificar el artículo 130 del Código Penal. Por eso, comparto plenamente la reflexión de Jesús Zarzalejos: «¿Habrán reparado los promotores de esta nueva amnistía en que la redacción que se propone para el artículo 130.1.4.º del Código Penal de la democracia dice lo mismo que el artículo 112.3.º del Código Penal franquista de 1973? O sea, que la solución avanzada y moderna del conflicto catalán es aferrarse a una ley de 1882 y llevar el Código Penal de 1995 a 1973».

XI. El último argumento elaborado a favor de la amnistía que presenta la exposición de motivos es su calificación de la ley como una ley singular que responde a una situación excepcional. Sabemos que la situación excepcional a la que *responde* es el resultado electoral del 23J y la exigencia de Junts de que se presentara antes de la investidura; aunque la exposición de motivos lo ve de otra forma: la situación excepcional está originada por unos «hechos enmarcados en el denominado proceso independentista», del que al parecer tuvo buena parte de responsabilidad la STC 31/2010. Cuando intenta enmarcar la proposición en la doctrina del Tribunal Constitucional, observamos que no acaba de ofrecer una «justificación objetiva y razonable» de la necesidad de la ley de amnistía, porque se limita a señalar —eso sí reiteradamente y con diversas formas que, para entendernos, llamaremos amables con los infractores del ordenamiento jurídico— que se trata de superar «la situación de alta tensión política que vivió la sociedad catalana de forma especialmente intensa desde 2012» (p. 8). Y esa justificación no es concordante con la doctrina del Tribunal Constitucional sobre la amnistía (que la proposición evita citar en detalle): la amnistía debe fundamentarse en un ideal de justicia para «eliminar, en el presente, las consecuencias de la aplicación de una determinada normativa que se rechaza hoy por contraria a los principios inspiradores de un nuevo orden político. Es una operación excepcional, propia del momento de consolidación de los nuevos valores a los que sirve» (STC 147/1987). ¿Y qué legislación injusta elimina la proposición? ¿Y cuáles son los nuevos valores que no casan con los que estaban vigentes en 2012-2017? Si lo pensamos con cierto detenimiento, como ha hecho Antonio Peña, veremos que el razonamiento es más bien el contrario: no se debería admitir la amnistía de quienes desde posiciones de poder han intentado privar a otros de sus derechos, porque entonces se estaría «dejando a estos sin la protección que debería dispensarles el derecho al que están sometidos».

XII.   La que podríamos denominar interpretación clásica del artículo 62.i supone deducir que al prohibir al legislador otorgar indultos generales se le prohíbe, implícitamente, las amnistías. A idéntico resultado se llega considerando que la amnistía es una excepción a los principios de generalidad de la ley, igualdad de los ciudadanos y división de poderes, de tal forma que o se establece en la Constitución (como está el indulto) o la ley no puede regular esa ruptura constitucional. Se refuerza esta conclusión con el hecho de que en las Cortes constituyentes no solo no se incluyera la amnistía en el proyecto, en contra del precedente de 1931, sino que se rechazaran dos enmiendas para introducirla, una con texto similar al de la Constitución republicana. Parece difícil dudar de buena fe que la *voluntad del constituyente* fue prohibir las amnistías cuando así lo han considerado casi todos los constituyentes de carne y hueso que hasta la fecha han dado su opinión en estos meses de polémica y cuando admitir ahora que el Parlamento puede adoptar amnistías supone llegar al mismo resultado que si se hubiera aprobado en las Cortes constituyentes el texto que se rechazó. Igualmente, las afirmaciones del Tribunal Constitucional entendiendo que la amnistía es un instrumento excepcional de justicia transicional avalan su prohibición sin una habilitación expresa de la *Lex legum*.

XIII.   Pero como el Derecho no es inmutable, podemos imaginar cómo habría que cambiarlo para que admitiera una amnistía. Algo que, sobre el papel, es relativamente fácil ya que la Comisión de Venecia ha marcado en su opinón claramente el camino que hay que seguir. Por eso, si realmente los partidarios de olvidar todos los actos ilegales que se cometieron en el pasado para lograr la independencia de Cataluña están convencidos de que la amnistía es —tal y como reza la exposición de motivos de la proposición— una medida útil «para la mejora de la convivencia y la cohesión social, así como de una integración de las diversas sensibilidades políticas», lo que deberían hacer, en lugar de tramitar a uña de caballo y con alguna infracción del Reglamento del Congreso que otra, una proposición de ley altamente impopular en España, es tomarse en serio los requisitos que exige la Comisión de Venecia y tratar de cumplirlos de forma clara, no con divagaciones y medias verdades, como ahora mismo hace la exposición de motivos de la proposición.

El primer paso que recomienda la Comisión de Venecia no es otro que la reforma de la Constitución. En mi opinión, y dada la gran dificultad para cambiar el contenido del artículo 62, se podría modificar el artículo 118 para que estableciera una excepción al mandato de cumplimiento de las sentencias. El texto podría ser tan breve como este: «Por motivos de interés general, las Cortes Generales podrán acordar amnistías mediante ley orgánica». El procedimiento es fácil —bastan 3/5 del Congreso y del Senado— y podría ser tan rápido como el seguido para reformar el artículo 49 el pasado mes de febrero. Eso sí, exige sustituir la negociación asfixiante con los principales beneficiarios de la ley por una negociación con el PP para convencerlo a él y a la mayoría de los españoles de la utilidad de la medida. De otorgarse la amnistía con la proposición tal cual lleva camino de convertirse en ley, con la única razón material de cambiarla por los votos para que el candidato del PSOE pueda ser elegido presidente, me parece que le resulta plenamente aplicable el razonamiento del filósofo Peter Sloterdijk a propósito de cómo escapan los poderosos de los ordenamientos nacionales: «llegan señales al pensamiento formal, señales que dan testimonio de una radical *ironización* de la ética y de las conveniencias sociales; algo así como si las leyes generales sólo existieran para los tontos, mientras que en los labios de los sapientes se esboza esa sonrisa fatalmente inteligente».

El siguiente paso es buscar una mayoría sólida, superior a la mayoría absoluta, para aprobar la ley —la Opinión de la Comisión de Venecia habla reiteradamente de «una mayoría cualificada»— que depure el texto normativo de algunas disposiciones que técnicamente han sido criticadas por imprecisas, entre las que destaca la retorcida redacción actual de la exclusión del terrorismo, que en mi particular opinión contradice las resoluciones de la ONU que, como la Resolución 1373 (2001) del Consejo de Seguridad, exigen perseguir y condenar a las personas acusadas de terrorismo, antes de poder perdonarlas. Pero sin duda, el gran requisito que necesita una ley de amnistía, una vez recogida ésta en la Constitución, es exigir algún gesto, por mínimo que sea, de los beneficiados del perdón estatal, con el respeto al ordenamiento jurídico español para lograr sus objetivos.

En conclusión y usando el estilo lacónico de los archienemigos de Atenas, con la que he empezado este trabajo: una amnistía que no busque la impunidad sino la reconciliación debe hacerse con un amplio consenso —más del 90 % de las Cortes respaldaron la de 1977— y debe exigir un compromiso de los infractores del orden constitucional de que *No ho tornarem a fer*.

La ley de amnistía. Una perspectiva constitucional[1]

ANA CARMONA CONTRERAS

Catedrática de Derecho Constitucional. Universidad de Sevilla

En el desempeño de la tarea encomendada parto de la premisa de que afrontar el análisis constitucional de la ley de amnistía exige adoptar una doble perspectiva, puesto que solo de esta manera es posible formular un diagnóstico integral sobre la misma. En primer lugar, es preciso asumir un enfoque genérico abstracto en torno al instrumento en cuanto tal, determinando si la amnistía tiene o no cabida en nuestro ordenamiento constitucional. Despejada tal incógnita inicial lo que procede, a continuación, es valorar ya desde una aproximación específica si la ley de amnistía recientemente aprobada por las Cortes Generales (Ley Orgánica 1/2024, de 10 de junio, de amnistía para la normalización institucional, política y social en Cataluña) resulta o no acorde con la Norma Suprema.

I. La constitucionalidad de la amnistía en perspectiva genérica

Atendiendo al primero de los criterios apuntados, el genérico, mi percepción es que el silencio constitucional en torno a la amnistía no es de carácter obstativo, de tal manera que la ausencia de referencias expresas a esta manifestación del derecho de gracia no puede conducir a afirmar la existencia de una voluntad contraria o excluyente. Abonando tal hipótesis, se ha aducido por parte de diversos autores, entre ellos Ramos

---

[1] El presente trabajo se ha realizado en el marco del proyecto de investigación «La configuración europea del Estado de Derecho en el ámbito nacional» (PID2022-137789NB-I00).

Tapia y Ruiz Robledo (2023), que durante los debates constituyentes se rechazaron enmiendas que abogaban precisamente por su inclusión. Tal argumento, empero, no me parece determinante, puesto que su aceptación anclaría la tarea interpretativa de determinar cuál es la efectiva voluntad constitucional dentro de los estrechos y escasamente satisfactorios márgenes del originalismo.

Tampoco considero constitucionalmente adecuado, como propugna Aragón Reyes (2023-2024), sostener el rechazo constitucional de la amnistía argumentado sobre la base de la prohibición expresa de los indultos generales (artículo 62.i CE). La razón en la que baso mi discrepancia es clara: el término de comparación seleccionado no es adecuado y, por lo tanto, no resulta operativo, puesto que amnistía e indultos no son instrumentos sustancialmente equiparables. Compartiendo un sustrato de base que es común, puesto que ambos son expresión del derecho de gracia, su concreta articulación los muestra como mecanismos objetivamente diferentes. Recuérdese que el indulto circunscribe sus efectos al ámbito del cumplimiento de la pena, puesto que una vez determinada la responsabilidad penal sus beneficiarios quedan exentos de cumplirla. Ahora bien, el carácter antijurídico de las conductas juzgadas permanece, eliminándose únicamente sus efectos en términos sancionatorios. Por el contrario, la amnistía se sitúa en un plano diverso, dado que en relación con una serie de conductas contrarias a derecho realizadas durante un determinado arco temporal se produce un efecto de completa exoneración. Consecuentemente, el hecho de que tales conductas hayan merecido ya reprobación jurídica y hayan dado lugar a pronunciamientos judiciales (o estén todavía pendientes de ser sustanciadas en sede jurisdiccional) deviene irrelevante. Es como si las mismas nunca hubieran tenido lugar, como si no hubieran realmente existido. Es claro, pues, que entre el indulto y la amnistía, según expuso de modo diáfano el TC en su sentencia 147/1986 (FJ 4), no se entabla una relación existencial de índole cuantitativa, según la cual prohibidos los indultos generales se excluye lógicamente la amnistía. Atendiendo a su respectiva configuración jurídica, la conclusión que emerge impide suscribir tal conclusión, puesto que limita el foco de comparación exclusivamente al ámbito de lo cuantitativo en términos subjetivos, esto es, al número de personas beneficiadas por las medidas de gracia. Por el contrario, estimo que el elemento determinante a considerar es que nos hallamos ante instrumentos cualitativamente distintos, tanto por lo que se refiere a la intensidad de sus efectos como a las personas beneficiarias y que, en consecuencia, no permiten un ejercicio comparativo constitucionalmente idóneo.

Asimismo, tampoco cabe perder de vista que el sujeto competente para conceder indultos, mediante real decreto, es el Ejecutivo, mientras que en el caso de la amnistía corresponde a las Cortes Generales su activación mediante la correspondiente ley.

Por otra parte, tampoco suscribo los argumentos que se han esgrimido desde distintos sectores de doctrina que avalan la constitucionalidad de la amnistía acudiendo a ejemplos extraídos de la legalidad ordinaria. Es el caso del artículo 666.4 de la Ley de Enjuiciamiento Criminal, en donde se incluyen la amnistía y el indulto como cuestiones o excepciones que serán «objeto de artículos de previo pronunciamiento» en el marco del juicio oral. La razón de mi discrepancia toma en consideración dos argumentos: uno, previo y que se centra en cuál debe ser el orden en el que se aplican los elementos que rigen la tarea interpretativa. Desde tal perspectiva metodológica no es admisible concluir la constitucionalidad de un instrumento o herramienta (en este caso la amnistía) razonando que la misma aparece regulada en sede legislativa. Así pues, el iter argumental propuesto, a saber, concluir la admisibilidad constitucional en función de la previsión legislativa resulta errado. Esta percepción, por lo demás, se refuerza apelando a una segunda consideración de orden temporal, esto es, teniendo en cuenta que se trata de una disposición decimonónica, puesto que la Ley que la contiene data de 1882, una fecha muy anterior a la Constitución de 1978. Un elemento cronológico que en absoluto resulta baladí, dado que, si dicha normativa hubiera sido actualizada tras la entrada en vigor de la Norma Suprema y antes de la aprobación de la LO 1/2024, la referencia a la amnistía hubiera desaparecido con toda seguridad. Para apoyar tal aseveración, baste recordar que así sucedió con la previsión relativa a la amnistía contenida en el Código Penal franquista, la cual fue suprimida como causa de extinción de responsabilidad criminal en los sucesivos códigos que han visto la luz a partir de 1978. Sólo ahora, con la aprobación de la Ley de amnistía, ha vuelto a recuperarse, pero ha hecho falta una expresa manifestación de voluntad por parte del legislador en tal sentido (vid la Disposición Final 2ª de LO 1/2024, por la que se modifica el apartado 1 del artículo 130 del Código Penal).

Mantengo una postura igualmente crítica con respecto a quienes defienden el encaje constitucional de la amnistía a partir de la referencia a las denominadas «amnistías fiscales» que, en distintas ocasiones, han tenido lugar en nuestro ordenamiento desde la entrada en vigor de la Constitución de 1978. Nuevamente, percibo un claro desenfoque en la identificación del término de comparación constitucionalmente idóneo, lo que impide su utilización. En efecto, las amnistías fiscales no son un referente adecuado para el instrumento ahora considerado, ya que aquellas no constituyen en puridad una manifestación del poder de cancelación de la responsabilidad derivada de la comisión de actos antijurídicos. No son, pues, manifestación del derecho de gracia. En efecto, la denominación amnistía fiscal alberga una decisión legislativa orientada no a eliminar una responsabilidad jurídica ya constatada por los tribunales de justicia sino, antes bien, a establecer una vía que permite asumir dicha responsabilidad a quien está en una situación de incumplimiento, existente pero todavía no acreditada mediante la correspondiente acción jurisdiccional. Concretamente, a quien está en tal circunstancia y admite que ha incurrido en irregularidades jurídicamente censurables en materia tributaria, se le ofrece la posibilidad de cumplir con su deber sin tener que enfrentarse a un proceso judicial. Así pues, ni en su planteamiento de base ni en sus efectos concurren similitudes con los rasgos configuradores de la amnistía en sentido estricto. La coincidencia es puramente nominal y no refleja una identidad de fondo. En función de lo expuesto, las afirmaciones del Tribunal Constitucional en la STC 38/2017 avalando la genérica admisibilidad de esta operación, que entra en el ámbito de competencia del legislador parlamentario, aunque rechazando su constitucionalidad por defecto del vehículo normativo utilizado (el real decreto-ley), no permiten su extrapolación al caso que nos ocupa.

Una vez expuestas las consideraciones precedentes, a continuación pasaré a exponer cuáles son a mi parecer los argumentos que conducen a admitir la constitucionalidad de la amnistía en nuestro ordenamiento jurídico. Movida por tal intención, el argumento esencial a considerar es el carácter excepcional que presenta esta manifestación del derecho de gracia. Este es un instrumento que, según ha afirmado el Tribunal Constitucional refiriéndose a la Ley 46/1977, «hace desaparecer las consecuencias de un Derecho anterior que se repudia, al constituirse uno nuevo, basado en principios opuestos» (STC 76/1986). Asimismo, desde una aproximación en clave contextual, la institución de la amnistía se vincula a «un momento de nuevos valores» y «supone un reproche a los tribunales que aplicaron la ley correctamente y que quedan desautorizados» (STC 147/1986). Sobre la base de las afirmaciones realizadas por el Tribunal Constitucional cabe concluir que la amnistía requiere, como justificación objetiva, la concurrencia de un contexto excepcional, en el que confluyen dos vectores contrapuestos: por una parte, la afirmación de una situación en la que la correcta aplicación del derecho y la subsiguiente exigencia de responsabilidades ha traído consigo la aparición de un conflicto que afecta profundamente la concordia y la paz sociales. Y por otra, la toma de conciencia de que es precisamente el mantenimiento de esa ortodoxia jurisdiccional en la aplicación de la ley la causa del conflicto existente, de tal manera que si aquella se ignora, cancelando sus efectos, retornará la paz social. Se enfrentan, pues, por un lado, los efectos derivados de las pautas operativas propias del Estado de Derecho (acción de la justicia) y por otro, las exigencias materiales de pasar a aquellos por alto en aras de la concordia.

Planteada la cuestión en estos términos, la naturaleza excepcional de esta concreta manifestación del derecho de gracia cobra todo su sentido. Porque, como afirmara Rubio Llorente (2000), al hilo del indulto, pero aplicable igualmente a la amnistía, en un Estado de Derecho «el poder de perdonar» no tiene prácticamente ningún espacio «sin incurrir en arbitrariedad». Ahora bien, siendo esta la teoría, como certeramente sigue razonando este mismo autor, en la práctica se producen «situaciones en las que aquel se muestra como una pieza necesaria» que, por lo tanto, justifica su activación. En conexión con este planteamiento de fondo, se muestra pertinente traer a colación la percepción de Requejo Pagés (2023), en cuya opinión, la amnistía pone de manifiesto que «algo ha fallado». De este modo, el ejercicio del poder de gracia funciona como respuesta reparadora frente a una situación que exige apartarse de los cauces propios del Estado de Derecho. Estaríamos, pues, ante lo que Aguado Renedo (2001) considera como «un mal necesario», una suerte de «válvula de seguridad», llamada a garantizar la estabilidad del sistema constitucional.

Abordada la cuestión en los términos expuestos, es posible confirmar que la amnistía es un mecanismo excepcional en manos del legislador, en tanto que representante de la soberanía popular, que cuenta con un respaldo constitucional implícito en nuestro ordenamiento, permitiendo otorgar primacía a un objetivo dotado de indubable legitimidad como es la recuperación de la concordia social en detrimento del Estado de Derecho. No obstante, como resulta obvio, que la vía constitucional quede expedita para la amnistía en abstracto no significa que el legislador goce de absoluta libertad para configurarla. Muy al contrario, esta manifestación de poder excepcional está sometida a las exigencias derivadas de la Constitución, debiendo respetarlas. Con ello, abandonamos el terreno de la admisibilidad genérica y pasamos a considerarla desde una perspectiva concreta, concentrando el foco de atención en el contenido de la Ley Orgánica 1/2024.

II. La constitucionalidad de la amnistía: perspectiva específica

Como ya he indicado, a continuación me centraré en la segunda de las perspectivas analíticas propuestas, la específica, planteando la interrogante sobre la adecuación constitucional de la ley orgánica aprobada por las Cortes Generales, cuya entrada en vigor se produjo el 10 de junio.

En primer lugar, manifiesto mi discrepancia con respecto a la consideración de esta ley, según se afirma expresamente en su preámbulo, como singular. Sabemos, y así se desprende de la jurisprudencia del Tribunal Constitucional, que tal consideración se aplica a textos formalmente legislativos cuyo contenido, en términos materiales, es de naturaleza administrativa. Asimismo, estas leyes incorporan una relevante dimensión autoaplicativa, puesto que no requieren actos de ejecución para su puesta en práctica, lo que genera serios problemas desde la perspectiva del derecho fundamental a la tutela judicial efectiva. Es precisamente esta última cuestión, unida a la circunstancia de que en nuestro ordenamiento no existe el recurso de amparo frente a leyes, la que ha resultado determinante para que el Tribunal Constitucional haya ido modulando su inicial jurisprudencia de índole relativamente más permisiva (STC 166/1986), cerrando de modo paulatino el ámbito existencial de la ley singular (STC 48/2005), hasta llegar a neutralizarlo en términos prácticos (STC 129/2013). En todo caso, y dejando a un lado la referida evolución jurisprudencial, reitero que la ley de amnistía no se corresponde con la caracterización que se formula en su preámbulo: no presenta un contenido administrativo y tampoco carácter autoaplicativo. En relación con este último, como ha señalado Cruz Villalón (2023-2024), se percibe una cierta singularidad, puesto que es esta misma, «en unidad de acto», la que «configura y decide y en ella se agota» la decisión legislativa adoptada. Pero, más allá de esta vertiente, considero que el rasgo de singularidad que acompaña a la ley se sitúa en un plano distinto al del concepto técnico-constitucional aludido, remitiéndonos a la situación sui generis que toma como referencia la amnistía y que aparece expresamente recogida en su título: la normalización institucional, política y social en Cataluña.

Solventada esta cuestión preliminar, pasaré a analizar si la respuesta producida responde o no a un objetivo legítimo, puesto que una medida tan excepcional como la adoptada requiere de modo insoslayable asentarse sobre una base adecuada. En este sentido, suscribo nuevamente las afirmaciones de Cruz Villalón (2023-2024) cuando recuerda que «La excepcionalidad de toda la ley de amnistía hace que sobre su legislador recaiga un específico 'deber de motivar'. Es decir, de exteriorizar las razones que justifican su excepcional iniciativa... Esta no ha de estar simplemente justificada, sino excepcionalmente justificada». En el primer estadio del escrutinio constitucional, por lo tanto, la voluntad expresamente manifestada por el legislador se erige en fundamental punto de referencia, debiendo la motivación exigida razonar sobre la necesidad y adecuación del recurso a tal instrumento. Se trata de justificar, en primer lugar, que la consecución de la finalidad perseguida requiere hacer uso de la amnistía, obviando el recurso a instrumentos ordinarios. Asimismo, que dicha medida se adecúa a la referida finalidad. Pero no solo, porque también corresponde al legislador argumentar sobre la proporcionalidad en sentido estricto de las disposiciones adoptadas, esto es, establecer una relación de correspondencia entre los beneficios esperables con la misma y el sacrificio que de las mismas se desprende en términos jurídicos.

Atendiendo a las exigencias expuestas deviene imprescindible focalizar la atención en el contenido del preámbulo de la LO 1/2024, ya que es en el mismo en el que se explicitan las causas que se hallan en la base de la respuesta normativa aprobada. Desde tal aproximación, el título que acompaña a la ley ya pone claramente de manifiesto la finalidad que sustenta la amnistía: «la normalización institucional, política y social en Cataluña». El análisis del contenido del preámbulo brinda la oportunidad para entresacar afirmaciones que desarrollan la premisa apuntada y que apuntalan la necesidad de la medida de gracia. Así, «la desafección de una parte sustancial de la sociedad catalana hacia las instituciones estatales, reavivada por las consecuencias penales de la acción penal». La amnistía se perfila, según afirma sin ambages el legislador, como «el único instrumento apto para superar el conflicto». En las actuales circunstancias, y más adelante me referiré a ellas, los instrumentos utilizados anteriormente para aliviar las consecuencias negativas derivadas de los procesos judiciales —sic, indultos y sendas reformas penales, suprimiendo el delito de sedición y modificando el de malversación— ya han agotado su virtualidad, por lo que se estima que la amnistía es «el único instrumento apto para superar el conflicto». Item más, afirma el legislador que esta es «la mejor vía para abordar, desde la política, un conflicto político», garantizando al mismo tiempo «la convivencia dentro del Estado de Derecho».

La construcción argumental expuesta concentra sus esfuerzos, pues, no solo en explicitar la necesidad del objetivo perseguido con la amnistía, sino también en justificar su adecuación, dado que esta es la única herramienta apta para su consecución. Se dirá, con razón, que tal planteamiento es susceptible de crítica, poniendo de manifiesto una argumentación en clave eminentemente voluntarista y de índole subjetiva. No obstante, resulta imprescindible recordar, como ha puesto de manifiesto la Comisión de Venecia en la opinión elaborada al hilo de la proposición de ley de amnistía en España, que el legislador cuenta con un amplio margen de apreciación a la hora de adoptar sus decisiones en este ámbito. Consecuencia directa de ello es la drástica reducción que experimentan los márgenes de su control jurisdiccional. No corresponde en modo alguno al máximo intérprete de la Constitución suplantar al representante de la voluntad popular en su tarea natural de traducir en leyes las opciones políticas mayoritarias, sino garantizar que en el ejercicio de dicha tarea los límites de la Norma Suprema no son sobrepasados. A este respecto, sobre el poder legislativo pesa un deber —como ya se ha indicado— reforzado de justificación y argumentación.

Una vez adoptada la decisión y aceptada la legitimidad del fin perseguido, el ejercicio del control de constitucionalidad debe concentrarse en la verificación de las concretas medidas aprobadas, esto es, en la específica articulación de la amnistía, determinando si respeta o no la proporcionalidad en sentido estricto. Es en este ámbito en el que se juega fundamentalmente la partida de la constitucionalidad. Movido por tal intención, el primer y esencial referente a considerar por el Tribunal Constitucional en su momento será si la amnistía respeta el principio de igualdad, esto es, si la exoneración completa de responsabilidad jurídica decidida con respecto a unas determinadas conductas llevadas a cabo en el contexto fáctico identificado (el marco de las consultas celebradas en Cataluña el 9 de noviembre de 2014 y el 1 de octubre de 2017) y en el plazo temporal acotado por el legislador (del 1 de noviembre de 2011 al 13 de noviembre de 2023) no generan una discriminación prohibida por el artículo 14 CE. Pero no solo hablamos de la necesidad de respetar el referido derecho fundamental (vertiente subjetiva), dado que la amnistía requiere ser examinada también desde la perspectiva del respeto de algunos de los principios basilares del Estado de Derecho. En efecto, se trata de acreditar que aquella no ha incurrido en la arbitrariedad proscrita por el artículo 9.3 CE, ni tampoco lesiona otro principio igualmente esencial recogido en el mismo precepto: la seguridad jurídica.

Definido el marco del control, la primera tarea a abordar es constatar si las medidas adoptadas son necesarias y aparecen basadas en criterios de razonabilidad. Como es sabido, esta labor de fiscalización se limita a una verificación externa, que circunscribe su radio de actuación a constatar si la normativa producida se ajusta y mantiene una relación de correspondencia (conexión de sentido) con el presupuesto del que traen causa. En el desarrollo de esta labor de contraste nuevamente emerge la idea del amplio margen de apreciación que asiste al legislador, de tal manera que la labor del Tribunal Constitucional tiene como finalidad a constatar que no se produce un desequilibrio patente, excesivo e irrazonable entre la acción propuesta y los efectos que produce sobre los derechos afectados. O si se prefiere invertir la perspectiva analítica, el Tribunal limita la declaración de inconstitucionalidad a aquellos supuestos en los que detecta que se ha incurrido en abuso y lesión flagrante de lo establecido por la Constitución. Así planteado el tema, el control relativo al respeto del principio de seguridad jurídica está llamado a verificar que los poderes públicos, y de modo señalado el legislador, ha cumplido con el deber de definir claramente los supuestos de hecho objeto de regulación, así como las consecuencias derivadas de su infracción. Todo ello, sin perder de vista la necesidad de que las mismas mantengan una estricta relación de causalidad con la situación excepcional que se encuentra en su base. Asimismo, la seguridad jurídica impone que las conductas exoneradas de la acción jurisdiccional aparezcan claramente definidas. Debe ser así en aras del cumplimiento de las exigencias capitales configuradoras de tal principio: la previsibilidad y la determinación normativa. He aquí que se ancla el núcleo esencial del control de constitucionalidad a realizar en torno al articulado de la ley de amnistía, puesto que el respeto a la Norma Suprema debe constatarse en relación con el respeto de los deberes señalados, determinando si efectivamente ha sido así o si, por el contrario, se ha lesionado la seguridad jurídica y la prohibición de discriminación de los ciudadanos ante la ley.

Es en este terreno donde, en mi opinión, se constatan las dificultades más serias para avalar la constitucionalidad de la ley. En efecto, de la lectura de su artículo 1.1, dedicado a establecer el «ámbito objetivo», esto es, las conductas exoneradas de responsabilidad jurídica, se desprende la existencia de una actitud legislativa excesivamente amplia e indeterminada. La identificación de los supuestos a los que se aplica la amnistía adolece de la necesaria precisión, mostrando una configuración abierta y una vaguedad conceptual que suscita importantes críticas con respecto a la seguridad jurídica. La profusa utilización de cláusulas abiertas a la hora de definir el ámbito objetivo de aplicación de la amnistía da lugar a la inclusión de determinadas conductas y actuaciones que no muestran una relación directa e inmediata con el contexto fáctico cubierto por la amnistía, a saber, los actos preparatorios de las dos consultas independentistas, las condenas impuestas por el Tribunal Supremo tras la celebración de la convocada el 1 de octubre de 2017, así como la exigencia de responsabilidad jurídica por las reacciones posteriores generadas por aquéllas. El amplísimo abanico de actividades genéricamente identificadas incurre en un exceso obvio que proyecta sus efectos nocivos sobre la seguridad jurídica, abriendo la puerta a amnistiar actos cuya relación (conexión causal) con el sustrato fáctico acotado es muy dudosa, cuando no inexistente. Este modo legislativo de proceder va a generar importantes dudas aplicativas, puesto que los tribunales de justicia no cuentan con un elenco específico, tasado y concreto de actuaciones llamadas a ser amnistiadas. La apertura reseñada, pues, augura una conflictividad jurisdiccional considerable en donde la determinación del respeto del principio de proporcionalidad —y en última instancia, también del de arbitrariedad— se afirma como elemento clave.

Otro tanto cabe afirmar con respecto a las exclusiones introducidas en el texto de la ley (artículo 2), cuya pretensión obvia no es otra que achicar posibles espacios para que la acción de la justicia pueda llevarse a cabo. En este sentido, la tramitación de la ley ha sido muy elocuente, puesto que el listado de exclusiones fue creciendo a medida que se iban produciendo sucesivas actuaciones jurisdiccionales. El caso más claro viene de la mano de la reactivación de la causa seguida en la Audiencia Nacional contra Tsunami Democràtic, en la que se ha incluido al expresidente Puigdemont, imputándole la comisión de un delito de terrorismo. Ha sido esta decisión adoptada por el juez García Castellón la que está en la base de la inclusión de dicho delito en el texto de la ley. Una decisión legislativa que suscitó importantes críticas y que condujo a la necesidad de matizar qué concretas actuaciones relacionadas con la actividad terrorista no serán susceptibles de ser amnistiadas. Los esfuerzos realizados, situando en primer término las exigencias derivadas de la normativa europea en materia de terrorismo (ya incorporadas a nuestro Código Penal tras la correspondiente implementación de la directiva en cuestión), no resultan sin embargo suficientes para neutralizar las dudas de constitucionalidad que, desde la perspectiva de la seguridad jurídica, suscita esta decisión legislativa. A una conclusión similar se llega por lo que respecta a los delitos de malversación, en cuyo caso se dejan al margen aquellos que, aunque no hubieran generado enriquecimiento personal, hubieran lesionado los intereses financieros de la Unión Europea. En este supuesto, cabe afirmar que la aplicación de la amnistía conducirá con toda probabilidad al planteamiento de cuestiones prejudiciales ante el Tribunal de Justicia de la Unión Europea, puesto que la formulación del precepto legislativo vuelve a provocar importantes dudas interpretativas que deben ser despejadas antes de su aplicación.

También en relación con el respeto del principio de proporcionalidad en sentido estricto el tratamiento del ámbito temporal arroja importantes incógnitas. El hecho a resaltar es que este es excesivamente amplio, como ya indicó la Comisión de Venecia, recomendando su limitación. Sin embargo, lejos de seguir tal pauta, en el texto definitivo de la LO 1/2024 dicho lapso temporal se ha ampliado ulteriormente (la fecha de inicio pasa de ser el 1 de enero de 2012, según contemplaba la proposición originaria, al 1 de noviembre de 2011), sin que se acompañe de una debida justificación.

Sobre la base de lo expuesto, considero que el modo de proceder adoptado por el legislador en relación con las cuestiones apuntadas pone de manifiesto una regulación que incorpora significativos espacios en los que la proporcionalidad no es respetada y en los que la quiebra del principio de igualdad ante la ley no cuenta con la necesaria justificación que permite no solo neutralizar tratos discriminatorios constitucionalmente vetados, sino también esquivar la arbitrariedad. Y es que, como de modo diáfano ha afirmado Cruz Villalón (2023-2024), «el contraste entre los sacrificios constitucionales y los beneficios objetivamente previsibles es demoledor desde la perspectiva de la proporcionalidad en sentido estricto». Asimismo, la falta de rigor en la definición de las conductas cubiertas por la amnistía muestra otro importante flanco de debilidad que apunta directamente a la línea de flotación de la constitucionalidad de la operación legislativa, cuestionando muy seriamente el principio de seguridad jurídica.

III. Consideraciones adicionales sobre la ley de amnistía: legitimidad y calidad democráticas

Llegados a este punto y antes de concluir el recorrido propuesto, resulta imprescindible realizar, a modo de conclusión adicional, algunas consideraciones valorativas sobre la LO 1/2024, que no se sitúan estrictamente en el plano de la constitucionalidad sino en otros distintos. Desde esta óptica más amplia, debe insistirse en que la amnistía es una medida excepcional, con una trascendencia innegable desde la perspectiva del Estado de Derecho. Precisamente por tal razón debe incorporar una dimensión reforzada por lo que a su legitimidad se refiere. Volviendo nuevamente a lo afirmado por Cruz Villalón (2023-2024), no puede perderse de vista que estamos ante una amnistía política, recogida en una ley que «acumula excepción sobre excepción». Así pues, como sigue razonando dicho autor, esto implica que «la excepcionalidad por definición de toda amnistía se eleva al cubo: es la excepcionalidad dentro de la propia excepción de la medida». En tales circunstancias, no se trata solo de que esté «excepcionalmente justificada», sino también, a mi parecer, de que cuente con un apoyo hipercualificado por parte de las fuerzas políticas con representación parlamentaria. Desde una aproximación formal, la ley de amnistía ha salido adelante con los votos constitucionalmente requeridos para su aprobación, esto es, ha votado a favor de la misma la mayoría absoluta del Congreso de los Diputados. Se ha cumplido, por lo tanto, con la exigencia establecida en la Constitución, sin que merezca reproche alguno en términos formales. Ahora bien, desde una perspectiva sustancial, atendiendo a la excepcionalidad intrínseca a la operación promovida, esta tendría que haber contado con una adhesión mucho más amplia. Porque, ciertamente, la amnistía ha salido adelante con el voto favorable del 51 % de la cámara baja, pero si invertimos la aproximación porcentual no puede ignorarse que sus detractores se cifran en un 49 %. Esta situación de evidente fragmentación, por lo demás, no ha pasado desapercibida a la Comisión de Venecia, que ha señalado precisamente la necesidad de que toda ley de amnistía sea aprobada con una mayoría cualificada que debería superar ampliamente la absoluta, situándose en 2/3.

La situación concurrente en sede parlamentaria no es sino reflejo directo de la profunda división constatada en otros ámbitos, en los que el enfrentamiento ha alcanzado una intensidad mayúscula. Así ha sucedido en el terreno social, teniendo en cuenta la masiva respuesta ciudadana a las sucesivas manifestaciones convocadas por el principal partido de la oposición, que tuvieron lugar en todo el territorio nacional en los últimos meses de 2023. No menos virulenta ha resultado, por su parte, la respuesta ofrecida por una parte significativa del poder judicial, que incluso llegó a concretarse mediante protestas llevadas a cabo a las puertas de los juzgados, protagonizadas por miembros de la judicatura vistiendo la toga. Este profundo malestar generado por la iniciativa legislativa de amnistía arroja una potente sombra de duda sobre su legitimidad material. Y es que esta ha salido adelante en un contexto de agudo enfrentamiento que, a la postre, compromete seriamente el objetivo que está en la base de su activación: recuperar la concordia institucional, social y política en Cataluña.

En otro orden de consideraciones, es preciso también llamar la atención sobre el importante déficit de calidad democrática que muestra la ley de amnistía. En primer lugar, esta se presentó por el Grupo Parlamentario Socialista como proposición de ley ante el Congreso de los Diputados. Una vez más, el modo de proceder aludido cuenta con el respaldo del ordenamiento jurídico, por lo que en términos formales no genera problema alguno. Muy diversa es la valoración si se adopta un criterio sustancial o de fondo, puesto que la vía elegida —la proposición de ley— se utiliza como cauce para albergar una iniciativa que es de autoría gubernamental, no parlamentaria. Asimismo, la decisión de acudir a esta vía apunta a otra finalidad obvia: eludir los controles técnicos que hubieran resultado preceptivos de haberse optado por presentar un proyecto de ley. En efecto, en este último caso, deberían haberse pronunciado necesariamente con carácter previo tanto el Consejo de Estado como el Consejo General del Poder Judicial a través de sendos dictámenes preceptivos aunque despojados de efectos vinculantes.

Hay un segundo aspecto susceptible de crítica desde la perspectiva de la calidad democrática y es el referido al procedimiento utilizado para su tramitación, debate y aprobación: el de urgencia. Una decisión en pro de la aceleración que trae consigo la consiguiente disminución a la mitad de los tiempos parlamentarios. La crítica que se formula a este modo de proceder se fundamenta en el hecho de que el mismo opera en detrimento de las exigencias deliberativas reforzadas que deberían acompañar el proceso de discusión de una ley de estas características. Una opción que, por lo demás, ha resultado abiertamente contradicha en la práctica, puesto que el iter legislativo iniciado el 13 de noviembre de 2023 —cuando se presentó la proposición en el Congreso— finalizó el 14 de marzo de 2024, esto es, 4 meses después. Las dificultades para alcanzar la mayoría requerida, derivada de la falta de acuerdo entre el Gobierno y sus socios, resultaron determinantes en este sentido, privando de justificación la decisión de tramitar en vía de urgencia esta iniciativa legislativa.

Con esta última referencia a la división política existente en el seno del bloque denominado «progresista» llegamos al punto que ofrece la clave explicativa real que subyace a la aprobación de la Ley Orgánica de amnistía: la necesidad de armar una mayoría suficiente mediante la que Pedro Sánchez pudiera superar la sesión de investidura y revalidar su condición de presidente del Gobierno en la presente legislatura. Sin el apoyo de las fuerzas independentistas catalanas (Esquerra Republicana y Junts), no resultaba posible mantenerse al frente del Ejecutivo, de modo que, ante la exigencia irrenunciable de la amnistía manifestada por estas, el líder socialista decidió su concesión, aplicando la máxima «hacer de la necesidad virtud».

Bibliografía

AGUADO RENEDO, César (2001). *Problemas constitucionales en el ejercicio de la potestad de gracia*, Madrid, Civitas.

ARAGÓN REYES, Manuel (2023-2024). «Los problemas constitucionales de la proposición de ley de amnistía», *El Cronista del Estado Social y Democrático de Derecho,* 108-109 (monográfico *La Constitución de 1978 cumple 45 años*).

CRUZ VILLALÓN, Pedro (2023-2024). «Primeras consideraciones sobre el control de la constitucionalidad de la ley de amnistía», *El Cronista del Estado Social y Democrático de Derecho,* 108-109 (monográfico *La Constitución de 1978 cumple 45 años*).

RAMOS TAPIA, Inmaculada; RUIZ ROBLEDO, Agustín (2023). «¿Se olvidó la Constitución de la amnistía?», *Diario La Ley*, 10345, 11 de septiembre de 2023.

REQUEJO PAGÉS, Juan Luis (2023). «La amnistía no es inconstitucional, pero no todo lo constitucional es aceptable en política», entrevista por Arturo Puente en *eldiario.es* publicada el 28 de agosto de 2023.

RUBIO LLORENTE, Francisco (2000). «La gracia de Aznar», *El País*, 10 de diciembre de 2000.

LEY DE AMNISTÍA:
PROTECCIÓN NACIONAL
E INTERNACIONAL DE DERECHOS
FUNDAMENTALES

La ley de amnistía en perspectiva europea

TERESA FREIXES SANJUÁN

Catedrática de Derecho Constitucional y Jean Monnet
ad personam. Vicepresidenta de la Real Academia Europea
de Doctores

En primer lugar, quiero expresar mis felicitaciones al Centro de Estudios Políticos y Constitucionales y a su directora, Dra. Rosario García Mahamut, por la organización de este debate. Me ha parecido oportuno, interesante y necesario. También quiero agradecer que me haya invitado a participar en él.

Estamos ante uno de los temas más controvertidos que estamos viviendo en esta época, no el único, pero sí uno de los más importantes. El grave problema de esta ley es el contexto en el que en el que ha surgido y en el que se está desarrollando su tramitación. Porque quizás en otro contexto las cosas hubieran podido ser diferentes y el debate más sosegado, como requieren las leyes de trascendencia constitucional.

Si esta ley no hubiera surgido como necesidad política para lograr una investidura, seguramente no hubiera sido necesario hacer un preámbulo con tantas justificaciones, excesivas. Son excesivas porque la justificación no se podía incluir en el preámbulo, puesto que lo que se necesitaba era una serie de votos para poder lograr una investidura. Esta fundamentación no encaja en lo que debe contener un preámbulo y por ello, como era necesario vestirlo de la mejor manera posible, nos hallamos ante un preámbulo que es incluso más largo que el texto de la ley. Pero no es su tamaño el problema principal.

El preámbulo realiza muchas referencias al derecho comparado. Ciertamente existen regulaciones constitucionales sobre amnistías en diversos estados, pero en este punto nos encontramos ante un problema lingüístico o de traducción. El preámbulo califica de amnistías a regulaciones que se refieren, en realidad, a indultos.

Amnistía e indulto no son la misma institución jurídica. Cada institución tiene un significado concreto y muchas de las conductas que se califican en otros países de amnistía, en realidad, son indultos generales. Así, por ejemplo cuando, en Portugal, con motivo de la visita del Papa no se dio una amnistía, sino que se indultó a jóvenes que habían cometido delitos menores; ello, peso a ser calificado de amnistía, no era tal, sino un indulto, como los que se otorgan en otros países, por ejemplo en Italia, cuando se encuentran con sobrepoblación en las cárceles. A veces, según el sistema jurídico de que se trate, una misma palabra puede tener significado diverso (como por ejemplo «ley orgánica» en España o en Francia) o, por el contrario, denominamos en forma distinta instituciones jurídicas que son similares (siguiendo con el ejemplo, las ordenanzas francesas, equivalentes a nuestros decretos legislativos).

El preámbulo pretende también justificar el título de la ley, afirmando que con ella se va a conseguir o se pretende conseguir la concordia o convivencia en Cataluña. Ya les digo, de entrada, que no va a ser así, porque lo que sucedió en Cataluña, quienes lo vivimos allí, que lo pudimos vivir desde muy diferentes perspectivas, vivimos problemas muy serios, de intimidación, de negación de derechos, no sólo institucionales, que también. Esos problemas tan serios no se liquidan aprobando una ley de amnistía, máxime cuando los futuribles amnistiables están todo el tiempo argumentando que lo van a volver a hacer. ¿Qué es lo que van a volver a hacer? ¿Van a volver a aprobar leyes como las leyes de desconexión, van a hacer una declaración unilateral de independencia?

En esa línea, la proposición de iniciativa legislativa popular para declarar unilateralmente la independencia que surgió en el Parlamento Cataluña hace poco ha sido frenada porque el Gobierno la recurrió como acto de un órgano autonómico anticonstitucional que, al ser admitido a trámite el recurso, tiene efectos suspensivos por expreso mandato del art. 161.2 CE. En este caso la propuesta de iniciar los trámites para una declaración unilateral no fue presentada por ningún grupo parlamentario cuyos votos necesitase el Gobierno o se los pudiera ofrecer, porque la agrupación extraparlamentaria que la presentó no tiene mayor influencia en la vida política. Quisiera no tener ninguna duda de que seguirá el mismo camino que las declaraciones de independencia anteriores, que el anterior Tribunal Constitucional ya consideró contrarias a la Constitución.

La sociedad catalana, al mismo tiempo que la sociedad española, ha vivido una crisis muy profunda a partir de ese intento de quiebra del orden constitucional, protagonizado por partidos políticos que en el fondo no entienden lo que es la sociedad catalana, que es una sociedad muy plural, muy compleja, formada en su mayor parte por personas que provienen de distintos ámbitos territoriales, tanto del resto de España como de la Unión Europea o de terceros países. Siendo ésta la realidad, quienes ocupan las instituciones públicas en Cataluña no entienden, o no quieren entender, cómo ha de gestionarse el entendimiento que ha de presidir las sociedades plurales de nuestros días.

Los partidos políticos que nos (des)gobiernan en Cataluña, a quienes no comulgamos con su pretendida visión de qué es Cataluña, nos categorizan como ciudadanos de segunda, llamándonos desde colonos hasta fascistas. En el fondo existe un rechazo profundo a todo lo que no concuerde con la hegemonía dominante que se pretende desde el secesionismo. Si esto no queda claro, es casi normal que algunos pretendan que amnistiando a quienes nos quisieron situar al margen de la Constitución y negarnos nuestros derechos ciudadanos se pueda recuperar «la convivencia en Cataluña».

Contamos, para el análisis de esta ley, con la opinión de la Comisión de Venecia. Falta todavía que emita su informe la Comisión Europea y veremos cómo todo lo relacionado con la amnistía influye en el Informe sobre el Estado de Derecho que la Comisión Europea ha de emitir, seguramente en julio. Así que me detendré en el, hasta ahora, primer referente europeo con que contamos. Evidentemente, al tratarse de una opinión de la Comisión de Venecia, tiene un efecto orientador, no normativo. Pero tal efecto orientador es importante porque las instituciones europeas lo consideran relevante para tomar posición y emitir resoluciones; así lo han hecho en otros casos, como por ejemplo en Polonia, donde fue aplicado el «mecanismo preventivo» de garantía del Estado de Derecho. Cuando la Dra. Cartabbia, vicepresidenta de la Comisión de Venecia, estuvo explicando a la Comisión de Libertades Públicas del Parlamento Europeo el contenido de su opinión, resaltó su importancia en el sentido que acabo de explicar.

Indudablemente, esta opinión no constituye un canon de constitucionalidad, porque el análisis de la Comisión se sitúa en un ámbito diferente, que no interfiere en lo que en su momento pueda expresar el Tribunal Constitucional español, vía recurso o cuestión de inconstitucionalidad. La Comisión de Venecia, ella misma lo expresa, no entra en la constitucionalidad o no de la ley de amnistía; sólo se sorprende de que, existiendo controversia fundada y profunda sobre la compatibilidad de tal ley con la Constitución en el ámbito interno entre constitucionalistas, no se haya optado por realizar lo que en su lenguaje denomina una «enmienda constitucional», es decir, que no se haya reformado previamente la Constitución para alejar toda duda de constitucionalidad sobre la ley.

La Comisión de Venecia utiliza, pues, referentes de su propio ámbito, expresados en otros informes o dictámenes y, especialmente en los denominados *Criterios de verificación del Estado de Derecho*, que fueron emitidos en 2016 y definitivamente adoptados en 2017.

Desde estas perspectivas, la Comisión de Venecia ha realizado críticas a la ley de amnistía, distinguiendo las derivadas de cuestiones formales de las producidas por el propio contenido de la norma.

Sobre las cuestiones formales, destacaré la relativa a las mayorías necesarias para adoptar normas como la de referencia, el uso del procedimiento de urgencia intentado para su aprobación y las características del procedimiento de elaboración de la propuesta, es decir, del uso de la proposición de ley.

En cuanto a la mayoría para adoptar la norma, que se ha preparado como ley orgánica, es decir, que necesita de mayoría absoluta en el Congreso de los Diputados, la Comisión de Venecia considera que las leyes de gran transcendencia constitucional tienen que ser aprobadas por mayorías suficientemente reforzadas. Así lo dispone en numerosos informes relativos a leyes tales como, entre otras, las que diseñan los sistemas electorales. Es más, indica que, además de tener que ser aprobadas por mayorías reforzadas amplias, han de estar consensuadas con la oposición, ya que inciden directamente en el corazón del sistema político-constitucional del país. Es evidente que la aprobación por la mayoría absoluta propia de la ley orgánica (exigua por otra parte, porque se limita a la mayoría de la investidura) y con el voto contrario de la oposición parlamentaria no se cumple con esta propuesta que la Comisión de Venecia ha reiterado en numerosas ocasiones. No olvidemos, tampoco, que la misma Constitución no es ajena a las mayorías reforzadas y así las exige para el nombramiento de órganos de relevancia constitucional, como el Defensor del Pueblo o los miembros del Consejo General del Poder Judicial. También Italia, que prevé la amnistía en su Constitución (aunque a veces la confunde en la práctica con los indultos generales), exige que la ley que la regule sea adoptada por la misma mayoría que es necesaria para la reforma constitucional. Todo ello se debe a que, según la Comisión de Venecia (y la lógica jurídica presente en la adopción de leyes de tales características), al incidir de lleno en el corazón del sistema constitucional es necesario que su adopción cuente con la aquiescencia de una gran mayoría social, representada en un amplio consenso parlamentario. No es de recibo que, tal como se está sugiriendo, la oposición se sume a un voto afirmativo de un texto final del cual no ha sido en modo alguno partícipe, que no ha recibido ningún tipo de aproximación consensual desde los inicios de su planteamiento y que únicamente podría ser objeto de una *adhesión* extemporánea impropia de los buenos usos de las democracias actuales.

La otra cuestión formal en la que la Comisión de Venecia expresa sus criticas es la relativa al uso del procedimiento de urgencia en la tramitación parlamentaria. El argumento esgrimido por la Comisión reside en la consideración de que estas normas de trascendencia constitucional precisan de un cierto sosiego en su elaboración, que permita su tratamiento consensuado en el ámbito parlamentario que pueda propiciar su adopción por amplia mayoría. No parece que los procedimientos de urgencia respondan a estos criterios, sino a lo que desde el principio hemos venido diciendo: se pretendía que la ley fuera adoptada rápidamente para facilitar la consecución de los 7 votos que se precisaban para conseguir la investidura de Pedro Sánchez como presidente del Gobierno. En la práctica ello no ha podido ser así, puesto que las exigencias de los futuros amnistiables iban variando a medida que se iba avanzando en la redacción de la proposición de ley y, por ello, en su elaboración han existido más dilaciones de las inicialmente previstas. Ello también indica que estamos en presencia de una «autoamnistía» en la que quienes van a ser amnistiados participan en el diseño y redacción de la ley, algo que todos los textos legales extranjeros que regulan amnistías prohíben, ya que la amnistía debe responder a criterios de interés general, no a la voluntad de los delincuentes que serán objeto de tal medida de gracia; la jurisprudencia del Tribunal Constitucional alemán es muy explícita al respecto. Es evidente, además, que el procedimiento de urgencia no facilita, por sus características intrínsecas, la adopción de acuerdos o consensos para lograr una ley que pueda ser adoptada por una amplia mayoría ni la reflexión sosegada que necesita la adopción de normas de trascendencia constitucional, tal como indica la Comisión de Venecia.

En cuanto a la utilización de la proposición de ley para preparar el texto normativo, en lugar del proyecto de ley, cabe señalar varias cuestiones. La primera es que se trata de una proposición de ley que, pese a estar firmada por un grupo parlamentario, en realidad ha sido elaborada desde el Gobierno, tal como ha venido siendo evidente en todas las comparecencias públicas que el ministro de Presidencia, Justicia y Relaciones con las Cortes ha venido realizando, incluso en la interlocución habida al respecto con la Comisión Europea. Al respecto cabe manifestar que, en el marco de los indicadores de la «legalidad» que la Comisión de

Venecia detalla dentro de los *Criterios de verificación del Estado de Derecho*, se incluye el examen, entre otros, de la primacía de la Constitución y de la ley, como no puede ser de otra manera. Y se concretan, por ejemplo, en cómo ejercita su poder normativo el poder ejecutivo y cómo se respeta el procedimiento legislativo. Al respecto tenemos serios problemas con el excesivo uso de la legislación de urgencia, como hemos dicho, y la utilización indebida de las proposiciones de ley, puesto que hurtan el examen de constitucionalidad y/o de legalidad por parte de los altos órganos consultivos. Cierto que un gobierno en funciones no puede adoptar proyectos de ley y que por ello, dadas las prisas que se sostenían para poder lograr la investidura, se presentó una proposición de ley, que tiene como efecto primero que no precisa de análisis previo por parte del Consejo de Estado o del Consejo General del Poder Judicial; sin embargo, se hubiera podido perfectamente subsanar la falta de este control previo a la presentación del texto facilitando que la Mesa del Congreso pudiera solicitarlo una vez registrada la proposición y, pese a haberlo pedido la oposición parlamentaria, la Mesa ha denegado tal petición. Quien lo ha solicitado ha sido la Mesa del Senado, cámara en la que los grupos que dan apoyo al Gobierno están en minoría. Sin poder realizar un juicio de intenciones, no podemos llegar a decir taxativamente que se utiliza la proposición para evitar informes desfavorables del Consejo de Estado, del Consejo del Poder Judicial, etcétera, pero con su inexistencia se introduce una falta de *fumus boni juris,* porque obviarlos en un tema tan sensible también provoca problemas.

Yendo a las cuestiones de fondo, me limitaré a señalar algunas que son puestas de manifiesto en la opinión de la Comisión de Venecia. Unas porque pueden infringir principios del Estado de Derecho constatados en los *Criterios de verificación...* a los que venimos haciendo referencia; otras refereridas a problemas de compatibilidad con determinadas regulaciones de la Unión Europea.

Sobre las primeras, con relación a la certeza jurídica, muy vinculada al principio de legalidad y al buen uso de las instituciones, se acuerda en esos pactos de investidura que generaron la «necesidad» de contar con una ley de amnistía, que el debate sobre las relaciones entre Cataluña y el resto de España, que se pretenden mejorar con la existencia de una tal ley, no se realice en los órganos parlamentarios ni en las instituciones de colaboración y coordinación, que son quienes tienen competencias ciertas y regladas, sino que se recurre a unas «conversaciones» que tendrán lugar en el extranjero, con la presencia de «verificadores» internacionales, todo ello al margen de la Constitución y de la ley. Cierto es que el comisario Reynders afirmó que éste es un asunto interno de España, pero también declaró taxativamente que todo ello debería abordarse dentro de las coordenadas constitucionales. La Comisión de Venecia manifestó también que asegurar que esta norma facilitaría la convivencia era una afirmación no fundada, puesto que no se había realizado evaluación de impacto alguna al respecto.

Así surgieron unas regulaciones que la Comisión de Venecia considera poco precisas, como es el ámbito de aplicación de sus preceptos, tanto en relación con las conductas amnistiables como respecto del período de tiempo cubierto por la norma. Sobre las primeras, faltaría precisión acerca de los delitos que pueden ser objeto de la amnistía, pues su vinculación a la reivindicación o promoción de la independencia de Cataluña es extremadamente amplio y podrían generar que cualquier conducta entrara en el ámbito de aplicación de la norma aunque su objetivo no tuviera una relación de causa-efecto con la misma. Así también considera la Comisión de Venecia que no existe una justificación objetiva respecto del período temporal cubierto por la norma, que ha ido variando según ha ido avanzando la redacción del texto de la ley sin que apareciera una argumentación consistente de tales variaciones, pues más bien parecía obedecer a dar cobertura a determinadas personas, aunque no se las nombrara.

Al mismo tiempo, quebrando el principio de predictibilidad de las normas, en la proposición de ley de amnistía se vulnera la naturaleza jurídica de las cuestiones de inconstitucionalidad, que suspenden provisionalmente el juicio *a quo* desde la admisión a trámite hasta que se dicta la sentencia por parte del Tribunal Constitucional, puesto que se pretende que, contrariamente a lo que dispone el art. 35.3 de la Ley Orgánica del Tribunal Constitucional, sin reformarla o derogarla expresamente, quede sin efecto la suspensión propia de tal institución jurídica. La pretensión de la ley de amnistía de cancelar automáticamente todas las medidas cautelares que judicialmente hayan podido ser tomadas por jueces y magistrados en las causas abiertas por los hechos considerados amnistiables no es concorde con los principios propios del Estado de Derecho, a partir de los cuales son únicamente los jueces y magistrados quienes, motivadamente, pueden acordarlas y, en su caso, levantarlas. Esa inadecuación de la regulación por la que se pretende que se cancelen automáticamente es cuestionada por la Comisión de Venecia en su opinión, dada la inconsistencia de su cancelación, pretendidamente automática, sin cambiar previamente la ley reguladora preexistente.

Queda, por último, señalar la adecuación de la ley de amnistía al Derecho de la Unión Europea. La Comisión de Venecia no quiso entrar en ello, por no situarse el tema dentro de sus competencias, aunque sí

91

realizó un par de observaciones respecto de la regulación del terrorismo y de la malversación, indicando que han de ser las Instituciones comunitarias quienes se pronuncien sobre ello. Asimismo, obvia el marco de la posible presentación de cuestiones prejudiciales cuando la ley sea aplicada, puesto que es el Derecho de la Unión Europea, es decir, los Tratados y el Reglamento de Funcionamiento del Tribunal de Justicia, el que las regula, sin que el derecho interno nada pueda variar al respecto. Pero advierte de la necesidad de que la amnistía respete el Estado de Derecho como valor de la Unión Europea, de los Estados miembros y de los mismos *Criterios de verificación del Estado de Derecho*, especialmente respecto de su adecuación a sus principios básicos, como el de igualdad ante la ley y el respeto a los órganos judiciales, pero ello extendería demasiado estas reflexiones, por lo que únicamente lo apuntamos, a la espera de que el Informe sobre el Estado de Derecho que ha de emitir la Comisión Europea aclare la cuestión.

La normativa europea para la prevención de la corrupción choca directamente con las rebajas que, en el delito de malversación, se han efectuado mediante cambios en el Código Penal y en la propia Ley de amnistía, dirigidos a disminuir las penas en las condenas y a que no sean fiscalizables los gastos dirigidos a promover o justificar la independencia de Cataluña. Pese a que la propuesta de ley de amnistía asegura que deja salvaguardados los fondos europeos, todos sabemos que el Tribunal de Cuentas ha apreciado sendas malversaciones difíciles de deslindar en tal sentido. Además, la Unión Europea ha iniciado la modificación de la normativa anticorrupción para declarar que la malversación no puede ser objeto de amnistía ni indulto. El debate establecido acerca de la malversación que no origina enriquecimiento en quien la practica para que pueda ser amnistiado es falaz, cuando, como advierten los expertos en el tema, cuando se ha malversado a sabiendas para la consecución de objetivos que no tienen cobertura legal, tal como se constata en la sentencia del Tribunal Supremo que condenó a los líderes del procés posteriormente indultados, siempre provoca enriquecimiento, directo o indirecto, entre quienes la practican. Otra cosa es cuando quien ha realizado actos encubiertos de malversación no hubiera podido tener acceso a conocer lo que realmente se estaba practicando.

Podemos también señalar la quiebra de la igualdad ante la ley y la discriminación que origina una amnistía en la que se genera impunidad para determinados cargos políticos, cuando para que no se aplique la amnistía a delitos de terrorismo es necesario que haya habido sentencia firme (no se ha emitido ninguna en el ámbito de aplicación temporal previsto en la ley), lo cual choca también directamente con las directivas europeas de prevención del terrorismo y de apoyo a las víctimas. El concepto de terrorismo, en el Derecho de la Unión Europea abarca múltiples facetas y se fundamenta en una consideración metodológica: el terrorismo está dirigido a una finalidad que siempre es la misma, que es originar terror, facilitar con métodos diversos que la ciudadanía se sienta intimidada y originar que le resulte difícil tomar decisiones racionales al margen de la presión del terror. Existe, en este sentido, una falta de concordancia entre el concepto de terrorismo que parece desprenderse de los delitos potencialmente amnistiables y el que utiliza la directiva europea de prevención del terrorismo.

En esencia, nos hallamos ante una ley que, por su finalidad espuria y su contenido, nunca hubiera tenido que ser adoptada, máxime con las prevenciones existentes en cuanto a su compatibilidad con la Constitución y con el Derecho de la Unión Europea.

Documentación

UNIÓN EUROPEA
Comunicación de la Comisión al Parlamento Europeo y al Consejo. Un nuevo marco de la UE para reforzar el Estado de Derecho/* COM/2014/0158 final */. Documento accesible en: https://eur-lex.europa.eu/legal-content/ES/TXT/HTML/?uri=CELEX:52014DC0158
Informe 2022 sobre el Estado de Derecho en España (en inglés). Documento accesible en: https://commission.europa.eu/system/files/2022-07/23_1_194017_coun_chap_spain_en.pdf
DIRECTIVA (UE) 2017/541 DEL PARLAMENTO EUROPEO Y DEL CONSEJO de 15 de marzo de 2017 relativa a la lucha contra el terrorismo y por la que se sustituye la Decisión marco 2002/475/JAI del Consejo y se modifica la Decisión 2005/671/JAI del Consejo. Accesible en: https://www.boe.es/doue/2017/088/L00006-00021.pdf
DIRECTIVA 2012/29/UE DEL PARLAMENTO EUROPEO Y DEL CONSEJO de 25 de octubre de 2012 por la que se establecen normas mínimas sobre los derechos, el apoyo y la protección de las víctimas de delitos, y por la que se sustituye la Decisión marco 2001/220/JAI del Consejo. Accesible en: https://www.boe.es/doue/2012/315/L00057-00073.pdf
DIRECTIVA (UE) 2019/1153 DEL PARLAMENTO EUROPEO Y DEL CONSEJO de 20 de junio de 2019 por la que se establecen normas

destinadas a facilitar el uso de información financiera y de otro tipo para la prevención, detección, investigación o enjuiciamiento de infracciones penales y por la que se deroga la Decisión 2000/642/JAI del Consejo. Accesible en: https://www.boe.es/doue/2019/186/L00122-00137.pdf

Propuesta de DIRECTIVA DEL PARLAMENTO EUROPEO Y DEL CONSEJO sobre la lucha contra la corrupción, por la que se sustituyen la Decisión Marco 2003/568/JAI del Consejo y el Convenio relativo a la lucha contra los actos de corrupción en los que estén implicados funcionarios de las Comunidades Europeas o de los Estados miembros de la Unión Europea, y por la que se modifica la Directiva (UE) 2017/1371 del Parlamento Europeo y del Consejo. Accesible en: https://eur-lex.europa.eu/legal-content/ES/TXT/HTML/?uri=CELEX:52023PC0234

COMISIÓN DE VENECIA

Criterios de verificación del Estado de Derecho. Adoptados por la Comisión de Venecia en su 106ª Sesión Plenaria (Venecia, 11-12 de marzo de 2016). Aprobados por los Delegados de los Ministros en la 1263ª Sesión (6-7 de septiembre de 2016). Aprobados por el Congreso de Autoridades Locales y Regionales del Consejo de Europa en su 31ª Sesión (19-21 de octubre de 2016) por la Asamblea Parlamentaria del Consejo de Europa el 11 de octubre 2017 (Resolución2187(2017). Documento accesible en: https://www.venice.coe.int/images/SITE%20IMAGES/Publications/RuleofLawChecklist_ESP2019.pdf

Report on European Standards as regards the Independence of the Judicial System: Part I: The Independence of Judges adopted by the Venice Commission at its 82nd Plenary Session (Venice, 12-13 March 2010). Texto (en inglés) accessible en: https://www.venice.coe.int/webforms/documents/?pdf=CDL-AD(2010)004-e Part II — the Prosecution Service — Adopted by the Venice Commission — at its 85th plenary session (Venice, 17-18 December 2010). Texto (en inglés) accessible en; https://www.venice.coe.int/WebForms/documents/?pdf=CDL-AD(2010)040-e

TRIBUNAL SUPREMO. Sentencia del Tribunal Supremo (Sala Contenciosa) del 21 de noviembre de 2023. Texto accesible en: https://www.poderjudicial.es/search/openDocument/b662a58d56c55679a-0a8778d75e36f0d

Arbitrariedad del legislador y ámbito objetivo de aplicación de la Ley Orgánica de amnistía para la normalización institucional, política y social en Cataluña

ALEJANDRO SAIZ ARNAIZ

Catedrático de Derecho Constitucional. Universitat Pompeu Fabra

Las primeras palabras de mi intervención tienen que ser de agradecimiento al CEPC y, en particular, a su directora, por la invitación a participar en esta Jornada. Quiero dejar constancia también en este momento de la oportunidad, e incluso de la necesidad, de una iniciativa como la que hoy nos reúne en esta sede con el propósito de discutir acerca de la Ley Orgánica de amnistía para la normalización institucional, política y social en Cataluña (en adelante, LOA)[1].

Es cierto que a lo largo de los últimos meses, en concreto desde finales del pasado año 2023, se han celebrado algunos actos para debatir sobre la proposición de ley de amnistía, o incluso sobre el anuncio de ésta antes de que se conociera su texto. Pero si algo puede decirse que ha caracterizado a aquellos actos ha sido precisamente su falta de pluralismo: se ha tratado, creo que sin excepción, de reuniones en contra (muy mayoritariamente) o a favor de aquella iniciativa. La Comisión de Venecia ha sido bien consciente de esta realidad cuando se ha referido al contexto de fractura y polarización en el que la discusión sobre la amnistía se produce, también, entre los juristas y los académicos de nuestro país.

Al programa de esta Jornada de debate, *Ley de amnistía. Cuestiones constitucionales*, no puede hacérsele ese mismo reproche. Creo que el pluralismo es su seña de identidad más notable y no está de sobra, de

---

[1] El presente texto reproduce, solo en parte, mis palabras del 24 de abril en el CEPC. En mi intervención expuse algunas ideas que no se ven reflejadas en estas páginas, en las que me limito a desarrollar con algo más de profundidad la primera parte de aquélla.

acuerdo con cuanto se acaba de decir, reconocerlo. Quienes hoy participamos en este evento tenemos opiniones muy distintas sobre la constitucionalidad de la amnistía, en general, y de esta amnistía, en particular. Estoy seguro de que nuestras intervenciones serán un reflejo de esa diversidad de criterio y de que, por decirlo en los términos de Cruz Villalón (2023-2024), contribuirán a «integrarnos a nosotros mismos» y a «explicarnos ante los demás».

Esta segunda mesa está dedicada, de acuerdo con el programa, a la «protección nacional e internacional de derechos fundamentales». En este marco abierto la pregunta en la que puede resumirse el propósito de las páginas que siguen es la siguiente: *¿Es razonable que el legislador, al aprobar una ley que pretende, en aras del interés general, resolver «una tensión política, social e institucional», declare amnistiados determinados actos siempre que la intencionalidad con la que se hubieran llevado a cabo hubiese sido* (simplifico) *la de «reivindicar, promover o procurar la secesión o independencia de Cataluña» y excluya con su silencio de los beneficios de la amnistía los actos determinantes de responsabilidad penal, contable o administrativa, cuando el propósito con el que aquellos se llevaron a cabo fue justamente el contrario, es decir, el de oponerse a la independencia catalana?* ¿Es contradictorio con el fin que se propone la ley el tratamiento que la misma da a unos y otros actos diferenciándolos por la orientación ideológica con la que se ejecutaron?

La respuesta que se dé a estas preguntas puede también plantear, obviamente, un problema de discriminación, en este caso por motivos ideológicos, al que se hará referencia. No oculto que la dimensión aplicativa del asunto que aquí se plantea es muy limitada, pero no por eso deja de tener relevancia constitucional. En todo caso, se trata de un aspecto problemático de la LOA que, salvo error por mi parte, no se ha suscitado en el debate público y ha merecido un interés muy menor en la doctrina.

En la discusión política y académica de estos últimos meses tanto la arbitrariedad del legislador como la vulneración del artículo 14 CE han formado parte de las principales críticas dirigidas contra la amnistía propuesta por el Grupo Parlamentario Socialista del Congreso. Pero mis reflexiones no van dirigidas a responder a esas objeciones tal y como se han formulado por los opuestos a la medida de gracia. Para éstos, y dicho en pocas palabras, la arbitrariedad traería causa de la razón última, auténtica, de la amnistía, que no sería otra, al margen de cuanto resulta del preámbulo de la LOA, que el mantenimiento en el poder del actual presidente del Gobierno, al intercambiar los siete votos de los diputados del grupo de Junts, para hacer posible su investidura, por el perdón a los implicados en el *procés*. La aprobación de la LOA, añaden algunos, sería un claro ejemplo de desviación de poder protagonizada por el legislativo (Atienza, 2023). Al margen de las dificultades que plantea la extensión de esta categoría al legislador democrático (sobre la pregunta «¿admite la ley un control causal?», Díez-Picazo, 1988; Chinchilla Marín, 2004), podría también discutirse si «la simple oportunidad de formar una mayoría parlamentaria de investidura vale como fundamento constitucional para una ley de amnistía», algo que quizá no debería descartarse de entrada a la luz de los artículos 1.1 y 6 de la Constitución y, como señala Velasco (2024), «de la propia comprensión de nuestra democracia como no 'militante'».

Por otra parte, se afirma, la amnistía sería intrínsecamente contraria a la igualdad ante la ley de todos los españoles que proclama el artículo 14 CE: mientras que unos purgarían sus penas al haber delinquido (simplifico) fuera del «contexto del denominado proceso independentista catalán», otros, condenados (o susceptibles de serlo) por idénticos delitos, no serían amnistiados si los hubieran cometido fuera de ese «contexto».

Esta última objeción tiene más fácil respuesta que la primera. *Toda amnistía, puede decirse sin exageración, genera naturalmente desigualdad* ya que «comporta una suspensión temporal del principio de igual eficacia para todos de las normas penales basada en razones que deben ser excepcionales» (sentencia 272/1997, de 25 de julio, de la Corte Constitucional italiana). El preámbulo de la LOA lo expresa meridianamente cuando se refiere a ella misma como una ley singular que «excepciona la aplicación de normas vigentes a los hechos acaecidos en un determinado contexto».

Además, es sabido que no toda desigualdad, tal y como reconoció tempranamente el Tribunal Constitucional, constituye necesariamente una discriminación: «la igualdad es sólo violada si la desigualdad está desprovista de una justificación objetiva y razonable, y la existencia de dicha justificación debe apreciarse en relación a la finalidad y efectos de la medida considerada, debiendo darse una relación razonable de proporcionalidad entre los medios empleados y la finalidad perseguida» (STC 22/1981, FJ 3). Y es aquí donde entran en juego el contexto en el que se aplica la amnistía y las razones excepcionales que deben explicarla.

Es cierto, no obstante, que el altísimo precio que en términos de afectación a principios y valores constitucionales supone una medida de gracia como ésta, que ha de limitarse a «los asuntos políticos de interés general», en palabras de Jiménez de Asúa citadas por Requejo Pagés (2001), obliga al legislador a un *singular esfuerzo de justificación de la amnistía*, es decir, de la «conveniencia pública que se pretende conseguir» (Quadra-Salcedo Fernández del Castillo, 2023-2024). Poco puede sorprender que se haya llegado incluso a afirmar que en estos casos la presunción de constitucionalidad de toda ley se torna presunción de inconstitucionalidad (Bastida, 2024). De ahí la necesidad para el autor de la norma de explicitar en ésta la licitud de las propias opciones[2].

La primera de las objeciones a las que me he referido más arriba es seguramente más controvertida que la que se acaba de exponer de modo muy sumario. Se apunta, ahora en defensa de la tesis de la arbitrariedad del legislador que aquí se está resumiendo, que el argumento de la reconciliación no tiene, como señala Paz-Ares (2024), «credibilidad empírica», algo absolutamente cierto si se atiende a la mayoría de las manifestaciones de los líderes políticos independentistas y de los diputados y senadores de estos partidos en el procedimiento legislativo, pero que se contradice con el sentido del voto favorable de estos últimos al texto de la LOA, cuyo preámbulo está plagado de referencias que evidencian sin margen para la duda que la voluntad de las Cortes Generales (en la que aquellos diputados y senadores se integran) al aprobar la ley no es otra que la de mejorar la convivencia y la cohesión social y hacer posible la integración de las diversas sensibilidades políticas. Soy bien consciente, no obstante, de que la respuesta a esta crítica, en la que parecen converger la mayoría de quienes sostienen la inconstitucionalidad de la LOA, exigiría mucho más que el breve apunte que acabo de hacer en las líneas precedentes.

En apoyo de la irrazonabilidad del legislador se ha sostenido además que el proceso de elaboración de la LOA ha padecido, de nuevo en términos de Paz-Ares (2024), de «falta de autenticidad», de «falta de confiabilidad», lo que reforzaría la conjetura de desviación de poder. Es cierto que el recorrido de la LOA en ambas cámaras no pasará a los anales de nuestro mejor parlamentarismo, pero hace ya demasiado tiem-

---

[2] Cuanto se acaba de afirmar en el texto se entiende mejor de acuerdo con esta consolidada jurisprudencia constitucional: «cuando frente a situaciones iguales o aparentemente iguales se produzca una impugnación fundada en el art. 14 corresponde a quienes asumen la defensa de la legalidad impugnada y por consiguiente la defensa de la desigualdad creada por tal legalidad la carga de ofrecer el fundamento de esa diferencia que cubra los requisitos de racionalidad y de necesidad en orden a la protección de los fines y valores constitucionalmente dignos y en su caso propuestos por el legislador, a que antes hemos hecho referencia.» (STC 103/1983, FJ 5).

po que las Cortes Generales han dejado de ocupar la centralidad que les corresponde en nuestro sistema político. Quizá podría decirse que el *iter* de la LOA nos ha situado ejemplarmente ante el espejo de nuestra deteriorada forma de gobierno (partitocracia, falta de transparencia, utilización interesada de la institución parlamentaria, ausencia de verdadera deliberación, entre otros déficits), aunque no creo que se hayan quebrantado formalmente las reglas que ordenan la producción normativa y mucho menos aún que ese quebranto (de haberse producido) pueda tener relevancia constitucional. Por otra parte no acierto a ver el impacto que la baja calidad de nuestro proceso político democrático puede tener en el control de constitucionalidad de la ley (para una hipótesis en este sentido, Cruz Villalón, 2001).

Pero las tachas de arbitrariedad y de discriminación que se vierten contra la LOA y que hasta aquí se han resumido de manera demasiado apretada no son el objeto central de mi participación en esta Jornada. Utilizaré ambas categorías, tal y como ya he adelantado, pero con un propósito más limitado: explorar la eventual incompatibilidad con la interdicción presente en el artículo 9.3 CE de la exclusión del ámbito objetivo de la ley de los actos determinantes de responsabilidad que se realizaron «en el contexto del denominado proceso independentista catalán» (artículo 1.1 LOA) con la intención de oponerse a la independencia de Cataluña.

Lo relevante a estos efectos no es si existen personas sancionadas por la comisión de estos hechos en aplicación del Código Penal o de la Ley orgánica de protección de la seguridad ciudadana, que existen, aunque en pequeño número. Lo relevante es que «la amnistía es una medida impersonal» (Opinión de la Comisión de Venecia), es decir, aplicable a un conjunto indeterminado de personas. Es cierto que el legislador, «al conceder la amnistía, tiene en cuenta casos individuales típicos, pero estos son solo la causa o el motivo, pero no el objeto de la regulación» (sentencia del Tribunal Constitucional Federal alemán de 22 de abril de 1953).

La LOA es una ley singular, tal y como recuerda su preámbulo con cita de jurisprudencia constitucional, dictada «en atención a un supuesto de hecho concreto y singular» y que agota «su contenido y eficacia en la adopción y ejecución de la medida tomada por el legislador ante ese supuesto de hecho», pero esta realidad no implica, no puede implicar, renuncia a su generalidad, por lo que al establecer las condiciones para su aplicación, en definitiva, para identificar a los sujetos «amnistiables» en razón de los actos cometidos, el parlamento no puede actuar arbitrariamente.

La generalidad supone, con Pérez del Valle (2001), «que la disposición no puede contener trato de favor alguno respecto de personas vinculadas o no vinculadas al conflicto delimitado normalmente a través de tipos penales especificados con ciertos elementos circunstanciales de tiempo o lugar o de finalidad o motivación. [...] no debe existir un trato diferenciado entre amigos y enemigos y, por tanto, que todas las partes implicadas en el conflicto han de recibir un mismo tratamiento, de modo que los hechos comprendidos en la amnistía repercutan de una misma forma a quienes los realizaron, cualquiera que fuese la posición adoptada en el conflicto al que se quiere dar punto final mediante la amnistía».

Hasta aquí he pretendido aclarar que mi reproche a la LOA tiene que ver con una hipótesis de arbitrariedad limitada a un aspecto concreto del contenido de aquella ley, a saber, la exclusión de los beneficios de esta medida de gracia, a tenor del ámbito objetivo de la ley (artículo 1), de aquellas personas que hubieran actuado movidas por su rechazo a la secesión de Cataluña.

A partir de este momento haré una breve anotación sobre la idea de la arbitrariedad del legislador, para pasar a demostrar inmediatamente cómo, a mi juicio, esa arbitrariedad se ve reflejada en la LOA y concluir con alguna propuesta sobre el ámbito del control que, con toda seguridad, estará llamado a llevar a cabo el Tribunal Constitucional y sus posibles consecuencias.

La interdicción de la arbitrariedad de los poderes públicos es uno de los principios recogidos en el artículo 9.3 CE. Su proyección a la actividad normativa de las Cortes Generales fue objeto de una bien conocida polémica doctrinal hace ya treinta y cinco años. A la idea de Rubio Llorente (1990) de que el referido principio estaría incluido en el de igualdad ante la ley del artículo 14 CE, respondió García de Enterría (1991) subrayando que «la ruptura de la igualdad puede ser un caso de arbitrariedad, pero nunca el único», ya que arbitrario «es lo contrario de razonable y jurídicamente lo opuesto polarmente a la justicia». García de Enterría llevó más lejos su discurso al afirmar que la prohibición de arbitrariedad «exige que en cualquier decisión del poder público se hagan presentes los valores superiores del ordenamiento jurídico» enunciados en el artículo 1 CE, y los «menores, presentes cada uno en las distintas ramas del Derecho y en todas y cada una de sus instituciones», una explícita alusión a los principios generales del Derecho que para Rubio Llorente (1986) no eran sino una «realidad impenetrable acerca de la cual no [me siento] cualificado para razonar».

El recordatorio de la polémica entre dos grandes maestros de nuestro Derecho Público contemporáneo sirve para poner en evidencia la condición controvertida del principio al que me vengo refiriendo, al menos en su traslación al legislador. Así lo entendió tempranamente el Tribunal Constitucional cuando aclaró que «la noción de arbitrariedad no puede ser utilizada por la jurisdicción constitucional sin introducir muchas correcciones y matizaciones en la construcción que de ella ha hecho la doctrina del Derecho Administrativo, pues no es la misma la situación en la que el legislador se encuentra respecto de la Constitución que aquella en la que se halla el Gobierno como titular del poder reglamentario en relación con la Ley» (STC 66/1985, FJ 1).

Un anuncio, podría decirse, de la incomodidad con la que el alto Tribunal parece razonar desde siempre, como comprobaremos más adelante, frente a las alegaciones de arbitrariedad del legislador más allá de los casos de discriminación en la ley.

Una prueba del carácter disputado del principio de interdicción de arbitrariedad del legislador la encontramos en el Derecho Europeo, en concreto en el Reglamento 2020/2092 del Parlamento Europeo y del Consejo de 16 de diciembre de 2020, sobre un régimen general de condicionalidad para la protección del presupuesto de la Unión, que enuncia entre los principios que comprende el valor «Estado de Derecho» (consagrado en el artículo 2 TUE), los de legalidad, seguridad jurídica, tutela judicial efectiva, separación de poderes, no discriminación e igualdad ante la ley y la «prohibición de la arbitrariedad del poder ejecutivo» (artículo 2, «Definiciones»). Se omite una referencia explícita al poder legislativo, aunque el artículo 3 del mismo Reglamento se refiere a las «decisiones arbitrarias o ilícitas por parte de las autoridades públicas, incluidas las autoridades policiales». En cualquier caso, la interdicción de la arbitrariedad no se ha predicado nunca directamente de las actuaciones del legislativo, ni en la jurisprudencia del Tribunal de Justicia, ni en la del Tribunal Europeo de Derechos Humanos, ni tampoco aparece mencionada en la *Rule of Law Checklist* de la Comisión de Venecia.

La prohibición de arbitrariedad se ha entendido por uno de sus más cualificados estudiosos, Fernández Rodríguez (1998), como «justificación misma de la norma»; necesidad de «exigencia de razones justificativas [...] de alguna calidad, que resulten [...] consistentes con la realidad objetiva y sean obedientes, en todo caso, a las reglas implacables de la lógica, ya que ambas cosas están más allá y por encima de cualquier poder público, Legislador incluido, [razones] que cuenten con apoyo en la propia Norma Fundamental y respeten el orden de valores que ésta establece». Un estándar exigente para cualquier poder público que recuerda mucho al formulado en su momento por García de Enterría.

El Tribunal Constitucional no parece haber seguido esta propuesta interpretativa sobre la prohibición presente en el artículo 9.3 CE, de la que ha hecho, tal y como he anunciado *supra*, una lectura mucho más contenida para el legislador. Ante la calificación de una ley como arbitraria, «el cuidado que este Tribunal ha de observar [...] debe extremarse» (STC 57/2018, FJ 2). Esta postura resulta, entre otras muchas, de una sentencia que ha sido citada en varias ocasiones por el propio Tribunal, para quien la calificación como arbitraria de una Ley exige:

> «una cierta prudencia. La Ley es la 'expresión de la voluntad popular', como dice el preámbulo de la Constitución y como es dogma básico de todo sistema democrático. Ciertamente, en un régimen constitucional, también el poder legislativo está sujeto a la Constitución, y es misión de este Tribunal velar por que se mantenga esa sujeción, que no es más que otra forma de sumisión a la voluntad popular, expresada esta vez como poder constituyente. Ese control de la constitucionalidad de las leyes debe ejercerse, sin embargo, de forma que no imponga constricciones indebidas al poder legislativo y respete sus opciones políticas. El cuidado que este Tribunal ha de tener para mantenerse dentro de los límites de ese control ha de extremarse cuando se trata de aplicar preceptos generales e indeterminados, como es el de la interdicción de la arbitrariedad, según han advertido ya algunas de sus Sentencias [...]. Así, al examinar un precepto legal impugnado desde ese punto de vista el análisis se ha de centrar en verificar si tal precepto establece una discriminación, pues la discriminación entraña siempre una arbitrariedad, o bien, si aun no estableciéndola, carece de toda explicación racional, lo que también evidentemente supondría una arbitrariedad, sin que sea pertinente un análisis a fondo de todas las motivaciones posibles de la norma y de todas sus eventuales consecuencias» (STC 108/1986, FJ 18).

La mera discrepancia política en cuanto a la regulación legal de una materia no es suficiente para tachar a ésta de arbitraria, «confundiendo lo que es arbitrio legítimo con capricho, inconsecuencia o incoherencia creadores de desigualdad o distorsión en los efectos legales» (STC 99/1987, FJ 4).

Esta actitud del Tribunal Constitucional puede seguramente explicarse de acuerdo con su consolidada doctrina sobre la propia jurisdicción, a tenor de la cual:

«nuestro enjuiciamiento es exclusivamente de constitucionalidad y no político, de oportunidad o de calidad técnica. Las intenciones del legislador, su estrategia política o su propósito último no constituyen, como es evidente, objeto de nuestro control, debiendo limitarnos a contrastar con carácter abstracto y, por lo tanto, al margen de su posible aplicación práctica los concretos preceptos impugnados y las normas y principios constitucionales que integran en cada caso el parámetro de control. Por otro lado, tratándose del legislador democrático no podemos perder de vista que la presunción de constitucionalidad ocupa un lugar destacado en el desarrollo de dicho control, correspondiendo al recurrente no solo ponerlo en marcha mediante el ejercicio de su legitimación, sino concretar los motivos de la pretendida inconstitucionalidad y colaborar con la jurisdicción constitucional. Y tampoco debe perderse de vista, como cuestión de principio, que el legislador no debe limitarse a ejecutar la Constitución, sino que está constitucionalmente legitimado para tomar todas aquellas medidas que, en un marco caracterizado por el pluralismo político, no vulneren los límites que se derivan de la Norma fundamental» (por todas, STC 49/2008, FJ 4).

De la jurisprudencia constitucional hasta aquí reproducida, de la que podrían ponerse muchos más ejemplos, resultan ahora algunas conclusiones relevantes que paso a resumir. La prohibición constitucional del ejercicio arbitrario del poder público ha de manejarse con «prudencia» cuando se pretenda proyectar sobre la producción normativa del legislador. Dos razones avalan esta idea: el carácter indeterminado de este principio y la presunción de constitucionalidad característica de la actividad legislativa del parlamento democrático. Además, el Tribunal Constitucional solo puede evaluar la validez de ley y no su oportunidad, por lo que el desacuerdo político no puede ser nunca parámetro en el juicio de constitucionalidad. En consecuencia, *la interdicción de arbitrariedad como medida de la validez de la ley se concreta en un doble plano (lectura estricta): la prohibición de discriminación normativa, es decir, en la ley, y la ausencia de explicación racional, de razones justificativas de la norma, evitando el «análisis a fondo de todas las motivaciones posibles de la norma y de todas sus eventuales consecuencias».*

Identificadas estas dos posiciones acerca de la proyección del principio de interdicción de la arbitrariedad sobre el legislador, la primera mucho más exigente, la segunda más deferente con el parlamento, analizaré acto seguido el contenido de la LOA en lo que aquí interesa. Trataré ahora de comprobar si a partir del mismo puede predicarse un comportamiento irrazonable de las Cortes Generales que la aprobaron. Insisto, una vez más, en que mi análisis se ceñirá a la lectura de la arbitrariedad que he denominado deferente, es decir, la que se concreta en la ausencia de justificación y, en su caso, en la discriminación. Las dificultades del control de constitucionalidad más allá de estos dos ámbitos materiales son, a mi juicio, una razón fundamental que avala la tesis que aquí se sostiene. Sobre esta idea se volverá en la parte final de mi intervención.

Del contenido de la LOA resultan particularmente relevantes, a nuestros efectos, el preámbulo y el primero de sus artículos. El largo preámbulo de la ley, casi diez páginas de BOE en las que abundan las repeticiones y se echa de menos una mejor sistemática, se organiza en seis grandes apartados[3]. El esfuerzo del legislador por justificar la conveniencia de la amnistía no puede considerarse fuera de lugar; antes bien, ya he comentado más arriba que es absolutamente necesario explicitar las razones de una decisión política de esta naturaleza excepcional que pone en cuestión elementos nucleares del Estado de Derecho. Aunque el Tribunal Constitucional sostuvo en su momento que «el legislador democrático no tiene el deber de expresar los motivos que le llevan a adoptar una determinada decisión en ejercicio de su libertad de configuración» (STC 49/2008, FJ 5), el caso de la amnistía sería el perfecto ejemplo de lo exagerado de semejante afirmación.

Es de sobra conocido que los preámbulos carecen de valor normativo y que su función es interpretativa. En el preámbulo de una ley se expresan «las razones en las que el propio legislador fundamenta el sentido de su acción legislativa y expone los objetivos a los que pretende que dicha acción se ordene, [por lo que] constituye un elemento singularmente relevante para la determinación del sentido de la voluntad legislativa, y, por ello, para la adecuada interpretación de la norma legislada» (STC 31/2010, FJ 7). En una ley de amnistía el preámbulo cumple una función adicional, como señala Bastida (2024): «sirve para explicitar el presupuesto habilitante de la ley y, más tarde, *para poder controlar su razonabilidad, su carácter no arbitrario»* (la cursiva no se encuentra en el original).

---

[3] El primero de ellos (I) contiene una serie de consideraciones generales sobre la figura de la amnistía y algunas referencias de Derecho comparado y europeo. El segundo (II) delimita el contexto temporal y fáctico en el que la amnistía va a producir sus efectos y justifica su necesidad. El tercero (III) describe el marco constitucional de la amnistía en España. El cuarto (IV) defiende la constitucionalidad de la amnistía como institución. El quinto (V) encaja esta amnistía en el citado marco constitucional y el sexto (VI) expone la estructura interna de la LOA y su adecuación a los estándares europeos e internacionales.

La lectura del preámbulo no deja ningún espacio a la duda en cuanto a la justificación de esta medida de gracia. Se nos recuerda que, con carácter general, la amnistía es un «medio adecuado para abordar circunstancias políticas excepcionales» con el propósito de alcanzar «un interés general, como puede ser la necesidad de superar y encauzar conflictos políticos y sociales arraigados, en la búsqueda de la mejora de la convivencia y la cohesión social, así como de una integración de las diversas sensibilidades políticas». La opción del legislador por la amnistía como «instrumento de política», en palabras de Zagrebelsky (1974), de pacificación, en palabras de Fischer, citado en Bastida (2024), es muy clara. Se rechaza así, en este caso, el uso de la amnistía como «instrumento de justicia», que supone «el reconocimiento retroactivo de la imperfección de la legislación penal vigente en el momento de la comisión de los hechos», de manera que la aplicación de la norma penal a éstos se entiende inoportuna o injusta (Zagrebelsky, 1974). Estamos pues en presencia de una amnistía política, aunque el preámbulo LOA induce a error cuando en un momento alude confusamente a esta amnistía como «una decisión política adoptada bajo el principio de justicia». El contenido de la ley, preámbulo incluido, ayuda a corregir este despiste de su autor.

El logro de ese interés general se repite en no menos de seis ocasiones en el preámbulo como finalidad que la amnistía persigue. Se trata, más en concreto, con expresiones que se reproducen insistentemente, de revertir una situación de «tensión política, social e institucional»; de «establecer las bases para garantizar la convivencia de cara al futuro»; de superar un conflicto político; de la consecución de «un interés superior: la convivencia democrática»; de la apuesta «por un futuro de entendimiento, diálogo y negociación entre las distintas sensibilidades políticas, ideológicas nacionales»; de «procurar la normalización institucional» y de «sentar unas sólidas bases» para «continuar mitigando las consecuencias de un conflicto que jamás debió producirse».

Cuando en el apartado V del preámbulo se argumenta en defensa de la constitucionalidad de la ley se nos recuerda que se trata de una ley singular respetuosa con el principio de igualdad y «que se inspira, como no puede ser de otra manera, en los principios de razonabilidad, proporcionalidad y adecuación». La ley, se dice, tiene una «justificación objetiva y razonable» y para acreditarlo se repiten las ideas de superación de una situación de «alta tensión política», de avanzar en el camino del diálogo político y social, de refuerzo y mejora de la convivencia, de avance hacia la plena normalización de la sociedad, y de resolución del conflicto político mediante la discusión política.

La voluntad del legislador reflejada en el texto de la ley es incuestionable, como lo es que todas y cada una de las razones que se ponen sobre la mesa para preservar el interés general a cuyo servicio se pone la amnistía son perfectamente constitucionales. Nada que objetar a este respecto.

El preámbulo es también meridianamente claro en cuanto a los actos que se amnistían. En su segundo apartado se aclara que la medida de gracia,

> «abarca no solo la organización y celebración de la consulta y el referéndum, sino también otros posibles ilícitos que guardan una profunda conexión con los mismos, como pueden ser, a modo de ejemplo, los actos preparatorios, las diferentes acciones de protesta para permitir su celebración o mostrar oposición al procesamiento o condena de sus responsables, incluyendo también la asistencia, colaboración, asesoramiento o representación de cualquier tipo, protección y seguridad a los responsables, así como todos los actos objeto de la presente ley que acreditan una tensión política, social e institucional que esta norma aspira a resolver de acuerdo con las facultades que la Constitución confiere a las Cortes Generales».

Es importante notar que *la amnistía no se refiere a todos los actos «que acreditan una tensión política, social e institucional», sino a los «actos objeto de la presente ley» que acreditan la referida tensión.* Y, permítaseme la insistencia, los actos objeto de la presente ley, los hechos enmarcados en el «proceso independentista»[4], al que alude al menos en catorce ocasiones su texto, vienen identificados por su intencionalidad o motivación de apoyo a la independencia (artículo 1 LOA, véase más abajo). Si, como sostengo, eso es así, quedarían fuera de la amnistía las actividades susceptibles de sanción contrarias a la celebración de la consulta y del referéndum o a la reivindicación, promoción y consecución de la independencia.

Quizá para prevenir el reproche de arbitrariedad (y discriminación) en un caso así, el preámbulo (III) establece que «valores como el plura-

---

[4] Un proceso independentista al que se identifica también por sus protagonistas cuando (preámbulo, II) se afirma que fue «impulsado por las fuerzas políticas al frente de las instituciones de la Generalitat de Catalunya (President, Parlament y Govern)» y se nos dice que los hechos en él «enmarcados» fueron «apoyados por parte de la sociedad civil, así como por los representantes políticos al frente de un buen número de los ayuntamientos de Catalunya» y se concluye que «desembocaron en una serie de movilizaciones intensas y sostenidas en el tiempo, así como en mayorías parlamentarias independentistas».

lismo político, la justicia y la igualdad» han de ser el «fundamento, la finalidad, el ámbito y las condiciones de una amnistía»; y lo hace tras recordar, entre otros varios contenidos de la Constitución, su artículo 9 que «proclama [...] la interdicción de la arbitrariedad de los poderes públicos». Más aún, se afirma que la ley orgánica «respeta [...] el principio de igualdad en la medida en que el ámbito de aplicación se identifica de forma objetiva y justificada de acuerdo a valores constitucionales, y *sin que arbitrariamente se excluyan de la misma supuestos con una identidad sustancial*» (apartado V, la cursiva no se encuentra en el original). Pero, ¿es realmente así?

Cualquier incertidumbre que pudiera existir al respecto se despeja aproximándose al contenido del artículo 1 LOA, del que resulta que el ámbito objetivo de la ley está predeterminado por la motivación de los actos que se amnistían (las cursivas se han añadido):

- los cometidos con la *intención de reivindicar, promover o procurar la secesión o independencia* de Catalunya (artículo 1.1.a LOA);
- los cometidos con la *intención de convocar, promover o procurar la celebración de las consultas* de 2014 y 2017 (artículo 1.1.b LOA);
- los de desobediencia, desórdenes públicos, atentado contra la autoridad...que hubieran sido *ejecutados con el propósito de permitir la celebración de las consultas...* (artículo 1.1.c LOA);
- los de desobediencia, desórdenes públicos, atentado contra la autoridad... *ejecutados con el propósito de mostrar apoyo a los objetivos y fines descritos en las letras precedentes o a los encausados o condenados* por la ejecución... (artículo 1.1.d LOA);
- los cometidos con el *propósito de favorecer o facilitar cualesquiera de las acciones determinantes de responsabilidad penal, administrativa o contable contempladas en los apartados anteriores* (artículo 1.1.f LOA)[5].

La conclusión parece evidente: quedan fuera del ámbito objetivo de aplicación de la LOA los «actos determinantes de responsabilidad penal,

---

[5] Se habrá observado que falta la letra e) del artículo 1.1 LOA, que extiende la amnistía a las «acciones realizadas en el curso de actuaciones policiales dirigidas a dificultar o impedir la realización de los actos determinantes de responsabilidad penal o administrativa comprendidos en este artículo».

administrativa o contable» cometidos con la intención de oponerse a la reivindicación de independencia o a la celebración de las consultas. ¿Se trata de una decisión arbitraria? ¿Es el contenido de la LOA discriminatorio por motivos ideológicos? La respuesta es, en ambos casos, y en mi opinión, afirmativa.

Es bien conocida la finalidad que busca la LOA a la luz del preámbulo que se ha analizado anteriormente. El interés general cuya consecución persigue la ley, ¿puede alcanzarse excluyendo del perdón a una de las partes del conflicto? ¿Se puede revertir la tensión política y social beneficiando a aquellas personas cuyos actos estuvieron ideológicamente orientados en una determinada dirección y no a quienes actuaron por razones ideológicas opuestas? ¿Se supera así un conflicto político? Ese trato diferenciado (léase discriminatorio), ¿«establece las bases para garantizar la convivencia de cara al futuro»? ¿Se mitigan de este modo las consecuencias del conflicto? ¿Se construye así un futuro de entendimiento? La respuesta a cada una de estas preguntas es, para quien esto escribe, negativa. Y este es el fundamento de la censura de arbitrariedad: *la finalidad perfectamente constitucional que la LOA persigue a la luz de su preámbulo es incongruente con el contenido de la propia ley, en concreto con la definición de su ámbito objetivo, máxime en el silencio del legislador, que no da ninguna explicación (si es que alguna pudiera darse de manera razonable) para justificar una amnistía que podríamos calificar de selectiva en términos ideológicos.*

De acuerdo con cuanto se ha dejado escrito anteriormente, el Tribunal Constitucional tiene establecido, con la misma «prudencia» que exige a quienes califican una ley como arbitraria, que

> «al examinar un precepto legal impugnado desde ese punto de vista el análisis se ha de centrar en verificar si tal precepto establece una discriminación, pues la discriminación entraña siempre una arbitrariedad, o bien, si aun no estableciéndola, carece de toda explicación racional, lo que también evidentemente supondría una arbitrariedad» (STC 233/1999, FJ 12; más recientemente, STC 25/2024, FJ 13).

En definitiva, la arbitrariedad denunciada ha de ser «el resultado bien de una discriminación normativa, bien de la carencia absoluta de explicación racional de la medida adoptada» (STC 51/2018, FJ 7). En algunos casos, el Tribunal ha respondido a la alegación de arbitrariedad dejando constancia en la fundamentación de su sentencia de que «el legislador no ha explicitado las razones» de una decisión que se plasma en

la ley recurrida, sugiriendo así la arbitrariedad en la actuación de aquél (STC 203/2013, FJ 7; STC 50/2015, FJ 7). En otros, ha sido mucho más explícito.
El ejemplo más claro lo encontramos en la STC 49/1988, en la que el alto Tribunal declaró vulnerada la interdicción de arbitrariedad de los poderes públicos del artículo 9.3 CE por la ausencia de justificación de una concreta opción legislativa presente en la Ley 31/1985, de regulación de las normas básicas sobre órganos rectores de las cajas de ahorros. La falta de justificación, puede leerse en la sentencia, supone «un acto arbitrario por parte del legislador» y ello, se nos dice, por dos razones[6]:

«Una, porque *supone una flagrante contradicción en el mismo sistema configurado por el legislador,* que obliga a una participación considerable de los Ayuntamientos cuando el fundador de la Caja no es una Corporación local y la suprime cuando lo es. Y la segunda razón consiste en que, aun prescindiendo de si el art. 14 de la Constitución es aplicable a los entes públicos, lo cierto es que las corporaciones municipales *son tratadas en forma radicalmente distinta sin motivo que lo justifique, y el trato desigual manifiestamente injustificado entraña una arbitrariedad,* aunque no encaje exactamente en la previsión del art. 14 de la Norma suprema» (FJ 13, la cursiva está añadida).

El parangón con el supuesto que aquí analizamos parece perfectamente posible. *Por un lado, existe una contradicción en la LOA, que persigue una finalidad, en aras del interés general, incompatible con la exclusión de su aplicación a ciertas categorías de actos por motivos ideológicos. Por otro, los autores de esos actos son tratados de manera radicalmente distinta, sin justificación posible, a quienes los hubieran realizado por razones ideológicas opuestas a las suyas.*

---

[6] El precepto impugnado era el artículo 2.3, párrafo segundo, de la ley: «Dice ese precepto que, en el caso de las Cajas de Ahorro fundadas por corporaciones locales, las entidades fundadoras acumularán a su participación la atribuida a las Corporaciones municipales en cuyo término tenga abierta oficina la Caja de Ahorros. Ello supone que cuando la entidad fundadora sea una Diputación, un Ayuntamiento u otra entidad local, tendrá no sólo la representación que le corresponde como fundadora (un 11 por 100), sino también toda la correspondiente a todas las demás corporaciones municipales con derecho a ella, es decir, el 40 por 100, desapareciendo las otras representaciones locales. Ahora bien, ninguna justificación tiene que todos los Ayuntamientos en que actúe una Caja pierdan su representación porque la entidad fundadora sea otro Ayuntamiento o una Diputación o un Cabildo Insular» (STC 49/1988, FJ 13).

La STC 222/1992 nos ofrece otro ejemplo interesante en el que, en ausencia de toda referencia al artículo 9.3 CE, la (in)congruencia del legislador actúa como medida de su actividad. En este caso el Tribunal recuerda que las diferenciaciones normativas han de reunir un triple requisito, perseguir «un fin discernible y legítimo», articularse «en términos no inconsistentes con tal finalidad» y no incurrir en desproporciones manifiestas (FJ 7). Pues bien, la diferencia normativa presente en la LOA es inconsistente, con el fin, bien identificado y plenamente constitucional, querido por el legislador. ¿O es que acaso puede aspirarse a la superación de un conflicto político, a la convivencia o al entendimiento desde la exclusión que resulta del primero de los artículos de aquella ley orgánica?

En conclusión, podríamos decir que la amnistía que se propone ambiciona unos beneficios sociales plenamente constitucionales, pero es incoherente al diseñar un itinerario irrazonable para su consecución por las exclusiones que resultan de su ámbito de aplicación, que no se justifican en ningún momento (suponiendo que esta operación fuera posible en términos constitucionales) y que se fundan en razones ideológicas. La incoherencia y la ausencia de justificación ocasionan arbitrariedad del legislador y discriminación normativa que se proyectará sobre los autores de unos actos (amnistiables) y los de otros (no amnistiables) en el momento de la aplicación de la ley.

Nos queda, ya para finalizar, aludir al control de constitucionalidad de la LOA, en concreto por los posibles vicios de los que se viene tratando en las páginas precedentes.

El Tribunal Constitucional ha sostenido desde sus inicios, como recuerda Casas Baamonde (2023-2024), que «el legislador no es un mero ejecutor de la Constitución y su libertad de configuración y sus razones políticas, dentro de los márgenes de las determinaciones de la propia Constitución, deben ser respetadas y protegidas por la jurisdicción constitucional». El principio de conservación de la obra del legislador democrático encuentra un firme anclaje en el pluralismo político y en una de sus derivadas, a saber, la libertad de conformación del autor de la ley: uno y otra son bienes constitucionales que el Tribunal ha de proteger (STC 51/2018, FJ 7), razón por la cual el examen de la validez de las leyes «debe ejercerse de forma que no imponga constricciones indebidas al poder legislativo y respete sus opciones políticas» (STC 233/1999, FJ 12).

Esto es así, en particular, y de acuerdo con cuanto se ha recordado más arriba, en presencia de alegaciones que sostienen la arbitrariedad del legislador, en las que el Tribunal insiste en el carácter externo de su control, ya que no le corresponde

> «interferirse en el margen de apreciación que corresponde al legislador democrático ni examinar la oportunidad de la medida legal para decidir si es la más adecuada o la mejor de las posibles, sino únicamente examinar si la decisión adoptada es plenamente irrazonable o carente de toda justificación o, por el contrario, entra dentro del margen de configuración del que goza en ejercicio de su libertad de opción en este ámbito» (STC 140/2015, FJ 2 a).

Cuando se denuncia la arbitrariedad del legislador, señalan Roca Trías y Ahumada Ruiz (2013), «la conclusión en vista de la práctica del Tribunal es que, ausente la afectación de algún derecho constitucional sustantivo no procede otra cosa más que un control de 'evidencia', con punto de partida en la presunción de constitucionalidad de la ley, el máximo de deferencia hacia el legislador y el respeto a su libertad de configuración respecto de todas las opciones que el constituyente ha dejado abiertas».

Ha escrito De la Quadra-Salcedo Fernández del Castillo (2023-2024), con criterio que comparto, que el único límite de la amnistía en un Estado de Derecho «es la interdicción de la arbitrariedad de los poderes públicos del art. 9.3 de la Constitución». La afirmación que se acaba de reproducir es una respuesta a las tradicionales objeciones a esta medida de gracia, vinculadas a la vulneración del principio de igualdad y a la quiebra de la separación de poderes, y solo puede leerse desde el respeto a la veste formal que dicha medida haya de adoptar en el respectivo sistema de fuentes y, además, a las obligaciones de carácter sustantivo que resultan para un Estado como el nuestro del Derecho Internacional y del Derecho de la Unión Europea.

La arbitrariedad (con este u otro nombre) ha sido precisamente el canon que han empleado los órganos de la justicia constitucional de países de nuestro entorno cultural que se han enfrentado a decisiones legislativas de amnistía. Así lo han hecho el Tribunal Constitucional Federal alemán y la Corte Constitucional italiana, la que más sentencias ha dictado en tema de amnistía y la que más ha doctrina ha elaborado sobre los límites de su control (D'Orazio, 2007)[7].

---

[7] Podría también ponerse el ejemplo de la Decisión 88-244 de 20 de julio de 1988, del Consejo Constitucional francés, que declaró inconstitucionales dos enunciados de la ley de amnistía de 22 de mayo del mismo año. Uno de ellos, presente en el artículo 7.c de la ley, diferenciaba entre la entidad de las penas de los delitos que se amnistiaban en función del terri-

El Tribunal alemán, en su sentencia de 15 de diciembre de 1959, en el asunto *Platow-Amnestie*, tras reconocer «el poder discrecional del legislador» para aprobar una ley de amnistía y proclamar su incompetencia para revisarla o «para establecer si las reglas allí previstas son necesarias o adecuadas», sostuvo «que únicamente puede comprobar si el legislador ha transgredido o no los amplios límites de valoración a los que está sujeto», y concluyó que «en el caso de una ley de amnistía existe una violación del principio general de igualdad cuando las reglas especiales establecidas por el legislador para las circunstancias individuales no se orientan abiertamente por criterios de justicia, es decir, cuando no se puede encontrar en ellas una justificación razonable, derivada de la naturaleza de las cosas o que de cualquier otro modo resulte evidente»[8].

Por su parte, la Corte italiana recordó en una de sus primeras sentencias sobre la amnistía el imposible control de validez de la amplitud con la que el parlamento había hecho uso hasta ese momento de su discrecionalidad en esta materia. Reconoció, por ejemplo, que no podía hacer una «valoración de oportunidad sobre la situación política» que a juicio del legislador aconsejaba el recurso a la amnistía (sentencia 175/1971, de 5 de julio). De acuerdo con la jurisprudencia consolidada de la Corte Costituzionale, corresponde al legislador «decidir las condiciones de la medida de clemencia», si bien, la «ponderación llevada a cabo por el Parlamento puede controlarse mediante el juicio de constitucionalidad cuando se identifique una desigualdad normativa calificable como absoluta, intrínsecamente irrazonable o no avalada por una justificación razonable» (sentencia 298/2000, de 18 de julio). La Corte, ha escrito Ciancio (2006), interviene únicamente en la hipótesis de «macroscópica irrazonabilidad

---

torio: con carácter general, la medida de gracia se refería a todos los delitos sancionados hasta con un año de prisión; en el caso de ciertos territorios ultramarinos, la amnistía lo era para los que tuvieran pena de hasta año y medio de cárcel. Esta previsión fue declarada contraria al principio de igualdad (artículo 6 de la Declaración de Derechos del Hombre y del Ciudadano). El otro enunciado declarado inconstitucional figuraba en el artículo 15.2 que, además de amnistiar a delegados sindicales despedidos y sancionados penalmente por haber provocado lesiones a otras personas en la empresa, obligaba al empresario a readmitirlos. Para el Consejo Constitucional esta obligación resultaba desproporcionada con relación al interés general perseguido por la ley de amnistía. El control de la existencia de un «motivo de interés general» que justifique la ley de amnistía se convirtió desde entonces en el estándar de la constitucionalidad (Rousseau, Gahdoun y Bonnet, 2016).

[8] Se ha utilizado la traducción presente en *Jurisprudencia del Tribunal Constitucional Federal Alemán. Extractos de las sentencias más relevantes compiladas por Jürgen Schwabe*, Konrad Adenauer Stiftung, 2009, p. 154.

en la determinación del ámbito de aplicación de los beneficios» de la amnistía.

En definitiva, la discriminación y la irrazonabilidad se convierten así en el parámetro de control de estas leyes en el sistema constitucional italiano (D'Orazio, 2007), a tenor de una muy consolidada jurisprudencia:

> «En presencia de una legítima concesión de amnistía, el principio de igualdad —que en su aspecto formal es en cierto modo suspendido como consecuencia de la propia amnistía— puede operar únicamente en el interior del espacio delimitado por la opción suspensiva del legislador, impidiendo, dentro de ese espacio, discriminaciones puramente arbitrarias, no reconducibles a ninguna ratio aceptable. Por lo tanto, la irrazonabilidad de una exclusión puede decidirse únicamente como resultado de un escrutinio riguroso que permita negar la existencia de razones que la justifiquen» (sentencia 272/1997, de 25 de julio).

Arbitrariedad y discriminación, anudada la segunda a la primera, aparecen también como los parámetros del juicio de validez de la LOA que podrá sustanciarse ante el Tribunal Constitucional español, en su caso, mediante el recurso de inconstitucionalidad y la cuestión de inconstitucionalidad. Se tratará de controlar, como ya sabemos, si la exclusión del ámbito objetivo cubierto por la amnistía de los actos realizados con la intención de oponerse a las consultas de 2014 y 2017 o a la secesión de Cataluña es arbitraria por incompatible o incongruente con la finalidad de pacificación y convivencia reiteradamente proclamada por el parlamento en el preámbulo de la ley. Si la referida exclusión se entiende como una decisión irrazonable, la consecuencia es obligada: existe una discriminación normativa.

El control de la interdicción de la arbitrariedad del legislador es, tal y como ya hemos visto, un control externo o negativo: el Tribunal Constitucional debe evaluar si la opción plasmada en la ley es plenamente irrazonable o ayuna de justificación, sin que le esté dado «reemplazar la discrecionalidad del legislador» (STC 203/2013, FJ 6). La respuesta en este caso es, en mi opinión, clara: aunque todas las razones que se dan en el preámbulo para justificar la amnistía son neutras ideológicamente, todos los actos sobre los que ésta se proyecta (artículo 1 LOA) tienen un sesgo ideológico evidente que condiciona su aplicación. En realidad, podría decirse que no se explica por qué ciertos actos quedan fuera de la clemencia, ya que cada una de las razones que se dan para ésta apuntan precisamente en el sentido contrario, en decir, en favor de una amnistía no condicionada ideológicamente. La contradicción, la incoherencia entre la justificación que el preámbulo ofrece para la amnistía, y el ámbito objetivo de la ley, anunciado en el mismo preámbulo y concretado en su artículo 1, es patente.

La citada incoherencia provoca, tal y como ya se ha repetido en varias ocasiones en estas páginas, una discriminación. Es irrazonable pretender superar tensiones, garantizar la convivencia o promover el entendimiento (por referirme a algunos de los objetivos a los que aspira la LOA) limitando la amnistía a los actos protagonizados por una de las partes. El fin constitucional es lícito, pero el medio que se pone a su servicio es incompatible con él, al punto de provocar discriminación.

El Tribunal Constitucional se verá así abocado a declarar la inconstitucionalidad de la LOA, aunque no necesariamente su nulidad. Tal y como se aclaró en la STC 45/1989, la vinculación entre inconstitucionalidad y nulidad no es siempre necesaria; esa conexión «quiebra, entre otros casos, en aquellos en los que la razón de la inconstitucionalidad del precepto reside, no en determinación textual alguna de este, sino en su omisión» (FJ 11).

Traída al supuesto que aquí se está analizando podría decirse que en ausencia de razones que puedan explicar en términos constitucionalmente aceptables el trato diferente que unos y otros actos reciben a efectos de la amnistía, sería inconstitucional el artículo 1 LOA en tanto que excluye de los beneficios de la medida de gracia los actos realizados con intención de oponerse a la secesión de Cataluña con las mismas condiciones y límites con los que son amnistiados los actos en apoyo de la independencia. Estaríamos así en presencia de una sentencia aditiva, de la que ya se conocen algunos ejemplos en nuestra jurisprudencia constitucional (por todas, la STC 222/1992, ya citada). El tenor del fallo de una sentencia así podría ser el siguiente: El artículo 1 de la Ley Orgánica de amnistía para la normalización institucional, política y social de Cataluña es inconstitucional en la medida en que excluye del beneficio de la amnistía los actos a los que se refiere dicha disposición que hubieran sido realizados con la intención de oponerse a la independencia de Cataluña o a la celebración de las consultas aludidas en aquélla.

No se me ocultan las muchas y complejas dificultades teóricas que una decisión de este tipo plantea en un ámbito material como éste[9]. Sin embargo, las ventajas prácticas no son menos relevantes. Se preserva la

---

[9] Un ejemplo de pronunciamiento aditivo en materia de amnistía se encuentra en la sentencia de la Corte Constitucional 272/1997, de 25 de julio.

finalidad querida por el legislador en aras del interés general y se corrige una omisión incorporando a la disposición objeto del juicio de validez la *única norma constitucionalmente posible*, es decir, no se sustituye la discrecionalidad del legislador. Además, se evitan efectos no deseados sobre las situaciones previstas en el artículo 1 LOA que son conformes con la Constitución (en otros términos: no se expulsan del ordenamiento normas que no son inconstitucionales) y se eluden también efectos perjudiciales para decisiones favorables a la amnistía que no fueran firmes en el momento de la declaración de inconstitucionalidad de la ley.

Bibliografía

ATIENZA, Manuel (2024). «La falacia de la amnistía», en Aragón, M; Gimbernat, E.; Ruiz Robledo, A. (dir.): *La amnistía en España. Constitución y Estado de Derecho.* A Coruña, Colex

BASTIDA FREIJEDO, Francisco (2024). «Amnistía y Constitución», *Revista General de Derecho Constitucional*, 40.

CASAS BAAMONDE, María Emilia (2023-2024). «Estado Democrático de Derecho y Tribunal Constitucional (en el 45 aniversario de la Constitución)», *El Cronista del Estado Social y Democráticos de Derecho*, 108-109 (monográfico La Constitución de 1978 cumple 45 años).

CHINCHILLA MARÍN, Carmen (2004). *La desviación de poder*, 2ª ed. Cizur Menor, Civitas.

CIANCIO, Adriana (2006). «Amnistia e indulto (leggi di)», en S. Cassese (dir.): *Dizionario di Diritto Pubblico*, Milano, Giuffrè.

Comisión de Venecia, *Rule of Law Checklist*, adopted by the Venice Commission at its 106th Plenary Session (Venice 11-12 March 2024).

Comisión de Venecia, *Opinion on the rule of law requirements of amnesties, with particular reference to the parliamentary bill of Spain «on the organic law on amnesty for the institutional, political and social normalization of Catalonia»*, adopted by the Venice Commission at its 138th Plenary Session (Venice 15-16 March 2024).

CRUZ VILLALÓN, Pedro (2023-2024). «Primeras consideraciones sobre el control de la constitucionalidad de la ley de amnistía», *El Cronista del Estado Social y Democráticos de Derecho*, 108-109 (monográfico La Constitución de 1978 cumple 45 años).

— (2003). «Control de la calidad de la ley y calidad del control de la ley», *Derecho Privado y Constitución*, 17.

DÍEZ-PICAZO, Luis María (1998). «Concepto de ley y tipos de leyes (¿Existe una noción unitaria de ley en la Constitución Española?)», *Revista Española de Derecho Constitucional*, 24.

D'ORAZIO, Giustino (2007). «Amnistia e indulto (diritto costituzionale)», en AA.VV., *Enciclopedia Giuridica*, Roma, Istituto della Enciclopedia italiana.

FERNÁNDEZ RODRÍGUEZ, Tomás Ramón (1998). *De la arbitrariedad del legislador. Una crítica de de la jurisprudencia constitucional*, Madrid, Civitas.

GARCÍA DE ENTERRÍA, Eduardo (1991). «¿Es inconveniente o inútil la proclamación de la interdicción de la arbitrariedad como principio constitucional? Una nota», *Revista de Administración Pública*, 124.

PAZ-ARES, Cándido (2024). *Las falacias de la amnistía*, Granada, Comares.

PÉREZ DEL VALLE, Carlos (2001). «Amnistía, Constitución y Justicia material», *Revista Española de Derecho Constitucional*, 61.

DE LA QUADRA-SALCEDO FERNÁNDEZ DEL CASTILLO, Tomás (2023-2024). «Preservar la democracia en discrepancias, enfrentamientos y tensiones» , *El Cronista del Estado Social y Democráticos de Derecho*, 108-109 (monográfico La Constitución de 1978 cumple 45 años).

REQUEJO PAGÉS, Juan Luis (2001). «Amnistía e indulto en el constitucionalismo histórico español», *Historia Constitucional*, 2.

ROCA TRÍAS, Encarnación; AHUMADA RUIZ, Marian (2013). «Los principios de razonabilidad y proporcionalidad en la jurisprudencia constitucional española», *XV Conferencia Trilateral*, 24-27 de octubre de 2013, Roma.

ROUSSEAU, Dominique; BONNET, Julien; GAHDOUN, Pierre-Yves (2016). *Droit du contentieux constitutionnel*, 11ª ed., Paris, LGDJ.

RUBIO LLORENTE, Francisco (1990). «Juez y ley desde el punto de vista del principio de igualdad», en AA.VV.: *El Poder Judicial en el bicentenario de la Revolución francesa*, Madrid, Ministerio de Justicia.

— (1986). «El procedimiento legislativo en España. El lugar de la ley entre las fuentes del Derecho», *Revista Española de Derecho Constitucional*, 16.

VELASCO CABALLERO, Francisco (2024). «Amnistía, interdicción constitucionalidad de la arbitrariedad y elecciones catalanas», *Blog de Francisco Velasco*, 15 de mayo de 2024.

ZAGREBELSKY, Gustavo (1974). *Amnistia, indulto e grazia. Profili costituzionali*, Milano, Giuffrè.

La ley de amnistía: análisis de su posible impacto en los derechos fundamentales

RAMÓN GARCÍA ALBERO

Catedrático de Derecho Penal. Universitat de Lleida

I. Introducción

Me propongo desarrollar, de forma obligadamente breve dado el formato de esta intervención, si la aplicación y/o inaplicación de la inminente ley de amnistía puede comportar, y en qué medida, vulneración de derechos fundamentales. Parto por supuesto de la última versión de la proposición de ley orgánica de amnistía para la normalización institucional, política y social en Cataluña (en lo sucesivo, ley de amnistía), que salvo sorpresa mayúscula será objeto de inminente aprobación sin cambio alguno.

Para evitar las inevitables interferencias del contexto en el análisis del texto, asumo esta reflexión sin cuestionar la constitucionalidad de una ley de amnistía —cualquiera que sea—, como un importante sector de la doctrina sostiene. Es más, partiré de su plena constitucionalidad a efectos puramente dialécticos y en consecuencia:

a) Asumiré que el silencio de la Constitución Española puede ser interpretado como autorización implícita del constituyente al poder constituido (parlamento), sin que resulte relevante el rechazo a las enmiendas que durante el proceso constituyente pretendieron incluir la amnistía entre las potestades del poder legislativo, por razones ignotas (al menos explicitadas).

b) Asumiré pues, como no podría ser de otro modo, la presunción de constitucionalidad de toda ley y la libertad configurativa del poder legislativo, que no encuentra más límites que los que impone la misma Carta Magna. Límites que deben ser interpretados de forma muy estricta para no interferir en las potestades de un poder del Estado cuya legitimación democrática es indiscutiblemente directa e intensa.

c) Asumiré en tercer lugar, también a efectos puramente dialécticos, que la presente ley no es una ley singular (desde luego no es una ley singular autoaplicativa, esto sin género de dudas) y que, al contrario, estamos ante una ley que reúne, aunque sea por la mínima, suficientes elementos de abstracción y generalidad como para hacerla recognoscible como ley. Señalo esto porque es conocido que el condicionamiento de los derechos fundamentales es materia reservada a leyes *generales* (STC 129/2013). Debo decir que en este punto mi opinión, que no puedo argumentar, es contraria a la asunción dialéctica que acabo de expresar.

d) Asumiré en cuarto lugar que en consecuencia la ley de amnistía, como cualquier otra ley, no tiene más límites que los impuestos por la interdicción de la arbitrariedad (en una interpretación estricta de la misma, conectada con el principio de igualdad, por establecer diferencias injustificadas, irrazonables o manifiestamente desproporcionadas entre situaciones equiparables), así como por el respeto al núcleo esencial de los derechos fundamentales que puedan verse afectados, limitados o desarrollados. Cuestión que conecta con un aspecto nuclear de mi intervención: la infracción procesal «autónoma» e independiente de investigar, esclarecer («derecho a saber») y en su caso reparar la grave vulneración de derechos fundamentales. Indiscutiblemente, al menos, las graves violaciones de derechos humanos, especialmente los recogidos en los arts. 2 y 3 CEDH de acuerdo con conocida jurisprudencia.

e) Por último, asumiré también que el propósito de la ley de amnistía es el que efectivamente se expresa en la exposición de motivos del texto (lo que será el preámbulo una vez aprobado) y no otro, y que resulta irrelevante el contexto en el que se «descubrió» o se alumbró la voluntad del legislativo —contexto decisional—. Admitamos que en otros ámbitos fuera del parlamentario dicho contexto convertiría la decisión, sin más, en arbitraria, por incurrir los decisores en manifiesto conflicto de intereses (intercambio de votos —investidura— a cambio de la extinción de responsabilidades penales, administrativas, contables e incluso civiles de alguno de los decisores: *rectius*, de personas vinculadas con los decisores formales, esto es, de los auténticos decisores materiales). Por definición, las decisiones adoptadas en el parlamento son el fruto de la confrontación y articulación de intereses previos explícitos y conocidos —al menos los independentistas se presentaron a las elecciones con el reclamo de la amnistía— o sobrevenidos (sabido es que el disclaimer es la primera medida profiláctica de los conflictos de intereses). Toda corrupción, como vengo sosteniendo desde hace tiempo, puede ser construida a partir de la teoría del conflicto de intereses, pero la excepción se encuentra en las leyes (sin que quepa excluir los casos más graves).

Una vez aclarado el contexto del que parto, resulta prejudicial al análisis de la posible afectación concreta de derechos fundamentales determinar la naturaleza de una ley de amnistía, de un modo exclusivamente funcional a dicho análisis. Formularé de modo telegráfico los siguientes presupuestos:

Primero. Las leyes penales, por razón de la afectación de derechos fundamentales inherente a la imposición de las sanciones previstas (penas), constituyen el desarrollo, al menos en negativo, de aquellos derechos (determinan el ámbito en el que el derecho a la libertad, a la libre circulación y residencia, al acceso y ejercicio de funciones públicas, al sufragio pasivo, etc. pueden verse limitados por razón de la comisión de un delito). Por eso el Tribunal Constitucional estableció —aunque la CE no lo diga expresamente— que la regulación penal exige de ley orgánica. La ley de amnistía es por supuesto una ley orgánica de naturaleza penal.

Segundo. Pese a su distinta —radicalmente distinta— naturaleza, desde el punto de vista de la conformación del «status libertatis» ciudadano, una ley de amnistía opera exactamente igual que una ley penal posterior más favorable o que despenaliza un hecho antes punible. Integra en negativo y de forma retrospectiva (por definición) el supuesto de hecho de la norma (el *Tatbestand*) que determina la imposición y/o ejecución de sanciones limitativas de derechos. En la ley general con efectos también a futuro. En la ley de amnistía con efectos limitados al pasado. Pero en ambos casos, y referidos a los hechos por instruir, enjuiciar o ya sancionados, el supuesto de hecho de la norma posterior recorta —o elimina—, con el alcance temporal, fáctico, objetivo y/o subjetivo previsto en el caso de la amnistía, el supuesto de hecho de la norma anterior, integrándola. De ahí, entre otras razones, que la obligada aplicación retroactiva de las normas más favorables se repute integrante del derecho fundamental consagrado en el artículo 25.1 CE («nullum crimen, nulla paena, sine lege»). Esto tiene importantes consecuencias desde el punto de vista del derecho: la prohibición de interpretación analógica o extensiva de los presupuestos positivos que condicionan la punibilidad tiene su reverso en la prohibición de interpretación restrictiva de los presupuestos negativos que la excluyen. En ambos casos rige el principio de interpretación estricta, pero la cláusula de cierre en caso de duda interpretativa («in dubio pro libertate») opera en un contexto hermenéutico distinto: para los presupuestos positivos constituye el límite a la interpretación extensiva, para los negativos, a la interpretación restrictiva.

Tercero. Ningún ciudadano ostenta, de acuerdo con la Constitución y las convenciones internacionales, un derecho fundamental a que el autor del delito sea condenado y sancionado *penalmente*. Nadie que no sea el Estado ostenta la titularidad del derecho al castigo con arreglo a la Ley (ius puniendi). En definitiva, y acaso con la excepción que podría representar la grave violación de derechos humanos (vida, por ejemplo) —dejemos el interrogante abierto— (vulneración por infra protección), ni siquiera las víctimas del delito ostentan un derecho fundamental a que el hecho victimizador sea sancionado *penalmente*. Sólo ostenta un *ius ut procedatur* de configuración legal. En circunstancias normales, ostenta simplemente el derecho de *acceso a la justicia*: tutela judicial efectiva. Un derecho, como es sabido, de configuración legal y la ley de amnistía es por supuesto, al menos formalmente, una ley. Más adelante volveremos sobre esta cuestión: los límites que la CE y la CEDH imponen al mismo legislador en la configuración legal al derecho de acceso. Por supuesto, en los delitos sin víctima titular del bien jurídico vulnerado (desórdenes públicos, desobediencia, malversación, prevaricación y un largo etcétera) carece de sentido plantearse la cuestión: en la renuncia a la investigación, enjuiciamiento y sanción de tales hechos no está en juego derecho fundamental alguno.

De acuerdo con estos presupuestos, parecería que el encargo de esta conferencia carece de objeto o sólo habría de circunscribirse a la eventual vulneración del derecho a la legalidad penal en caso de inaplicación judicial de la ley a alguno de sus potenciales beneficiarios por una interpretación irracional, arbitraria o manifiestamente contraria al tenor literal posible de la norma excluyente de responsabilidad penal. Una vulneración en suma no imputable a la ley, sino al aplicador del derecho (jurisdicción). En lo demás, nada habría que decir, dado que: a) no hay derecho fundamental al castigo, ni siquiera para las víctimas; b) que igual que sucede con una ley penal posterior derogatoria, tampoco se afecta al derecho de acceso a la justicia de los interesados, puesto que se trata de un derecho de configuración legal y la ley de amnistía es una ley (Perogrullo).

Pero las apariencias engañan: me propongo poner de relieve algunas fricciones muy relevantes, por decirlo suavemente, con algunos de los derechos fundamentales consagrados en nuestra Constitución.

Para ilustrar un escenario verosímil de invocación de derechos vulnerados, acudiré a tres ejemplos —hechos— que no me he inventado, sino que han sido objeto de enjuiciamiento. Están extraídos del análisis de sentencias y autos (un total de 220) en las que o bien ha recaído condena o bien se ha incoado trámite de procedimiento abreviado o de sumario por hechos vinculados con el denominado proceso independentista. Lógicamente desconozco el desenlace final de algunos de los ejemplos que utilizo, pendientes de resolución definitiva, y he procedido a hacer algunas adaptaciones que no alteran lo sustancial del relato.

II. Sobre la posible vulneración del derecho de igualdad ante la ley de los particulares preteridos que cometieron hechos con relevancia penal o administrativa por actos contrarios o de boicot al proceso independentista

El hecho:

> «Que el día 14 de octubre de 2017, durante una manifestación de 600 personas ante la Comisaria de la Policía Nacional situada en C/ de --------------------, las mencionadas personas alteraron gravemente el orden de la misma. Que se formaron dos grupos de distinta ideología que rompieron el cordón policial que separaba a ambos grupos. Que se lanzaron objetos desde ambos grupos, que Eva formaba parte de un grupo de 5 miembros que compartían ideología con el partido de VOX

y que Eva llevaba un cúter. Que el otro grupo, de unas 75 personas y de ideología independentista, lanzaba vallas metálicas a los mencionados 5 anteriormente. Que Argimiro lanzó una valla metálica contra el grupo de 5, que Apolonio y Pedro Antonio, miembros del grupo de independentistas, han roto el cordón policial para lanzarse contra los 5 mencionados, que Apolonio y Pedro Antonio incitaron a los otros miembros del grupo de 75 personas a romper el cordón policial e ir contra el grupo de 5. Que Baldomero y Aníbal siguieron las indicaciones de Apolonio y de Pedro Antonio. Que todos ellos causaron un gran desorden público.»

Este relato —condena por desórdenes a participes de grupos que se enfrentan— ilustra sobre una cuestión que de modo incomprensible parece desconocer el legislador. Que el denominado *procès* no fue exclusivamente —aunque sí principalmente— un escenario de conflicto entre líderes independentistas (autoridades públicas investidas como tales con base en el orden constitucional que pretendían derribar) y una inmensa masa de ciudadanos, por un lado, con las instituciones del Estado y sus cuerpos y fuerzas de seguridad, por otro. Aunque desde luego con un protagonismo mucho menor, no fueron pocos los denominados *unionistas* que incurrieron en responsabilidad por confrontar fuera de las vías legales con quienes promovían la independencia. El relato, extraído de una sentencia condenatoria por desórdenes públicos (a independentistas y a contrarios también) no es una pieza exótica, y abundan resoluciones en este sentido, de distinta naturaleza (agresiones a personas que colocaban lazos amarillos, sanciones administrativas a personas por retirar lazos o banderas independentistas, sanciones disciplinarias a funcionarios —no policías— por desobedecer ciertas instrucciones, discursos de odio en paradas, tenderetes y manifestaciones confrontadas, robo de material independentista en ayuntamiento catalán para evitar su difusión —Corbins—, daños en el mástil al tratar de retirar la estelada, y un largo etcétera).

Volvamos pues a nuestro caso. Una vez entre en vigor la ley, los independentistas condenados, si no lo hace de oficio el órgano judicial, impetrarán la aplicación de la ley para que se declaren extintas las responsabilidades contraídas hayan sido o no ejecutadas algunas de ellas y se cancelen en su caso los antecedentes penales. La cuestión es si los antiindependentistas condenados —la antiindependentista de nuestro ejemplo—, en caso de solicitar la aplicación de la ley, van a verse beneficiados también de ella. Y la respuesta, de acuerdo con la interpretación no sólo textual, sino también teleológica de la ley, es que no.

En efecto, la ley establece inequívocamente su ámbito de aplicación: se aplica a una serie de «actos» y de «acciones» siempre y cuando se hayan ejecutado entre unas fechas, entre el 1 de noviembre de 2011 y el 13 de noviembre de 2023 y en el marco de las consultas o en el contexto del proceso independentista, aunque no se encuentren relacionadas con las referidas consultas o hayan sido realizadas luego de su celebración. ¿Qué actos son estos? De acuerdo con la ley:

a) los cometidos con intención de reivindicar, promover o procurar la secesión o independencia de Cataluña, lo que incluye entre otros la prestación de asistencia, colaboración, asesoramiento, representación, protección o seguridad a los responsables anteriores. (cláusula amplísima).

b) Los cometidos *con la intención* de convocar, promover o procurar la celebración de las consultas, así como quienes hubiesen contribuido a su consecución (en todo caso se entenderán comprendidos los delitos de usurpación de funciones públicas o malversación, únicamente cuando estén dirigidos a financiar, sufragar o facilitar la realización de cualesquiera de las conductas descritas en el párrafo anterior, siempre que no haya habido propósito de enriquecimiento.

c) los de desobediencia, desórdenes públicos, atentado contra la autoridad, agentes y funcionarios públicos *ejecutados con el propósito de permitir la celebración de las conductas o sus consecuencias, así como cualesquiera otros actos tipificados como delitos realizados con idéntica intención.* Prevaricación o cualesquiera actos de normación. La desconsideración, crítica o agravio contra autoridades y funcionarios públicos, a través de la prensa o en redes sociales o en el curso de manifestaciones, asambleas, obras o actividades artísticas o educativas.

d) desobediencia, cualquiera que sea su naturaleza, desórdenes públicos, atentado contra la autoridad, agentes, resistencia, etc. *ejecutados con el propósito de mostrar apoyo a los objetivos y fines descritos en las letras precedentes…*» o a los encausados o condenados por la ejecución de cualquiera de los delitos comprendidos en el presente artículo».

e) Las acciones realizadas en el curso de actuaciones policiales dirigidas a dificultar o impedir la realización de los actos determinantes de responsabilidad penal o administrativa comprendidos en este artículo.

Un examen detenido de esta aparente casuística permite extraer dos conclusiones: acotación temporal al margen, el único criterio de selección del presupuesto de hecho que determina la consecuencia legal —exención de responsabilidad— es la «intención de reivindicar, promover o procurar la secesión o independencia», término amplio que incluye todo el resto de propósitos: el propósito de convocar, promover, procurar o permitir la celebración de las consultas o sus «consecuencias», como también incluye el «propósito de mostrar apoyo a los objetivos y fines» señalados. Con una sola excepción, las *«acciones realizadas en el curso de actuaciones policiales dirigidas a dificultar o impedir la realización de los actos determinantes de responsabilidad penal o administrativa»*

La exclusión puede parecer estupefaciente, si de lo que se trata, como proclama la exposición de motivos de la ley, es de superar el conflicto, procurar la concordia, normalizar la situación «social». Pero parece que esto de la *normalización social* sólo tiene que ver con los independentistas, como si no hubiese constitucionalistas condenados y sancionados por hechos vinculados con la resistencia al *procés*. Pero el prelegislador parece tener muy claro que esto es así, adicionando un párrafo en la última versión de la exposición de motivos que no tiene desperdicio: «la consecución del objetivo de esta norma pasa por finalizar la ejecución de las condenas y los procesos judiciales que afectan a todas las personas, sin excepción, que participaron en el proceso independentista». Acabáramos: los que participaron, no los que se opusieron, salvo que se trate de agentes de cuerpos de seguridad del Estado en el ejercicio de sus funciones de dificultar o impedir aquellos actos.

El ejemplo habla por sí solo: en el marco pues de unos mismos acontecimientos —*procès*— unos mismos hechos —desórdenes públicos— merecen respuestas distintas. ¿Qué elemento diferenciador nos permite configurar el supuesto de hecho distinto, que amerite una desigualdad de trato? Nadie duda que los supuestos de hecho iguales han de ser tratados de modo igual en sus consecuencias jurídicas y que para introducir diferencias entre situaciones que pueden considerarse iguales —que son iguales— tiene que existir una justificación objetiva y razonable, de acuerdo con criterios y juicios de valoración generalmente aceptados y con consecuencias que no resulten desproporcionadas.

Pues bien, este elemento diferenciador no puede cifrarse en una diferencia sustancial abstracta de los tipos de injusto cometidos por unos y/o por otros en el caso propuesto. Porque no existe: la valoración ya la ha hecho el legislador y ha cristalizado en la ley. Tampoco puede cifrarse en el dato relativo al contexto de conflicto y la necesidad de concordia y normalización tras el *procès*, pues en él se incardinan tanto los delitos e infracciones de quienes lo promovían como los de quienes se oponían a él. En todo caso, el elemento diferenciador lo expresa inequívocamente el legislador: es la intención, el objetivo (la independencia).

Es muy discutible que este elemento diferenciador pueda justificarse objetiva y razonablemente de acuerdo no sólo con juicios de valor generalmente aceptados, sino con valores constitucionales. A mi juicio, el factor diferencial incurre de modo patente en un motivo de discriminación que prohíbe taxativamente el artículo 14 CE: prohibición de discriminación por razón de opinión (ideología o proyecto político como especies, en este caso). Es cierto que los motivos de discriminación previstos expresamente en la CE (cláusulas odiosas) pueden ser utilizados muy excepcionalmente como criterios de diferenciación jurídica. Pero no es menos cierto que en tales supuestos el estándar de control, al enjuiciar la legitimidad de la diferencia y las exigencias de proporcionalidad, resulta mucho más estricto, así como más rigurosa la carga de acreditar el carácter justificado de la diferenciación (Cfr. SSTC 66/2015, en relación con la edad, STC 171/2012, por razón de nacimiento, STC 74/2018, por opinión en relación con publicidad institucional en medios no afines, entre otras muchas).

La cuestión no ofrece duda. Nótese que no se trata aquí de apelar a la prohibición general de discriminación fundada en el carácter comparable en abstracto de los delitos que para unos son amnistiables y para el resto no. Esto cuestionaría *in totum* la viabilidad constitucional de cualquier ley de amnistía que no fuese general, esto es, aplicable a cualquiera que cometiese determinados delitos en un determinado período de tiempo. Estamos hablando de una comparabilidad concreta y radical: equiparación de hecho, de injusto típico y de contexto concreto —confrontación en el marco del proceso independentista—. Algunos de ellos enjuiciados además en un solo procedimiento. Para una comparabilidad en abstracto, cabría argüir la existencia de un fin legítimo en la diferencia de trato (paz, concordia, reconciliación y cualquier almibarada palabra bonita). Hay que *normalizar* una situación de conflicto y pasar página. Pero es que aquí no existe, como es preceptivo, vínculo alguno entre el fin legítimo perseguido y la diferencia de trato, esto es, el carácter amnistiable de los hechos que promovieron la independencia, pero no de los que se opusieron a ella (salvo tratarse de actuaciones policiales), a los que se les niega, arbitrariamente, la condición de actores también de un conflicto pasado y de partícipes y beneficiarios de la supuesta reconciliación.

Volvamos a nuestro ejemplo. Supongamos ahora que nuestra protagonista insta la aplicación de la ley de amnistía a su condena, solicitando se dé por finalizada la ejecución de las penas, principales o accesorias que en su caso queden por cumplir, así como la cancelación de los antecedentes penales. Y que ante resolución judicial desestimatoria y firme recurre en amparo ante el Tribunal Constitucional invocando vulneración del derecho a la igualdad ante la ley en relación con los derechos fundamentales limitados por la sentencia condenatoria que se rechaza amnistiar. Aportaría sin duda un *tertium comparationis* muy llamativo: quienes fueron condenados por los mismo hechos, en el mismo procedimiento en el que ella misma también fue condenada, han sido amnistiados, pero su conducta no (el mismo delito de desórdenes, al parecer porque una cosa es liarla para conseguir la independencia y otra liarla para oponerse, aunque el lío se produzca en el mismo escenario de enfrentamiento de unos y otros). No se me ocurre mayor diferencia de trato injustificada como consecuencia de la norma cuestionada. Porque la diferencia de trato en el mismo texto de la ley no se reduce a la previsión expresa de regímenes distintos. La omisión no justificada —la exclusión— de una medida de gracia basada en la ideología o el propósito político contrarios a los que sí la merecen por hechos idénticos es, se mire como se mire, una «diferencia contenida en la norma», singularmente porque esta integra, como se dijo, la norma que configura los presupuestos positivos de la punibilidad, recortándolos en lo que cae bajo su ámbito de previsión. La diferencia pues, está inequívocamente contenida en la norma penal integrada, sin que resulte convincente el puro argumento formal de que no hay distinta regulación expresa en la misma ley de amnistía para ambos grupos, dado que uno de ellos está directamente omitido. Materialmente, la redacción y el preámbulo de la ley equivalen, *a sensu contrario*, a una declaración expresa: no serán amnistiables las conductas de los particulares que se opusieron al proceso independentista. Si esto se hubiese establecido expresamente, nadie dudaría de su inconstitucionalidad. Pero hay que entender que la normas que eximen de responsabilidad, aunque sea de modo retrospectivo, no necesitan proclamarlo. Basta con la exclusión. Los penalistas llamaríamos a esto, si se me permite la frivolidad, comisión por omisión. De modo que aquí no pueden acudir en auxilio argumentos formales, o basados en la inexistencia del derecho a la igualdad en la ilegalidad (STC 25/2022), que sólo tiene sentido en el marco del derecho a la igualdad *en* la aplicación de la ley. Tampoco, dada la naturaleza de la ley, convence el argumento de que el no beneficiario de la amnistía, en nuestro ejemplo, no ha padecido situación personal calificable de discriminatoria conforme al inciso segundo del artículo 14 CE, lo que no exigiría contraste con ningún tercero, sino sólo verificación de la concurrencia del factor protegido (STC 172/2021 FJ 3), dado que la ley no dice expresamente que quienes cometieron conductas ilícitas guiados por una opinión política contraria a la independentista no deben ser amnistiados. Se insiste: las leyes que recortan la punibilidad no precisan decirlo; materialmente basta con la exclusión.

III.   El impacto de la ley de amnistía en el derecho a la tutela judicial efectiva (art. 24 CE) de las víctimas por delitos que han comportado vulneración de sus derechos fundamentales

Admito que el solo enunciado de este epígrafe puede incomodar a quienes entienden que sólo los poderes públicos pueden vulnerar tales derechos (pues no hay derecho sin obligación sinalagmática y ésta concierne en sentido procesal —destinatarios— a los poderes públicos). Pero es sabido que el efecto horizontal de buena parte de los derechos fundamentales existe y así lo reconoce la jurisprudencia constitucional y convencional, aunque su protección, vía amparo, se contraiga, conforme al artículo 41 LOTC a las vulneraciones que provengan de los poderes públicos. Al grano y para no solemnizar lo obvio: quien mata a otro no sólo acaba con su vida (bien jurídico) sino que vulnera su derecho fundamental a la vida, pues no sólo los poderes públicos sino que también los ciudadanos están sujetos a la Constitución (art. 9.1) y tanto los unos como los otros son pues destinatarios de sus normas. Lo relevante aquí es que en nuestro sistema de protección de los derechos fundamentales, en supuestos de horizontalidad, aflora un derecho subjetivo que se traduce en *la obligación de protección* a cargo del Estado y del resto de poderes públicos, para que los derechos fundamentales sean efectivos y no meramente retóricos. Aterrizando el concepto, surgen para los poderes públicos, en el ámbito que nos ocupa, también *obligaciones procesales* de investigación, esclarecimiento y reparación cuando se han vulnerado tales derechos fundamentales. Anticipemos que, al menos, de modo indiscutible para el TEDH, en relación con los artículos 2 (derecho a la vida) y 3 (prohibición de tortura y tratos inhumanos o degradantes) CEDH, quien tiene dicho que las leyes de amnistía son incompatibles con la Convención cuando impiden el cumplimiento efectivo de estas «obligaciones procesales» inherentes a tales derechos. Traducido: forma parte del núcleo esencial de tales derechos —núcleo pues indisponible incluso para el legislador— que se investiguen, esclarezcan y reparen —si es posible— dichas graves vulneraciones. Un derecho titularidad de la víctima. Determinar el alcance de dicha obligación, que depende a su vez de la importancia del concreto derecho fundamental vulnerado, es una cuestión, como veremos, controvertida, pero capital porque fija el perímetro del núcleo duro indisponible del derecho fundamental en cuestión en su vertiente procesal, esto es, vinculado con el derecho a la tutela judicial efectiva del mismo (art. 24.1 CE). En definitiva, porque señala el ámbito indisponible incluso para el legislador.

Vayamos ahora a nuestro segundo caso para ilustrar el problema. Recurro ahora a la versión periodística de un conocido hecho. Tuvo un limitado recorrido procesal por la dificultad (o aceptemos que por imposibilidad de acuerdo con el esfuerzo exigible) de identificar a sus autores.

XXXXXX, de 44 años hoy, padre de dos niños de nueve y cinco años, agente número XXXXX de la UIP —la Unidad de Intervención Policial, los conocidos como antidisturbios—, fue el más grave de los 288 agentes heridos en la revuelta: 154 mossos, 134 policías nacionales y un policía local. Estuvo cinco días en coma, 17 en la UCI, cuatro en planta y 293 de baja hasta que le concedieron la incapacidad permanente por las secuelas neurológicas que padece. Está por tanto prematuramente jubilado. «De los 2.000 que estábamos allí, fui el más perjudicado. Me tocó a mí. Por suerte, llevaba el casco puesto, si no, estaría muerto evidentemente». Confluencia de las calles Trafalgar y La Jonquera. «Fíjate al final del vídeo, cómo le caen dos cosas, pum , pum , le revientan el brazo. Se me ponen hasta los pelos de punta». El encuadre no recoge desde donde arrojan lo que parecen dos baldosas naranjas, pero por la trayectoria deben de venir de uno de los pisos altos del edificio de la izquierda. «Aquí ya se lo están llevando a él, va con el brazo con una fractura abierta. A XXXX tampoco sé si le han investigado algo. Nosotros estábamos ahí [señala a la segunda línea de agentes], los relevamos a ellos y a los cinco minutos caigo yo también, me revientan la cabeza a mí». Concluye XXXX que las mismas manos que le tiraron los ladrillos a XXXX, que no ha recuperado totalmente la movilidad en el brazo, le arrojaron lo que fuera a él después. No hay imágenes del momento en que fue alcanzado, pero sí de su evacuación. Cinco compañeros lo llevan a la carrera en volandas y un sexto comunica con urgencia por la emisora: «¡¡Herido grave, herido grave!!». «Yo no me acuerdo de nada de eso, en mi mente no está. Me veo que me están transportando mis compañeros y es como ver una película en la que eres el protagonista», dice.

El caso expuesto —creo— permite reflexionar sobre la constitucionalidad del alcance de la amnistía sobre los hechos más graves acontecidos durante el *procès*, vistos desde la perspectiva de los derechos fundamentales de la víctima. Pero para ello debo primero señalar que el ejemplo —prescindamos ahora de su sobreseimiento provisional por falta de autor conocido— versa sobre un hecho que cae indiscutiblemente en el ámbito de previsión de la ley. Un hecho amnistiable. Un hecho cuya responsabilidad penal se declara extinta. Da igual pues que por algún improbable avatar aflore hoy o mañana algún dato que permita identificar a sus autores, varios años después. El hecho será, con la aprobación de la ley, no punible y por tanto inidóneo para conformar objeto de instrucción penal alguna.

Para fundamentar esta afirmación, podría recurrir de arranque e ingenuamente al texto de la ley —cosa que por supuesto voy a hacer inmediatamente— y fingir que esto podría ser efecto indeseado o no previsto por el prelegislador. Pero la realidad es que hasta la última coma del texto legal se ha diseñado para compatibilizar dos objetivos: el primero, que la ley sea —o parezca ser— respetuosa con los límites que la jurisprudencia constitucional y convencional imponen a las medidas de gracia cuando se trata de violación de derechos fundamentales. El segundo objetivo: que todo lo que pasó, caso por caso, sea amnistiable, como sin ambages declara la última versión de la exposición de motivos de la proposición de ley.

En efecto, de acuerdo con el texto de la (proposición de) ley, los hechos concretamente amnistiables se identifican con arreglo a dos criterios: a) es amnistiable cualquier hecho que, circunscrito al marco temporal establecido, responda a la finalidad prevista legalmente de modo directo, indirecto o conexo (independencia) —artículo 1—, siempre que: b) no se trate de hechos expresamente excluidos en el artículo 2 de la misma ley.

Dado el estatus de la excepción (*odiosa sunt restringenda*) se convendrá que sólo los delitos contra la vida *consumados* están excluidos del derecho de gracia que prevé la ley de amnistía, pero no los ejecutados en grado de tentativa (acabada o inacabada). En efecto, el artículo 2.a) procede a una incomprensible selección de los supuestos constitutivos de delitos contra la vida: en rigor, no amnistía los delitos sino los «actos dolosos contra las personas» que hubieren producido un determinado resultado: la muerte. Se excluye pues, solamente, del perdón los hechos constitutivos de homicidio o asesinato *doloso consumado*.

129

En cuanto a las lesiones, la selección de lo excluido, y por tanto de lo incluido, es todavía más asombrosa. No se excluyen sin más las más graves lesiones de los artículos 149 y 150 CP, sino solamente aquellas que consistan específicamente en la «pérdida o inutilidad de un órgano o miembro, la pérdida o inutilidad de un sentido, la impotencia, la esterilidad o una grave deformidad». Sin razón aparente —pero perfectamente comprensible si se analiza la casuística, y el ejemplo ofrecido habla por sí solo— se ha procedido a una corrección del criterio axiológico inveterado del legislador, que siempre ha equiparado los casos de pérdida o inutilidad de órgano o miembro principal a la causación de una grave enfermedad somático o psíquica. ¿Cuál puede ser la razón de esta exclusión? Quien quiera conocer la respuesta puede acudir a las resoluciones y sentencias dictadas en relación con los delitos realmente cometidos en el contexto de los acontecimientos del *procès*. No he sabido encontrar supuestos de pérdida o inutilidad física o funcional relevante de órganos o miembros, principales o no. Pero curiosamente, si encontramos resoluciones que imputan, o sentencias que condenan, por la causación de lesiones muy graves.

El ejemplo planteado suscita pues algunos interrogantes:

a) Si la causación de unas graves lesiones constituye o no vulneración del derecho fundamental sustantivo a la integridad física, consagrado en el art. 15 CE (y en los artículos 2,3 y 8 CEDH y 3 de la Carta Derechos Fundamentales de la Unión Europea), en este caso cometido bien por particulares: efecto horizontal de los derechos.

b) Si tal violación puede considerarse «grave» o tal calificación debe reservarse exclusivamente a las lesiones que comporten pérdida material o funcional de órgano o sentido como pretende ahora el legislador.

c) Si en consecuencia se activa o no, en el ejemplo expuesto, el núcleo duro del derecho consagrado en el artículo 24.1 CE en relación con los artículos 15 CE y 6 CEDH y surgen de ahí obligaciones procedimentales de investigar eficazmente, establecer una verdad procesal y al menos reparar. Cosa que no creo permita la ley de amnistía en el caso expuesto de acuerdo con su artículo 2.

Similares consideraciones pueden hacerse respecto de la inclusión, como hecho amnistiable, de una supuesta tortura y malos tratos inhumanos o degradantes de «menor intensidad» [art. 2.b), fruto de la inserción en el trámite de enmiendas de un texto que prácticamente reproduce la definición de trato degradante que efectúa la jurisprudencia del TEDH a propósito del artículo 3 CEDH y que encuentra su reflejo en el artículo 173.1 CP]. En la práctica supone excluir de la amnistía los casos de torturas y malos tratos graves infligidos por agentes de la autoridad, garantizando empero la exención de responsabilidad por los actos realizados por particulares (o autoridades y funcionarios) que encuentran subsunción en el artículo 173.2 CP: «Con la misma pena serán castigados los que, en el ámbito de cualquier relación laboral o funcionarial y prevaliéndose de su relación de superioridad, realicen contra otro de forma reiterada actos hostiles o humillantes que, sin llegar a constituir trato degradante, supongan grave acoso contra la víctima». Trata pues la ley de extender sus efectos —exención de responsabilidad— a toda suerte de acoso moral por razones ideológicas, un patrón conocido en aquellos años. La fórmula de discriminación que emplea la ley parece coincidir pues con una conocida opinión que entiende no es sensato configurar la violación procesal del artículo 15 en relación con el 24.1 CE (art. 3 CEDH) sobre una categoría muy amplia del *ill-treatment*. Un estándar demasiado rígido. La amnistía podría pues justificarse si afecta sólo, en este ámbito, a casos menos graves (*lesser seriousness acts*), según algunas tesis (Cfr. voto parcialmente disidente del Juez Wojtyczek en el caso Mocanu y otros contra Rumanía) Una tesis diferenciadora (no toda violación sustantiva genera obligaciones procesales sino sólo las más graves ex artículo 24.1 CE), que ha sido sostenida también incidentalmente por algún voto particular en el Tribunal Constitucional (Cfr. STC 35/2024, voto particular de Tolosa Tribiño y Arnaldo Alcubilla, desarrollando una tesis que parece inspirar textualmente, en un contexto por supuesto distinto, al legislador de la amnistía).

La cuestión que estoy planteando se inscribe un marco general de enorme complejidad. El relativo a si las leyes de amnistía son compatibles y en qué medida con las obligaciones constitucionales y convencionales de los Estados de investigar las violaciones de derechos humanos. En concreto, a si dichas obligaciones impeditivas sólo se refieren a las perpetradas por agentes estatales o se extienden también a las perpetradas por particulares y al deber estatal de investigarlas. En concreto, a si cabe discriminar sobre los derechos fundamentales a los que se extienden tales obligaciones: a cuales sí y a cuales no y con qué intensidad y alcance en los que sí, y cómo debe graduarse, si es que se debe, la gravedad de la lesión del derecho fundamental para que se active tal obligación procesal indisponible (también para el legislador), al menos, de investigar, esclarecer la verdad si es posible, y reparar —si también es posible—. Creo que el asunto, más allá de las groseras violaciones de los artículos 2 y 3 CEDH, no está suficientemente perfilado en concreto por parte de la jurisprudencia del TEDH, pese a los distintos pronunciamientos habidos desde el pionero asunto Dujardin y otros c. Francia en 1991 hasta la fecha (Cfr. Makuchuyjan y Minasyan c. Azerbaiyán y Hungría; Dimicic C. Turquía, Tarbuck c. Croacia, Ould Dah c. Francia, Mc. Cann y otros c. Reino Unido, Margus c. Croacia) Me remito aquí al excelente estudio de Chinchón Alvarez para que cada cual saque sus conclusiones. A mi juicio, será determinante la posición que adopte el TEDH cuando resuelva si resulta compatible con la CEDH la ley del conflicto legado y reconciliación irlandesa de 2023, que prevé la amnistía (inmunidad penal y civil) para quienes —incluidos militares y paramilitares implicados en uno y otro bando— cooperen con la comisión independiente de verdad y recuperación. Pues es una evidencia que ninguno de los hechos acontecidos en el *procès* puede por asomo equipararse en gravedad con los de aquel conflicto. De modo que una posible validación por parte del TEDH supondría, amén de una gran equivocación según mi punto de vista, la invalidación de lo que he tratado de transmitir aquí: que cuando existen víctimas y derechos fundamentales vulnerados, el Estado no puede desentenderse del derecho de la víctima, si no a castigar, sí a que se investigue, establezca una verdad procesal, y se repare la violación padecida, la haya cometido el mismo Estado cualquier particular bajo cualquier pretexto.

IV. Vulneración del derecho a la tutela judicial efectiva de las víctimas (art. 24.1 CE) por declarar la ley de amnistía extinta la responsabilidad civil no ejecutada derivada del delito

Para abreviar, en este caso no se precisa de ejemplo concreto que ilustre el caso. Concierne a todos aquellos condenados por sentencia firme a satisfacer una responsabilidad civil todavía pendiente de ser ejecutada en su totalidad. No estoy hablando de una hipótesis abstracta. Son bastantes los casos que he podido examinar. Víctimas de delitos vinculados con el *procés* (tanto agentes de la autoridad como particulares), constituidos o no en parte (ejercicio de la acusación particular), que en méritos del título ejecutivo que representa la sentencia firme ostentan un derecho de crédito de contenido económico derivado de la reparación, restitución o indemnización por los perjuicios físicos, morales o materiales causados por el hecho delictivo por el que fueron agraviados. Tal derecho resulta expropiado por la proposición de ley de amnistía, sin que a mi juicio exista justificación razonable alguna para tamaña limitación del derecho fundamental a la tutela judicial efectiva ex artículo 24.1 CE en relación con el derecho fundamental vulnerado en concreto.

En efecto, si acudimos al artículo 8 del texto, que fija los efectos de la amnistía proyectada sobre la responsabilidad civil y contable, constatamos lo siguiente: primero, que el texto proclama la extinción de la responsabilidad civil y contable derivada de los actos descritos en el artículo 1.1, incluidas las que estén siendo objeto de procedimientos tramitados ante el Tribunal de Cuentas, que lo son por hechos ya declarados constitutivos de delito y en consecuencia se trata de la reclamación de una concreta responsabilidad civil (que es a su vez contable) acordada en sentencia —cuantificación-. A mi juicio esta previsión trata de evitar que la responsabilidad contable, una vez extinguida, pudiese reactivarse a través de simple responsabilidad civil en la jurisdicción de tal orden, ex artículo 1902 del Código Civil. De modo que, sin más distingos, procede el texto a declarar extintas *todas* las responsabilidades civiles, con la sola excepción de aquellas que ya hubieran sido, además de declaradas en virtud de sentencia o resolución administrativa firme, *ejecutadas.* Esta última exigencia se extiende también, literalmente, a la responsabilidad civil que pudiera corresponder al particular por los daños sufridos, que como señala la ley, »no se sustanciará ante la jurisdicción penal». Como es de ver, se establece un trato distinto entre responsabilidad civil según se haya ejecutado o no (según se haya o no satisfecho).

Desde mi punto de vista estamos ante una limitación inadmisible y desproporcionada del derecho fundamental a la tutela judicial efectiva (art. 24.1 CE). Derecho a la justicia (*right to jurisdiction*) de las víctimas que incorpora inequívocamente el derecho a que las sentencias judiciales firmes sean ejecutadas en sus propios términos y sin demora, como señala reiterada jurisprudencia del TEDH, que por conocida no es preciso citar aquí. Al declarar extinta la responsabilidad civil incluso acordada en sentencia firme se está expropiando sin justo título ni indemnización un activo patrimonial del ciudadano. La remisión en este caso a la vía civil para que el particular invierta tiempo, medios y recursos para intentar se vuelva a declarar y ejecutar en su caso lo que ya fue declarado jurisdiccionalmente en firme en vía penal es directamente un insulto. Se introduce aquí un gravamen desproporcionado, pues la condena civil no ejecutada queda extinguida y se obliga al particular a acudir a la jurisdicción civil para obtener una reparación ex culpa aquiliana o extracontractual del artículo 1902, cuando ésta, materialmente, ya fue declarada y por tanto jurídicamente ingresada en el patrimonio del agraviado —como derecho de crédito— ex artículo 118 CP. Esta insólita declaración de extinción de responsabilidad civil no ejecutada —sin precedente incluso en contextos de sucesión de leyes penales generales— obedece directamente a la necesidad de asegurar que la responsabilidad contable en la que pudieron haber incurrido quienes malversaron fondos públicos no pueda ser reclamada luego sorpresivamente por la vía civil. La *customización* de la ley llega a este extremo. Al parecer este objetivo justifica el sacrifico de los derechos de los particulares: la expropiación de su derecho de crédito, sólo porque la indemnización no se ha ejecutado, como única forma al parecer de blindar a las autoridades responsables del desvío de fondos públicos de cualquier posible reclamación alternativa por la vía civil.

Termino mi intervención con resumen de tres conclusiones principales.

Primera.— La exclusión de los particulares que se opusieron al proceso independentista de los beneficios de la amnistía resulta no sólo incomprensible y obscena, sino inconstitucional. La diferencia de trato ante hechos idénticos por razón de injusto culpable del hecho cometido y del conflicto social y político que explica su comisión sólo resulta racionalmente interpretable —la diferencia de trato— por remisión a una cláusula odiosa del artículo 14.2 CE (discriminación por razón de opinión). Las razones esgrimidas por la ley para justificar la amnistía no pueden justificar dicha diferencia de trato (salvo que se trate de una reconciliación vertical, del independentismo con el Estado o de una simple reconciliación onanista horizontal del independentismo consigo mismo, orillando a quienes en Cataluña sufrieron y se opusieron a ellos incurriendo algunos en responsabilidad penal o administrativa).

Segunda.— El núcleo esencial de los derechos fundamentales es indisponible para el legislador. Las obligaciones procesales que conciernen al Estado de investigar, esclarecer y reparar la grave violación de los derechos fundamentales principales forman parte del núcleo indisponible de esos mismos derechos, se conecten o no con el artículo 24.1 CE. Provenga o no la violación de la conducta de autoridades o funcionarios públicos. El legislador conoce lo que acabo de decir, como patentiza el análisis del artículo 2 de la ley de amnistía (exclusiones). Pero creo también que el objetivo principal de la ley, que no es otro que el de eximir de toda responsabilidad a los que concreta y conocidamente cometieron ciertos hechos también perfectamente conocidos, ha prevalecido sobre cualquier otra consideración general —lo propio de una ley— y en consecuencia es irreconocible el criterio axiológico —si es que existe— asumido para discriminar los hechos perdonables y los que no lo son. Y así el único criterio para incluir en la amnistía las tentativas de homicidio o las lesiones muy graves que no hayan comportado perdida orgánica o funcional de órgano o miembro principal o no, es éste: es lo que hicieron. ¿Hubo muertos? No. Pues incluyamos la tentativa de homicidio en los hechos amnistiables no vaya a ser que se utilice tal título de imputación ante cualquier lesión de poca monta. ¿Hubo mutilados? Tampoco. Pues incluyamos en la amnistía las graves afecciones a la salud física y mental que acompañan a aquellas y excluyamos lo que no pasó. En fin, esto es lo que cualquier adulto que no se engañe sabe que ha pasado. Pero al margen del contexto decisional, tengo dudas de que el criterio de selección de la ley sea compatible con el derecho de acceso a la justicia en relación con el derecho a la vida o la integridad física en los supuestos que he señalado («usted no tiene derecho a saber quién lo quiso matar —admitamos como equivalente el dolo eventual— porque está vivo»; «usted no tiene derecho a saber quién lo dejó discapacitado laboralmente de por vida porque no ha sufrido una pérdida física o funcional de ningún órgano o miembro», etc.).

Tercera.— En todo caso, forma parte inherente al derecho a la tutela judicial efectiva el derecho a que lo resuelto en sentencia firme sea ejecutado. La ley de amnistía declara extintas las responsabilidades civiles no ejecutadas, aunque haya devenido firme la sentencia. Un atentado sin paliativos al derecho a la justicia consagrado en el artículo 24.1 CE. Una expropiación patrimonial que el legislador cree compensar concediendo graciosamente al particular la posibilidad de acudir a la vía civil para que se le reconozca un derecho que ya le había sido judicialmente reconocido en firme y que debe ser ejecutado. Un gravamen desproporcionado que no es fruto de error alguno del legislador, sino que antes bien obedece a la única fórmula disponible para asegurar que la extinción de la responsabilidad contable no va a reciclarse en responsabilidad civil si ésta tampoco se declara extinta.

Amnistía, Derecho penal y política. Algunas reflexiones sobre la Ley de Amnistía

Manuel Cancio Meliá

Catedrático de Derecho Penal. Universidad Autónoma de Madrid

I. Amnistía y Constitución

En el contexto de las negociaciones para construir una mayoría parlamentaria que pudiera constituir un nuevo Gobierno de izquierdas, ocupó una posición central la reivindicación de los partidos independentistas catalanes —cuyo concurso era necesario para que el partido socialista y las otras izquierdas pudieran formar de nuevo un Gobierno de coalición— de que se «acabara la represión», tanto de los «hechos de octubre» de 2017 en los que culminó el *procés* independentista, incluyendo el referéndum ilegal y la proclamación *flash* de la República Catalana en el Parlament, como de otros disturbios producidos en 2019 en protestas contra la sentencia del Tribunal Supremo respecto de lo acontecido en 2017.

Pero, ¿es jurídicamente posible una amnistía? Juristas de máximo prestigio, especialistas en Derecho constitucional y Derecho penal, han descartado con contundencia que la Constitución pueda ampararla, mientras que otros afirman que no hay obstáculo constitucional para tal medida. ¿Quién tiene razón? La Constitución no menciona la figura de la amnistía. Por ello, es necesario un análisis sistemático.

Entre los argumentos que se han aducido para negar la constitucionalidad de la amnistía destaca, en primer lugar, el siguiente razonamiento: el texto constitucional, al enumerar las facultades del jefe del Estado, menciona en el artículo 62.i) la concesión de indultos: «Ejercer el derecho de gracia con arreglo a la ley, que no podrá autorizar indultos generales». De esta previsión se deduciría que la amnistía queda descartada en la Constitución, aunque no se prohíba expresamente: usando lo que se conoce como *argumentum a minore ad maius*, se ha sostenido que si no está permitido lo menos (los indultos generales), no puede estar permitido lo más (la amnistía). Sin embargo, esta clase de razonamiento normativo tiene como presupuesto que los dos elementos que se comparan realmente sean de la misma sustancia, esto es, que se puedan jerarquizar en términos cuantitativos. ¿Es la amnistía una especie de superindulto? El indulto, esto es, la medida de gracia a la que alude el texto constitucional —como el que han recibido los líderes independentistas catalanes juzgados, condenados y que comenzaron a cumplir sus penas— es una medida que corresponde al poder ejecutivo para casos individuales en los que la estricta aplicación de la ley penal conduce a resultados injustos. Es un freno de emergencia para supuestos concretos. No elimina la existencia del delito cometido: solo extingue la pena en parte o por completo para un penado concreto, por razones de justicia material circunscritas a su caso particular. La amnistía, en cambio, es una decisión política tomada por la representación de la soberanía popular, el parlamento. Es una ley que decide reinterpretar el pasado: elimina los delitos cometidos y todas sus consecuencias, incluyendo las penas que pudieran haberse impuesto. La última ley de amnistía aprobada en España, la de 1977, es un ejemplo claro: en el cambio de régimen, el parlamento decidió volver a comenzar la convivencia haciendo un *reset*. Se olvidaron jurídicamente los hechos violentos de intencionalidad política cometidos en el marco del combate contra el régimen franquista y, sobre todo, se puso así punto final a una posible persecución judicial de las masivas violaciones de derechos humanos que la dictadura nacionalcatólica llevó a cabo durante décadas. De este modo, antiguos miembros de organizaciones terroristas que atentaron contra representantes de la dictadura y funcionarios y jerarcas de ésta —por ejemplo, quienes firmaron sentencias de muerte obviamente injustas— pudieron participar, sin persecución penal, en la construcción del nuevo sistema constitucional. Es obvio que hoy no estamos ante un cambio de régimen, sino ante una crisis constitucional, pero también parece innegable que esta ha sido de gran alcance. En todo caso, queda ya claro con esto que el razonamiento comentado no puede convencer: la amnistía no es un indulto general, es algo completamente distinto.

En segundo lugar, se afirma, para negar la constitucionalidad de una posible amnistía, que con ella se vulneraría el principio de separación de poderes, consagrado en el artículo 117.1 de la Constitución, conforme al cual corresponde en exclusiva a los tribunales de justicia juzgar y hacer ejecutar lo juzgado. Así, una ley de amnistía estaría hurtando esa competencia constitucional al poder judicial: sería una especie de fraude. Sin embargo, la función del poder judicial ha de ejercerse en el marco de la ley y es la ley la que puede establecer una amnistía. ¿Fue la Ley de amnistía de 1977 un mecanismo para hurtar fraudulentamente a los tribunales (españoles e internacionales) la facultad de juzgar atentados terroristas, campos de concentración, torturas masivas y asesinatos mediante consejos de guerra?

En tercer lugar —y este parece el argumento más de fondo— se dice por algunos que la Constitución contiene «prohibiciones implícitas». No se prohíbe expresamente el abuso sexual a menores en el texto constitucional, ni tampoco la secesión de una parte del territorio nacional, pero es evidente que la Constitución no los ampara. En este sentido, se dice, una vez establecido el régimen constitucional en 1978, ya no tendría sentido siquiera plantearse una ley de amnistía, una vez alcanzado el *shangri-la* de un Estado de Derecho en España. Aquí está la madre del cordero: existe el riesgo de que se confundan (o se enmascaren) convicciones políticas particulares como normas jurídico-constitucionales no escritas. Como inventarse en el Tribunal Constitucional, en la sentencia de 2010, que no se pueda hablar, en Derecho, de la nación catalana en el preámbulo del Estatuto, aunque lo hubieran votado el *Parlament* catalán y las Cortes Generales españolas y ratificado la ciudadanía catalana en referéndum: de aquellos polvos, estos lodos.

Aquí es esencial llamar al pan, pan, y al vino, vino. Una cosa es el Derecho, la Constitución, y otra, la política, por mucha relación que tengan. Es cierto que la Constitución puede proscribir determinadas normas aunque no las prohíba expresamente. Sin embargo, para poder prohibir al parlamento —representación de la soberanía popular— aprobar una ley hacen falta razones de mucho peso: tiene que ser algo evidente. Y no hay nada de eso en la Constitución española. Al contrario. Un argumento más: como se ha señalado últimamente, aunque no diga nada expresamente, el artículo 87 de la Constitución, al regular la iniciativa legislativa popular, excluye de la misma algunas materias, mencionando también «lo relativo a la prerrogativa de gracia». Solo puede estar refiriéndose el texto a una ley de amnistía, excluyéndola del campo de la iniciativa popular. Si la Constitución la excluye aquí expresamente ¿cómo pensar que también la excluye implícitamente para el parlamento español?

Y hablando de política para terminar: es cierto que la amnistía implica una situación muy excepcional. Solo se reinterpreta el pasado si ha sucedido algo fuera de lo común. Por ello, se hizo una ley de amnistía con el cambio pactado de régimen de la dictadura al actual sistema constitucional. Y aunque, como es obvio, no cabe equiparar ambas situaciones, lo cierto es que —como veremos al examinar brevemente los procesos penales habidos a continuación— algo en la convivencia política española descarriló fundamentalmente en el *procés*. En mi opinión, hay que hacer borrón y cuenta nueva. Tanto para los secesionistas como para quienes les reprimieron vulnerando la Ley. Esto es una opinión política, desde luego. Y la política legítima, democrática, se hace, sobre todo, en el parlamento. No se puede pretender recortar las facultades del legislativo con supuestas prohibiciones jurídico-constitucionales que surgen de una particular visión política. No se debe hacer decir a la Constitución lo que no dice.

II. ¿Qué amnistiar? Los procesos penales

Más allá de la constitucionalidad de la ley se plantea, por supuesto, la cuestión de si es conveniente. De si es lo mejor cerrar este capítulo perdonando o si es más conveniente que se cumplan las penas ya dictadas y que se siga con los procesos penales contra los dirigentes independentistas, para erradicar toda tentación de ruptura en el futuro. Para considerar esta conveniencia, parece necesario observar —entre otras cosas, claro— los procesos penales que se han conducido en España contra los dirigentes independentistas. Desde mi punto de vista, algunas de estas causas se han apartado de las reglas básicas del proceso penal en un Estado de Derecho y ello habla en favor de la necesidad de la ley de amnistía.

Los procesos penales que se iniciaron en 2017 se referían, por un lado, a los delitos obviamente cometidos: desobediencia y malversación (al financiar el referendum ilegal). Por otro, sin embargo, el plato fuerte consistió inicialmente en calificar las manifestaciones de diversa índole, y los hechos en el marco de la represión policial española para impedir el referendum, como delitos de rebelión o de sedición.

Desde mi punto de vista, los procesos penales que se han seguido, no todos, pero los más importantes, presentan rasgos de una gran excepcionalidad, diría, en términos estrictamente jurídicos. Incluso estas peculiaridades llegan a constituirse desde mi punto de vista en anomalías; son procesos que, insisto, no políticamente, sino desde el punto de vista del Derecho penal español, han descarrilado en alguna medida. Este descarrilamiento es el que explica que nuestros socios, tanto en la República Federal de Alemania como entonces en Escocia, como los tribunales belgas o las autoridades suizas, hayan reaccionado con incomprensión y extrañeza frente a determinados requerimientos que les han llegado y que les están llegando desde España.

Empezaré con el proceso general del *procés*. Y quisiera encabezar esta reflexión con una afirmación de mi maestro alemán, el profesor Günther Jakobs, quien dice, citando a Hegel a su vez, que una sociedad segura a sí misma puede penar menos de lo que puede hacer una sociedad que se siente insegura acerca de su propia identidad. Y creo que en España nos hemos sentido inseguros a la hora de reaccionar frente un desafío constitucional como el que supuso el *procés*.

Lo primero, la competencia. ¿Por qué estos hechos no se enjuiciaron ante los tribunales competentes en el territorio de Cataluña? ¿Por qué los ha juzgado el Tribunal Supremo? Esto no se habla habitualmente en el debate público, pero lo normal hubiera sido que este proceso se hubiera conducido ante el Tribunal Superior de Justicia de Cataluña, a mi juicio, tribunal competente por razón del territorio en el que se habían cometido los delitos en cuestión. Esto ya es, en fin, llamativo. Normalmente, la competencia de los tribunales en España está muy clara.

En este caso, en segundo lugar, se produjo un verdadero empecinamiento desde el principio por parte de la Fiscalía, solo había una vía: la violencia y la rebelión. Y frente a esto, la sedición —por la que finalmente acabaron condenados los dirigentes catalanes a penas máximas de trece años de prisión— era una opción, digamos secundaria, una opción de consenso. ¿Por qué este empecinamiento en mantener la rebelión, en contra de la escasa jurisprudencia del Tribunal Supremo y de toda la doctrina sobre el delito de rebelión? Digo escasa porque hemos tenido desde 1977 sólo una rebelión, afortunadamente, nada más. En todo caso, estaba claro que sin violencia armada organizada no puede haber rebelión. ¿Cómo es posible que desde la instrucción, desde la Fiscalía General del Estado, esta pretensión de condenar por una rebelión violenta se mantuviera prácticamente hasta el final? Pues quizás tiene algo que ver el artículo 384 bis de la Ley de Enjuiciamiento Criminal, que establece la posibilidad de suspender a un cargo electo en su ejercicio, cuando se trate de —fíjense en la terminología perteneciente al anterior régimen, no al nuestro—, de «elementos terroristas o rebeldes». Nos hacía falta un rebelde o un terrorista. Esto quizás explique en alguna medida el empecinamiento en querer apreciar la existencia de la violencia organizada necesaria tanto para el delito de rebelión como para el delito de sedición. La condena, por unanimidad de la Sala de lo Penal del Tribunal Supremo, impuso penas muy altas.

Desde mi punto de vista, el delito de sedición, hoy ya felizmente derogado, era inconstitucional, era propio de otra época, era un fósil muerto en el Código hasta que lo revivió el *procés*. Solo hay que ver que no había apenas jurisprudencia, porque en España no necesitamos un delito de sedición. En ningún país normal en términos constitucionales hace falta un delito como el la sedición, eso es para otro tipo de sociedades y otro tipo de situaciones políticas. Dejando de lado que este delito era extraordinariamente cuestionable en sí y muy cuestionable que pudiera aplicarse en este caso, lo cierto es que también cabe dudar de que la resolución condenatoria respete debidamente el principio de proporcionalidad en la medición de la pena.

La condena a los acusados se produjo por un concurso medial entre sedición y malversación. En la sentencia, ninguna mención se hace a la posibilidad que abre el artículo 547 CP, que prevé la posibilidad de rebajar la pena (recuérdese: que era de diez a quince años de prisión para los autores constituidos en autoridad, artículos 544 y 545.1 CP en la redacción entonces en vigor) en uno o dos grados cuando «la sedición no haya llegado a entorpecer de un modo grave el ejercicio de la autoridad pública y no haya ocasionado la perpetración de otro delito al que la Ley señale penas graves». Sorprendentemente, en toda la sentencia, y, particularmente, en el momento de la medición de las penas impuestas, ninguna alusión se hace a este precepto, una omisión llamativa teniendo en cuenta que quedó en evidencia que el ejercicio de la autoridad del Estado en territorio catalán siguió con toda normalidad después de los acontecimientos de 2017, incluyendo la aplicación del artículo 155 de la Constitución.

Muchas veces se ha señalado que con el cambio de ubicación sistemática del delito de sedición habido en el Código Penal de 1995, separándolo de la rebelión —un *aggiornamento* fallido, como cabe argumentar— y ubicándola entre los delitos contra el orden público, quedaba sustancialmente desdibujado el alcance, el perímetro típico del delito de sedición en su lado objetivo («sin estar comprendidos en el delito de rebelión, se alcen pública y tumultuariamente»), con la consiguiente sobrecarga sobre el elemento programático (*«para impedir, por la fuerza o fuera de las vías legales*, la aplicación de las Leyes o a cualquier autoridad, corporación oficial o funcionario público, el legítimo ejercicio de sus funciones o el cumplimiento de sus acuerdos, o de las resoluciones administrativas o judiciales»*) del colectivo sedicioso. Y aquí cabe afirmar que se produce una conexión entre los principios de proporcionalidad y de legalidad, esto es, que el marco penal condiciona la interpretación del tipo. Como señala la doctrina, cuanto mayor es la indeterminación de una conducta típica, mayores son las exigencias de motivación que incumben al juzgador cuando no se limita a aplicar la pena mínima. Si algo nos enseñaron el caso Mesa Nacional de Herri Batasuna y la STC 136/1999 es que ante tipos que abarcan conductas de gravedad muy dispar es constitucionalmente obligado afinar con mucho cuidado la medición de la pena —y mucho más si la conducta en cuestión linda con el ejercicio de derechos fundamentales—. Ante este trasfondo, la elusión por parte de la STS 549/2019 del hecho de que el marco penal de la sedición materialmente comienza en el artículo 547 CP, la ausencia de toda explicación de por qué no se decidió usar ese primer escalón del marco penal, resulta muy perturbadora.

Y, finalmente, y con esto voy a concluir, las anomalías penales continúan en el momento actual. En efecto, la última cuenta del rosario de procesos penales está íntimamente relacionada con la aprobación de la Ley de amnistía: una vez puesta en marcha la tramitación en el parlamento, el titular del Juzgado Central de Instrucción núm. 6 de la Audiencia Nacional elevó una exposición razonada a la Sala de lo Penal del Tribunal Supremo solicitando que ésta investigue a quien fuera el presidente de la Generalitat catalana que organizó el referendum inconstitucional, Carles Puigdemont —quien está aforado por ser miembro del Parlamento Europeo— y a otros líderes separatistas por haber cometido delitos de terrorismo en el contexto de las actividades del llamado *Tsunami Democràtic,* un conglomerado de personas que convocaron protestas por la sentencia del Tribunal Supremo en 2019. El Tribunal Supremo ha avalado que esta instrucción continúe.

Aparte de otros elementos llamativos, como el *timing* elegido por el instructor para este paso procesal (en cuatro años no había habido tiempo para darlo y se da la coincidencia de que la causa se ha activado precisamente en el momento de las negociaciones para la investidura del presidente del Gobierno) o la *interesante* idea de que la muerte de un ciudadano francés por un infarto (que sufrió al trasladarse al aeropuerto de El Prat sometido a bloqueo por activistas separatistas) pudiera ser calificada de homicidio terrorista, lo que sorprende es que aparezca siquiera la calificación jurídica de terrorismo respecto de los hechos que en la instrucción se investigan.

Por decirlo desde el principio: hechos como los que se agrupan en la causa Tsunami pueden ser calificados de terrorismo en Moscú, en Ankara o en Teherán. Nunca lo serían ni en Berlín, en París o en Berna. Y en Derecho, tampoco en Madrid. Es posible, desde luego, que sean delictivos: si realmente existió una concertación para organizar disturbios en la calle, atacando con violencia a las fuerzas del orden público y cortando vías públicas (como parece que ahora también se ha puesto de moda en la ciudad de Madrid), podría tratarse de diversos delitos contra el orden público previstos en el Código Penal. Pero... ¿terrorismo? ¿Sin armas, sin atentados? ¿Cómo es posible esta calificación jurídica delirante, absolutamente incomprensible desde la perspectiva de los ordenamientos jurídicos de los demás Estados miembros de la Unión Europea?

El origen de esta peculiaridad española está en la reforma penal sectorial llevada a cabo mediante la Ley Orgánica 2/2015, que pretendió —se habló de «pacto antiyihadista»— adecuar la legislación española a la nueva realidad del terrorismo de Daesh. También se reformó, y mucho (y muy mal), el Código Penal en general en la Ley Orgánica 1/2015, y se hizo, por primera vez desde 1977, solamente con los votos del Partido Popular, que gobernaba con mayoría absoluta en aquel momento. Pero para la reforma específica de los delitos de terrorismo el PP contó con el concurso del PSOE en una orgía de populismo punitivo. Solamente han pasado ocho años, pero las cosas eran muy distintas: el actual presidente del Gobierno, entonces sólo secretario general socialista, escenificó con Mariano Rajoy un *pacto de Estado* formal y solemne.

¿En qué consistieron los cambios? Aparte de múltiples retoques y ampliaciones, algunas técnicamente muy desafortunadas, se cambió el mismo concepto jurídico de terrorismo. En el Código Penal de 1995 era fácil decir qué era terrorismo: la actividad delictiva organizada y violenta que pretendiera subvertir el orden constitucional generando terror en la ciudadanía. La nueva definición aprobada por los dos grandes partidos en 2015 sustituyó esta definición clara por una cacofonía de diversos materiales de derribo copiados aquí y allá, en la que el elemento más importante es que, para que haya terrorismo delictivo, aparentemente no es necesario que nadie aterrorice a nadie ni lo pretenda. En vez de definir, como antes, el delito como la suma de organización, violencia de intimidación masiva —o sea, terrorismo en sentido estricto— y pretensión de subvertir el orden constitucional, ahora el artículo 573 del Código Penal habla de que se pretenda obligar a los poderes públicos a hacer u omitir algo *o* aterrorizar a la población *o* alterar el funcionamiento de una organización internacional *o* desestabilizar gravemente las instituciones sociales o económicas del país (sea eso lo que sea).

Dicho de otro modo: con una interpretación literalista e insensata de la ley, ahora también puede entrar en el ámbito del terrorismo la activista animalista que comete un delito grave de daños al liberar unos animales criados en horribles condiciones en una granja productora de pieles o al toro de Tordesillas, los *bous embolats,* a los de la Maestranza o al ganso o la cabra de algún otro lugar destinados a ser despeñados permitiéndolo la legislación aplicable... pues pretende obligar a los poderes públicos. Si un sujeto se introduce en los sistemas informáticos del FMI y los bloquea con la intención de desestabilizar el funcionamiento de esa benéfica organización, no se queda en un mero delito informático, sino que igualmente realiza un delito terrorista conforme a la reforma aprobada por PSOE y PP en 2015. Etcétera. Todos terroristas: banalización de un delito gravísimo.

No es que no se avisara. Entonces, un muy nutrido grupo de penalistas prácticos y teóricos advertimos que esa reforma tan desafortunada, escenificada como *pacto de Estado* muy serio, no tenía ni pies ni cabeza y era peligrosa para el propio Estado de Derecho. Parafraseando al dramaturgo suizo Dürrenmatt, igual que todo lo inventado se acaba aplicando, se puede abusar de todo lo mal legislado para poner una hoja de parra a actuaciones judiciales... digamos, exóticas.

III. Epílogo: conclusiones

¿Hay, entonces, ataque a la separación de poderes? ¿Hacen los jueces su trabajo jurídico y luego la política lo apisona? Aquí sobrevuela a las concretas actuaciones —en particular, a la éxotica y repentina discusión sobre un terrorismo inexistente en 2019— la impresión de que, en el fondo, lo decisivo es cómo se vea globalmente lo sucedido con el *procés*: ¿un golpe de Estado o un conflicto político que se salió de madre? Este trasfondo no está en los conceptos jurídicos utilizados. Pero influye, y mucho. Recordemos el referéndum sobre la independencia de *Padania* en 1996. Cero violencia, algaradas, procesos penales. La República italiana sencillamente no tomó nota del *happening* independentista y siguió con su vida, con calma democrática.

Dicho de otro modo: en terminología de Mafalda, el actual acabose con el terrorismo mágico y repentinamente hallado de 2019 es el continuose del empezose de 2017 afirmando que hubo rebelión y suspendiendo representantes electos —con una norma de dudosa constitucionalidad— y que siguió en 2019 imponiendo penas absolutamente desproporcionadas, aunque ahora por sedición. Sabemos que la ley de desconexión, el referendum inconstitucional e impuesto unilateralmente, fueron inadmisibles y hubo muchos delitos cometidos. Pero, ¿había que tirar de todo de lo que se tiró? La reacción del Estado, usando la fuerza y recurriendo a los instrumentos más pesados del Código Penal fue un error. Reconozcámoslo y sigamos con nuestra vida.

LEY DE AMNISTÍA
Y CUESTIÓN TERRITORIAL

Amnistía y cuestión territorial. Presentación

PALOMA BIGLINO CAMPOS

Catedrática de Derecho Constitucional. Universidad de Valladolid

Mirar al pasado no siempre explica los problemas del presente, porque lo ya sucedido puede ser observado desde diferentes puntos de vista. A veces no se recurre a la historia para conocer lo que realmente pasó sino con la finalidad de legitimar decisiones políticas del ahora. Este parece ser el camino que sigue Ley Orgánica de Amnistía que, en el momento de escribir estas páginas, acaba de ser aprobada. El preámbulo explica que dicha medida es necesaria para superar la tensión institucional, social y política surgida con ocasión del proceso independentista de Cataluña y para establecer las bases para una nueva convivencia. Y es aquí donde interviene el pasado reciente. Según ese texto, los hechos que dieron lugar al *procés* tuvieron como precedente «el intenso debate sobre el futuro político de Catalunya abierto a raíz de la sentencia del Tribunal Constitucional 31/2010» y «una tensión institucional que dio lugar a la intervención de la Justicia».

Como el pasado se usa con frecuencia para justificar lo que ahora se defiende, en cuestiones de memoria hay que ser pluralista. Quienes se oponen a la amnistía, o al menos a esta manera de legitimarla, señalan que el reforzamiento del independentismo proviene del pacto del Tinell de 2003, por el que los tres partidos que poco después conformarían el nuevo Gobierno catalán se comprometieron, entre otras medidas, a no establecer acuerdos de gobernabilidad con la formación que predominaba en las Cortes Generales y en el ejecutivo nacional, así como a establecer un nuevo marco legal donde se reconociera y se desarrollase «el carácter plurinacional, pluricultural y plurilingüístico del Estado». También recuerdan que, en septiembre de 2009, esto es, antes de que el Tribunal Constitucional dictara sentencia sobre el nuevo Estatuto de Autonomía, comenzó la oleada de referéndums independentistas celebrados en Cataluña en ámbitos municipales.

En definitiva, ambas posturas se legitiman repartiendo culpas, lo que lleva a entender que el remedio es, en cierta medida, un acto de contrición. Para los defensores de la proposición de ley los responsables son las autoridades estatales (entre las que se incluye al Tribunal Constitucional y al Tribunal Supremo), por lo que la amnistía sería un acto de reparación. Para sus detractores, los culpables son los sectores independentistas que no han dado, todavía, muestras de arrepentimiento.

No se trata, en estas páginas, de entrar en esta polémica. En primer lugar, porque siempre he pensado que el arrepentimiento y el perdón tienen su espacio natural en la esfera de la moral y, sobre todo, de la religión, pero que deberían desterrarse del ámbito de lo político. Cuando se trata de la cosa pública, hay que volver a la razón y dejar de lado los sentimientos, como nos enseñó la Ilustración y, sin embargo, estamos olvidando. En segundo lugar, porque, desde un punto de vista histórico, los datos reales no sirven para dirimir la contienda entre ambas posturas. Cada una de ellas examina el pasado desde su propia óptica, por lo que sólo selecciona y pondera los hechos que juegan a favor de dicho punto de vista.

La razón por la que he querido aludir a ese debate es para ilustrar una de las dificultades que entraña el análisis del tema que da título a esta parte del libro que el lector tiene en sus manos. Pero, hay que reconocer que, además de las distintas ópticas ideológicas a las que acabo de hacer referencia y que también afectan al tratamiento de la cuestión, hay otros factores, menos subjetivos, que dificultan su enfoque.

Ante todo, no resulta sencillo concretar lo que queremos decir cuando hablamos de cuestión territorial. Pero, incluso si superáramos esta dificultad, también sería complejo establecer la concreta incidencia que la amnistía puede tener en ella.

Lo cierto es que, en España, más que de cuestión territorial, es posible hablar de cuestiones territoriales. Es verdad que, al tratar de la proposición de ley de amnistía, parece natural identificar la cuestión territorial con la cuestión catalana, porque dicho texto se propone, precisamente, afrontarla y resolverla. En favor de esta interpretación juega su artículo 1, que, al definir el ámbito objetivo de la medida, se refiere a exclusivamente a una serie de actos ejecutados en el marco de las consultas celebradas en Cataluña y en el contexto del proceso independentista catalán. De elegir esta óptica, es preciso tener en cuenta que, como hizo Xavier Arbós en su intervención en esta mesa redonda que se recoge a continuación, no todos los ciudadanos que habitan en esa Comunidad Autónoma comparten la ideología independentista y que, por ser un territorio donde hay pluralidad de opiniones, hay distintos enfoques de las causas, entidad y remedios a la cuestión catalana.

Pero, además, hay que tener presente que Cataluña no es el único territorio donde existen tensiones. En efecto, hasta hace algo más de una década, cuando hablábamos de cuestión territorial hacíamos referencia, sobre todo, al País Vasco. Era este el territorio que, como proponía el plan Ibarretxe, quería dejar de ser comunidad autónoma para transformarse en Estado libre asociado y donde las reclamaciones de independencia habían estado apoyadas por acciones terroristas. No es fácil conocer, de antemano, si la medida tomada para el caso de Cataluña puede, en algún momento, reavivar las reclamaciones para que los presos de ETA reciban algún tipo de perdón, sobre todo si no fueron autores de las conductas excluidas de la amnistía y que aparecen enumerados en el artículo 2 de la Ley Orgánica de Amnistía.

Hay otras Comunidades Autónomas (como Galicia, Valencia o Islas Baleares) donde algunas las fuerzas políticas mayoritarias reclaman mayor reconocimiento de sus hechos diferenciales, pero que no se proponen alcanzar la independencia para sus territorios. Por último, existen regiones en las que los crecientes sentimientos identitarios generan menos fricciones para el mantenimiento de la unidad. Cabe preguntarse por el impacto que la proposición de ley de amnistía puede tener en la opinión pública de estas otras comunidades. Es cierto que las posturas de los ciudadanos están influidas por las diferentes orientaciones ideológicas predominantes en dichos territorios, pero también es cierto que hay numerosas voces que vuelven a utilizar el argumento del agravio comparativo y reprochan que la amnistía ponga en cuestión el principio de igualdad entre todos los españoles porque perdona a los culpables de ciertos delitos, como la usurpación de funciones públicas o la malversación, que, sin embargo, seguirían en presión de haber llevado a cabo sus acciones en otros territorios que no fueran Cataluña.

En definitiva, el impacto de la amnistía sobre la cuestión territorial es muy variable según la zona del territorio nacional que tengamos en cuenta. Sirva como ejemplo de esta diversidad de opiniones una encuesta de diciembre de 2023 cuyos datos revelan que algo más de la mitad de los ciudadanos de Cataluña valoran positivamente la medida, ya que la asocian a convivencia e integración. En Madrid, Andalucía o Castilla y

León, aproximadamente el 60 % de los encuestados la equiparan a privilegio e injusticia[1].

En último lugar, conviene tener presente que, cuando hablamos de la cuestión territorial, es posible hacer referencia no sólo a la posición de cada una de las Comunidades Autónomas, sino también al conjunto de la organización territorial de nuestro país, lo que incluye la relación de las nacionalidades y regiones entre sí y de estas con el Estado. Desde este punto de vista, la valoración del impacto de la proposición de ley de amnistía es, también, sumamente variable, porque conecta con la definición de nuestra forma de Estado.

No voy a entrar en la polémica acerca de si nuestro país es un Estado federal o regional, porque se trata de un tema doctrinal que, en la práctica, tiene poca repercusión. Distinguir ambas formas de Estado por el criterio de la soberanía o, de manera distinta, por las competencias, permite avanzar muy poco en un país, como el nuestro, que ha cedido gran parte de su poder a la Unión Europea y que, como todos los que componen nuestro continente, se encuentra inmerso en procesos de creciente globalización. Merece la pena señalar, tan sólo, que la amnistía recibirá distintas valoraciones según se ponga el acento en la unidad o en la diversidad territorial. Mientras que para los defensores de la primera perspectiva la amnistía puede constituir una medida injusta porque favorece a quienes pusieron en tela de juicio la pervivencia de nuestro país, para quienes propugnan la pluralidad puede ser una acción positiva en aras a mantener la convivencia. Como señaló Enoch Albertí en su intervención en esta mesa, la amnistía sería equiparable a la readmisión de los despedidos que, en las huelgas de trabajadores, se pone como condición para seguir negociando con la empresa.

La perspectiva federal fue, precisamente, la que inspiró las intervenciones de Esther Seijas y Tomás de la Quadra. Desde ese punto de vista, cabe opinar que, para salvaguardar la integración, la amnistía no basta. Se puede discutir que sea una medida necesaria, pero está claro que no es suficiente para superar los problemas que soporta nuestra organización territorial. Se ha hablado con insistencia de la reforma del Senado, de la modificación de la financiación de las comunidades, de la necesidad de mejorar las relaciones de ordinación, etc. Algunos, en su momento, fiaron todas estas reformas a la modificación de la Constitución, lo que supuso una apuesta demasiado alta si tenemos en cuenta el clima

---

[1] «Barómetro de 40DB. Un 60 % de los españoles considera que la amnistía es injusta y supone un privilegio», El País, 4 diciembre 2023, visitado 9 mayo 2024.

político que empezaba a gestarse y que no ha cesado de enrarecerse. Mucho más modesto, pero más realista, es proponer que se empiecen a tejer consensos en esos aspectos técnicos que raramente aparecen en las primeras planas de los periódicos porque en esos campos es más difícil que se genere la confrontación ideológica que parece ser el pan nuestro de cada día.

La amnistía y la cuestión territorial

XAVIER ARBÓS MARÍN

Catedrático de Derecho Constitucional. Universitat de Barcelona

Muchas gracias a la organización por invitarme, pero, sobre todo, por la idea de organizar esta jornada, sobre un tema que les confieso no es mi fuerte. Javier García Roca recordaba en su intervención que un análisis jurídico de la ley de amnistía debe centrarse, aunque sea una obviedad, en cuestiones jurídicas, dejando de lado las consideraciones de oportunidad. Estoy totalmente de acuerdo con él, pero me temo que, por seguir el encargo que se me ha hecho, voy a ir más allá de lo que se supone que es propio de un profesor de derecho constitucional. La razón es que, en lo relativo a la distribución territorial de competencias, no veo problema alguno en la proposición de ley orgánica de amnistía. Sí veo problemas de constitucionalidad, pero de eso ya se ha tratado por la mañana y no es procedente que vuelva sobre ello.

Creo que puedo ser más útil si enmarco la proposición de ley orgánica de amnistía para la normalización institucional, política y social en Cataluña (la «ley de amnistía», para entendernos) en la cuestión territorial. Para ello, trataré en primer lugar de delimitar el tema. No tanto por el prurito académico de depurar la terminología, sino porque uno de los problemas de la ley de amnistía es, a mi juicio, que no precisa bien su objeto. Y eso puede ser relevante para su eficacia; esto es, para que alcance los objetivos que aparecen en su título. Más adelante, y, en segundo lugar, les presentaré la tesis que defiendo. Verán ustedes que la voy a acompañar de consideraciones previas algo prolijas, por las que ya les adelanto mis disculpas. Me gustaría que sirvieran para que, si no les convenzo, al menos tengan claro en qué me baso. Al final, mi conclusión será una síntesis de lo que, en mi opinión, podría hacerse para alcanzar lo que la ley de amnistía se propone. Mi referencia esencial estará en la exposición de motivos, donde se aclaran los objetivos de la norma.

I. Cuestión territorial y cuestión catalana

«Cuestión territorial» es una expresión que me parece algo ambigua. En el momento en el que estamos, me parece obvio que la dimensión relevante de los problemas territoriales de España es la catalana, que es por lo que estamos aquí. Les voy a sugerir que, para situarnos, imaginemos una gradación de conflictos entre dos extremos, con grados intermedios. Se los presento de mayor a menor intensidad:

a) El intento de secesión unilateral (que es lo que intentó el «procés»)
b) El proyecto secesionista que **excluye**, de modo más o menos explícito, la unilateralidad: es Esquerra Republicana de Catalunya **después** de la crisis de 2017
c) La reforma del Estatuto catalán de 2006
d) Los conflictos de competencia

Los conflictos de competencia (*d*) no provocan crisis constitucionales, aunque, por su frecuencia, son probablemente un síntoma de que nuestro sistema autonómico necesita ajustes. La reforma del Estatuto catalán (*c*), y la sentencia del Tribunal Constitucional 31/2010, provocaron intensas controversias, con consecuencias políticas indudables a las que luego podemos aludir. Pero la reforma estatutaria no se presentó como un intento explícito de salir del marco constitucional. En esos planos *c* y *d* de la «cuestión territorial» se movían y se mueven muchos tipos de catalanes: desde partidarios de eliminar el autogobierno hasta autonomistas más o menos ambiciosos. El común denominador de todos ellos es doble: la aceptación de la unidad de España y el respeto a las reglas constitucionales, aunque sea para reformar la Constitución misma.

El sector *b*, en la actualidad, incluiría a quienes descartan la unilateralidad de la secesión. Pueden formar parte de él quienes condicionan su proyecto a un acuerdo político con el Gobierno central, aunque no necesariamente a una reforma constitucional previa que dé viabilidad jurídica a la secesión.

Finalmente, el sector *a* es el que acoge a los beneficiarios potenciales de la amnistía. El intento secesionista del otoño de 2017 fue explícitamente inconstitucional y obviamente unilateral. Y me permito insistir en que esa unilateralidad no fue tal únicamente respecto al Gobierno de España, sino también respecto a aquella parte, mayoritaria, del electorado catalán que no votó a partidos secesionistas.

Dicho todo esto, entiendo que ni *b*, ni *c*, ni *d* están en el foco de la amnistía. Este cubre a los que provocaron (y cito de la exposición de motivos según el *Boletín Oficial de las Cortes Generales – Congreso de los Diputados*, del 24 de noviembre de 2024; los destacados son míos) «[U]na **tensión institucional** que dio lugar a la intervención de la Justicia y **una tensión social y política** que provocó la desafección de una parte sustancial de la sociedad catalana hacia las instituciones estatales, que todavía no ha desaparecido y que es reavivada de forma recurrente cuando se manifiestan las múltiples consecuencias legales que siguen teniendo, especialmente en el ámbito penal» (p. 3). «La aprobación de esta ley orgánica se entiende, por tanto, como un paso necesario para superar las tensiones referidas y eliminar algunas de las circunstancias que provocan la desafección que mantiene alejada de las instituciones estatales a una parte de la población» (p. 5).

La ley se propone rebajar la tensión institucional que tuvo como consecuencia («dio lugar a») la intervención de la Justicia y la tensión social y política hacia las instituciones estatales. Para mí, eso es una visión *vertical*, que no tiene en cuenta la dimensión interna, *horizontal*, de la misma sociedad catalana, que estuvo dividida y en tensión en octubre de 2017. Estamos ante una «Proposición de Ley Orgánica de amnistía para la normalización institucional, política y social **en** Cataluña», y, para mí, la pregunta relevante a los efectos de esta parte de la jornada en la que nos encontramos, es qué hay en ella **para** Cataluña. Para Cataluña en su conjunto, como sociedad plural que es.

Trataré de explicarme mejor. Mi impresión es que ni en la gestación de la ley ni en su texto están los medios para mejorar la sociedad catalana. Es decir, la sociedad que forman secesionistas, autonomistas varios y centralistas. Parece como si, ocupándose de los secesionistas, ya se estuviera prestando atención a la sociedad entera.

II.   Tesis: una ley inidónea

En sesiones precedentes, una colega nuestra evocaba los malos momentos que pasó en aquellas fechas de 2017. Yo no puedo decir que tuviera experiencias desagradables, más allá de un par de anécdotas sin importancia. Pero sí tengo claro que, junto a las personas que sufrieron en Cataluña cargas policiales o la acción de la Justicia, en un sector, hubo otras que vivieron la hostilidad de algunos vecinos o familiares por oponerse al intento de secesión unilateral. Al recordarlo, quiero exclusivamente dejar claro que, a mi modo de ver, la ley no propone ni ofrece nada para este sector. En su exposición de motivos no hay ni rastro de autocrítica de los potenciales beneficiarios de la amnistía; es más, a alguno se le ha oído decir que no renuncian a la unilateralidad y que está dispuesto a volverlo a hacer.

Sea lo que sea la «normalización institucional, política y social» en Cataluña, hay que tomar en cuenta también a los catalanes contrarios al *procés*. Esquerra Republicana ha hecho autocrítica y eso ha ayudado realmente a bajar la tensión. Pero estamos hablando de la ley y esa ley no puede pretender normalizar la sociedad catalana si solo atiende a una de sus partes. Con una exposición de motivos en que se reflejara el compromiso de no repetir el *procés* por parte de sus promotores, la oportunidad de la ley hubiera sido más fácil de defender.

Por otra parte, me parece que hay otro elemento que también mueve al escepticismo acerca de la idoneidad de la ley. Hace un momento les recordaba que el *procés* no fue solo un conflicto *vertical*, entre las instituciones del Estado, por un lado, y las instituciones de Cataluña y una parte de su sociedad, por otro. Fue también un conflicto *horizontal*, que enfrentó a sectores de esa misma sociedad. Quiero detenerme un momento en ese plano.

Ese conflicto existió, pero admito que mi convicción deriva de la experiencia personal. Por suerte, disponemos de algún estudio de opinión que nos puede dar pistas algo más objetivas sobre la intensidad del conflicto. Vaya por delante que yo no soy ningún experto y lo que voy a mencionar debe ser tomado *cum grano salis*, no por la falta de rigor del trabajo, sino por mi limitado criterio en estudios sociales. Tras esa debida advertencia, les cito el estudio del *Institut català i internacional per la pau* (ICIP). Su autora es la politóloga Berta Barbet. El título es *Enquesta sobre polarització i convivència a Catalunya 2020*. Importa destacar que las manifestaciones en las que hubo más incidentes violentos en todo el *procés* tuvieron lugar a finales de 2019, tras conocerse la sentencia del Tribunal Supremo en la que se condenaba a penas de cárcel a la mayoría de los líderes secesionistas. Por ello, hay que suponer que en 2020 podían seguir vivas algunas de las emociones que se despertaron tras el veredicto judicial.

Por la encuesta mencionada, sabemos que hace cuatro años el 50,5 % consideraba que la sociedad catalana estaba muy polarizada y que, de todas las cuestiones planteadas, el debate territorial es lo que más polariza: 31 % en favor de la independencia, 12,8 % que preferiría que no hubiera ningún autogobierno. Es decir, aproximadamente el 44 % de los encuestados se situarían en extremos inconciliables. Pueden pensar ustedes que hay asuntos que en una sociedad son inevitablemente polarizadores, pero que eso por sí solo no representa una patología que impida la convivencia civilizada. Yo comparto este punto de vista y por eso creo que tiene mucho interés lo que en ese texto se dice acerca de la «polarización emocional», que es aquella que puede desembocar en lo que se presenta como «maniqueísmo duro»: el bien está de nuestra parte y quienes discrepan de nosotros son malas personas. Si situamos en el desprecio o la baja consideración moral de quienes tienen opiniones contrarias a las que mantenemos en el nivel 1 y en el 10 el respeto y la empatía hacia ellos, los encuestados se ubican en el nivel 8.

Estoy seguro de que la inmensa mayoría de nosotros, si tuviera que contestar a una encuesta parecida, acerca de asuntos que suscitan emociones fuertes, se ubicaría cerca de las posiciones propias del respeto civilizado. A nadie le gusta parecer fanático. Pero, en todo caso, en aquel momento parecía que nada era tan rechazable como para suscitar emociones negativas que llevaran al desprecio o al odio.

Les cuento todo eso para ofrecer una medida de la confrontación que la ley de amnistía quiere contribuir a reparar. Y que me lleva a pensar que tal vez la evolución de las tendencias políticas hubiera, por sí sola, rebajado drásticamente la tensión interna de la sociedad catalana. Ya he mencionado la evolución de ERC y llamo su atención sobre la desmovilización del independentismo, verificable elección tras elección. Creo que se puede decir que, fuera cual fuera la intensidad del conflicto interno en 2020, tres años más tarde había descendido.

Más datos. Les quiero mencionar una información de *La Vanguardia* del 20 de abril de 2024, que encontramos en la página 18. Se refiere a una encuesta de la asociación independentista Òmnium cultural que, con la Assemblea Nacional Catalana, organizó las espectaculares, masivas y pacíficas manifestaciones independentistas del *procés*. Según *La Vanguardia*, en la encuesta se afirma que entre los mayores de 34 años el 34 % es favorable a la independencia, mientras que entre los menores de esa edad el apoyo a la independencia es el 27 %. Pero lo que me parece más significativo es lo que se dice sobre la legitimidad del referéndum unilateral del 1 de octubre de 2017: para el 43 % de los mayores de 34 años fue un acto legítimo, mientras que para los más jóvenes el porcentaje baja al 29 %. Sobre este punto, pues, las nuevas generaciones parecen alejarse del *procés*.

Esta mañana han escuchado magníficas intervenciones acerca de la constitucionalidad de la amnistía. Sin entrar en ese campo, y por lo que les he dicho, habrán visto mis razones para dudar de la ley de amnistía como el instrumento idóneo para solucionar el conflicto catalán en su vertiente interna. Puedo entender que se considere una condición necesaria para la solución de ese conflicto alguna forma de gracia que beneficie a las personas sancionadas por hechos vinculados al *procés*; incluso la amnistía. Pero si ésta se concreta en una ley que no viene acompañada de la renuncia expresa a la unilateralidad, esa omisión muestra que hay una parte en el conflicto que no es tomada en consideración.

No me atrevo a cuantificar esa parte, pero alguna idea nos puede dar el cuadro que sigue, que elaboré yo de forma chapucera con los datos de la encuesta del mes de marzo del instituto de estudios de la opinión pública de la Generalitat.

A favor y en contra de la amnistía, en Cataluña (de mayor a menor apoyo)			
Partido	A favor	En contra	No sabe/ no contesta
CUP	96 %	3 %	1 %
Junts per catalunya	94 %	4 %	2 %
Esquerra Republicana de Catalunya	94 %	6 %	—
En Comú Podem	88 %	6 %	6 %
Partit dels Socialistes de Catalunya	60 %	30 %	10 %
Ningún partido	43 %	43 %	14 %
Partido Popular	20 %	74 %	6 %
Vox	12 %	84 %	4 %
Ciudadanos	—	88 %	12 %
TOTAL CATALUÑA	62 %	29 %	9 %

Fuente: *Baròmetre d'opinió* pública, Centre d'Estudis d'Opinió, 20/03/2024

Cada uno puede sacar sus propias conclusiones. Además de reflexionar sobre esos datos, podemos conservarlos en la memoria mientras contemplamos la campaña electoral para las elecciones autonómicas catalanas del próximo 12 de mayo, en las que, según mi percepción, hasta ahora la amnistía no aparece en primer plano.

Voy a permitirme caracterizar por mi cuenta, y de modo sumario, los perfiles políticos de las personas a las que aludo cuando me refiero a quienes no han sido tenidos en consideración por la ley de amnistía. No conozco estudios que recojan los sentimientos de los momentos cumbre del *procés*, pero seguro que serían de gran interés. Pero, si alguna vez llegan a hacerse, tendrán que considerar que es perfectamente posible que la misma persona que sintió miedo por las leyes catalanas del 6 y 7 de septiembre experimentara rechazo ante las imágenes de la violencia policial del 1 de octubre, incomprensión ante el mensaje del rey del 3 de octubre y pena por la aplicación del artículo 155 de la Constitución el día 27. Lo mismo que podrían darse perfiles más alineados, que creo que estarían en los extremos: miedo o entusiasmo el 6 y 7 de septiembre y apoyo o rabia ante las cargas policiales, el mensaje del rey y el 155.

Los matices pueden multiplicarse, pero se difuminan en la distancia. Y creo que si hemos llegado hasta aquí ha sido porque los grandes partidos (PP y PSOE), en mi opinión, han tenido una política catalana en la que ha primado la estabilidad parlamentaria de sus respectivos gobiernos en los años en los que ésta dependía del nacionalismo gobernante en Cataluña. La conveniencia o inconveniencia de variar el nivel de autogobierno ha dependido de un puñado de votos en el Congreso. Debería buscarlo en las hemerotecas, pero me fío a mi memoria. La reclamación de más del 15 % del IRPF, abanderada por Convergència i Unió, se salía de la Constitución, hasta que el PSOE perdió la mayoría absoluta. Entonces resultó posible el 30 %. El señor Aznar hablaba catalán en la intimidad, pero, con mayoría absoluta del PP, la pretensión de que la comunidad autónoma y su emblema apareciera en las placas de matrícula se convirtió en un problema de «chapitas». Y hace poco, vimos con sorpresa que el uso de lenguas españolas distintas del castellano en el Congreso, algo que parecía imposible en la legislatura anterior, se convierte en algo aceptable.

Con esos ejemplos, que para algunos son anécdotas, pero para mí son síntomas, la conclusión a la que han llegado muchos autonomistas es que, para ver satisfechas sus ambiciones, es mejor apoyar a los que mantienen el programa más radical en Cataluña. Porque si sus reivindicaciones entran o no en la Constitución o en el Reglamento del Congreso ya parece secundario. La autonomía es menos un derecho constitucional (y lo es; recuerden el artículo 2) que una concesión que hay que arrancar poco a poco en momentos de debilidad política de quien gobierne en Madrid. Sube el independentismo en flecha en los dos años siguientes a la sentencia del Tribunal Constitucional, años en los que no conozco en Cataluña a ningún independentista que dejara de serlo, y sí a muchos federalistas o autonomistas que se convirtieron en independentistas. No estoy de acuerdo con ellos, pero puedo entenderlos.

Los problemas de fondo de la sociedad catalana subsistirán mientras una parte de la misma desconfíe de la otra y esa otra no se fíe del Estado. Los primeros temerán que vuelva a resurgir el unilateralismo y a los segundos les preocupará que se emplee de nuevo la represión policial y judicial.

III. Conclusión: política constitucional

No quiero alargarme mucho más, pero no puedo terminar sin mirar al futuro, para que nos ahorremos otra crisis como la que hemos tenido. En ella hemos visto una reacción defensiva para salvaguardar el orden constitucional: la aplicación del artículo 155. Creo que hace falta, por parte de cualquier Gobierno de España, una actitud proactiva y no solo reactiva para defender la Constitución. Hace falta una política pública a la que llamaré, a falta de una expresión mejor, una *política constitucional*. Vaya por delante que esa política pública puede variar, como es lógico, de acuerdo con la ideología de quien gobierne. Pero incluso si se quiere reformar el orden constitucional hay que velar por la eficacia normativa de la Constitución que exista en cada momento; ese es el objetivo de una política constitucional. Tanto más cuanto que la Constitución que tenemos no contiene ninguna cláusula de intangibilidad. Ahí, que conste, coincido con la interpretación del Tribunal Constitucional y discrepo de algún admirado amigo y colega.

Si la nuestra no es una democracia militante, como también ha dicho el Tribunal Constitucional, y la Constitución es reformable, lo mínimo de cualquier política constitucional que quiera reforzar la legitimidad del orden constitucional es recordar esos rasgos. Caben en ella todas las ideas y todos los proyectos, pero solamente pueden aceptarse los cambios que discurran según las reglas previstas para ello. Por supuesto, junto a ese mínimo, cada partido gobernante puede tener, además, una política constitucional propia. Pero sea, cual sea, debe desplegarla territorialmente.

Para el caso catalán, que es el que nos ocupa, tengo alguna idea de lo que podría hacerse. Se ha dicho a menudo que la diversidad de España debería hacerse más visible en las instituciones estatales. Yo voy a centrarme más en hacer visible el Estado en Cataluña. Hay una faceta obvia: infraestructuras e inversiones son ejemplos claros, como podría ser uno de ellos el establecimiento de sedes institucionales de autoridades independientes en Cataluña. Todo eso tiene una dimensión tangible y es bienvenido. Pero hay otra faceta distinta, que es la que me interesa destacar. El Estado tiene que estar en condiciones de tener una presencia en los medios de información catalanes. Eso significa que el delegado del Gobierno en Cataluña debe ser una persona de alto nivel político, que tenga ya el contacto de los principales actores políticos y sociales de Cataluña. También quiere decir que cualquier cosa de las que en Cataluña atribuimos «a Madrid» pueda ser defendida y discutida en Cataluña en castellano y en catalán por alguien que represente a la Administración General del Estado. Sobre todo, no dejarlo en manos del partido gobernante en Madrid o de sus homólogos en Cataluña; las instituciones son, y deben parecer, más importantes que los partidos. Si en Cataluña se critican las partidas para Cataluña en los presupuestos generales del Estado, la primera reacción debe tener lugar desde Cataluña, en castellano y catalán. Eso sí, no como mera transmisión de un argumentario, sino con ruedas de prensa, preguntas incómodas incluidas. Idealmente, y lo digo con plena conciencia de las dificultades normativas que comporta, representantes de la Delegación del Gobierno deberían poder comparecer ante el Parlamento de Cataluña para poder informar, recibir críticas y responderlas.

Con eso no se producirán milagros. No desparecerá de la noche a la mañana el deseo de independencia. Incluso puede aumentar, si quien representa al Estado en Cataluña es una persona políticamente torpe que crea que su cargo es una prebenda que hay que ejercer pasando desapercibida. El orden constitucional se defiende mejor con diálogo y transparencia que con imposición. Y recordando que tan constitucional es el principio de unidad como el derecho a la autonomía.

La ley de amnistía en el contexo del conflicto de Cataluña

ENOCH ALBERTÍ ROVIRA

Catedrático de Derecho Constitucional. Universitat de Barcelona

I. La amnistía en su contexto

Quisiera señalar en primer lugar el acierto que, a mi juicio, representa incluir en esta jornada sobre la futura ley de amnistía una mesa de debate que lleva por título «Ley de amnistía y cuestión territorial». Porque es obvio que esta proposición de ley —hoy pausada en el Senado pero que, de no ocurrir nada extraordinario, va a ser aprobada definitivamente en el Congreso— no se explica y no tiene sentido si no es en el contexto del conflicto de Cataluña, que se ha manifestado de manera especialmente intensa en los últimos diez años. Así se muestra, claramente, por su objeto —las acciones sancionadas o sancionables en el terreno penal, administrativo y contable que se produjeron especialmente con ocasión de la consulta de 2014 y del referéndum de 2017, pero más ampliamente en el marco del llamado proceso soberanista o independentista catalán—; por su finalidad —que la propia proposición de ley en su preámbulo explicita sintéticamente como «un paso necesario para superar las tensiones referidas y eliminar algunas de las circunstancias que provocan la desafección que mantiene alejada de las instituciones estatales a una parte de la población»—; y también, por supuesto, por sus efectos, pues es claro que la ley de amnistía no va a ser inocua respecto del conflicto territorial catalán sino que constituye un hecho destinado a tener una incidencia en el mismo, del modo que intentaré analizar después, como también incidiría, de una manera distinta, el hecho de proseguir y mantener la persecución penal de las acciones que van a quedar finalmente amnistiadas.

La finalidad de mi intervención es precisamente la de plantear algunos elementos de reflexión al hilo de esta conexión entre la futura ley de amnistía y su contexto en el conflicto catalán. No entraré, por tanto, en las cuestiones relativas a la conformidad de la ley con la Constitución, el derecho comunitario europeo o el derecho internacional de derechos humanos, ni tampoco sobre los aspectos de técnica penal y procesal que pueda presentar la ley, cuestiones todas ellas que han sido tratadas ya en las mesas anteriores.

La primera de estas reflexiones es que, a mi entender, la situación que se produce con la actual ley de amnistía guarda alguna semejanza con la de los despedidos en una huelga. En efecto, en cualquier conflicto laboral que haya alcanzado una cierta intensidad y en cuyo desarrollo se hayan producido despidos y sanciones, la primera cuestión que siempre se plantea es la relativa a la readmisión de los despedidos y el levantamiento de las sanciones. No es ésta la solución del conflicto, pero sí una reivindicación nueva y autónoma, surgida al socaire de los acontecimientos, que se convierte en una condición o presupuesto para poder abordar y resolver el conflicto original, en el sentido que sea. Desde luego, no cabe llevar las semejanzas mucho más lejos, pero sí conviene notar que, en general, estos conflictos no solo no se resuelven hasta que se llega a un acuerdo sobre esta cuestión, sino que este nuevo elemento, que adquiere sustantividad y trascendencia propias, puede influir significativamente en el desarrollo de los hechos posteriores respecto del litigio de fondo.

El *símil de los despedidos* sirve, creo, para ilustrar la conexión general que puede establecerse entre la amnistía y el problema de fondo en cuyo contexto surge: la ley de amnistía no resuelve el conflicto de Cataluña, pero despeja el terreno y facilita que pueda abordarse en unas condiciones mucho más tranquilas y adecuadas. En este sentido, la ley de amnistía se sitúa en la misma senda que trazaron ya los indultos de 2021 y la reforma del Código penal de 2022, cuyas limitaciones pretende superar, extendiendo y profundizando sus efectos.

Esta línea de respuesta contrasta vivamente con la utilizada por el Estado —especialmente el Gobierno—hasta el año 2019 para afrontar el conflicto de Cataluña, conflicto que, a mi juicio, supone una auténtica crisis constitucional, que no se ha podido resolver ni por vía judicial ni por la imposición unilateral, como intentaré mostrar a continuación.

II. El conflicto de Cataluña como crisis constitucional

La situación producida en Cataluña, a partir del año 2014 especialmente, puede calificarse, efectivamente, como una auténtica crisis constitucional. Esta es la calificación que, sostenida por unos aunque discutida por otros, creo que hay que aplicar a los acontecimientos que tuvieron lugar a partir de esa fecha. En efecto, la consideración en conjunto de la situación producida arroja pocas dudas sobre la cuestión. Así, y solo para señalar los hitos más importantes de este proceso, hay que destacar, en primer lugar, la celebración de una consulta popular sobre el futuro político de Cataluña (con una pregunta dual, sobre la constitución de Cataluña en un estado y sobre su carácter independiente, convocada, primero, por Decreto 129/2014, de 27 de septiembre, y después, tras su suspensión por el Tribunal Constitucional, como «proceso de participación ciudadana»), que, a pesar de su impugnación por parte del Gobierno y su consiguiente suspensión automática por el Tribunal Constitucional, acabó produciéndose el 9 de noviembre de 2014; en segundo lugar, la celebración del referéndum del día 1 de octubre de 2017 (con una pregunta sobre la constitución de Cataluña en un estado independiente bajo la forma de república), a pesar de la suspensión previa por el Tribunal Constitucional de la ley de referéndum aprobada por el Parlament de Cataluña y del Decreto de convocatoria del mismo, producida en virtud de las impugnaciones del Gobierno; en tercer lugar, la aprobación por el Parlament de Cataluña de una «Ley de transitoriedad jurídica y fundacional de la República», suspendida primero y anulada después por el Tribunal Constitucional, al igual que las leyes anteriores sobre las consultas populares y el referéndum; en cuarto lugar, la declaración de independencia aprobada por el Parlament de Cataluña el 27 de octubre de 2017, anulada por el Tribunal Constitucional en incidente de ejecución de la Sentencia del propio Tribunal que había anulado previamente la Ley del referéndum de autodeterminación (STC 114/2017). A su vez, es también indicativo de una situación excepcional de crisis el uso por parte del Gobierno de los poderes extraordinarios previstos en el artículo 155 CE, en virtud de los cuales se disolvió anticipadamente el Parlament de Cataluña, convocando nuevas elecciones al mismo, y se destituyó al President y a los miembros del Gobierno de la Generalitat, asumiendo sus funciones el Gobierno estatal hasta la constitución de un nuevo Gobierno en Cataluña. Acciones y medidas, como se ve, todas ellas excepcionales, que expresan lo que resulta, a mi juicio, más significativo y relevante en este conflicto: la quiebra del consenso constitucional sobre el modelo territorial en su aplicación a Cataluña.

Esta, la desaparición en Cataluña del consenso constitucional sobre el que se fundamentaba la configuración de Cataluña como Comunidad Autónoma integrada en el sistema autonómico español, es una cuestión que conviene considerar seriamente. En efecto, la Constitución de 1978 se aprobó en Cataluña con un 90,5 % de votos favorables en el referéndum del 6 de diciembre de 1978, con una participación del 67,9 % del censo electoral, dando lugar a un nivel de aprobación mayor del que se produjo en el conjunto de España, cuyos votos afirmativos representaron el 87,8 % de los votantes, y éstos el 67,1 % del censo. Este amplio consenso constitucional se prolongó con el Estatuto de Autonomía de 1979 (aprobado en referéndum con un 88,2 % de votos favorables y una participación del 59,7 % del censo) y también, aunque en menor medida, con el Estatuto de 2006 (aprobado en referéndum con un 73,2 % de votos afirmativos con una participación del 48,9 %). Estos datos ponen de manifiesto que existía, al menos hasta el año 2006, un amplio, aunque decreciente, consenso constitucional sobre la Constitución y el Estatuto de Autonomía, que dan forma al autogobierno de Cataluña. Y revelan también dos circunstancias de interés: primero, la Constitución, en 1978, con un proyecto futuro de autogobierno prácticamente por estrenar y con un amplio potencial de desarrollo, recibió en Cataluña una aprobación mayor que en la mayoría de territorios españoles; y segundo, que el nivel de aprobación popular fue disminuyendo, aun manteniéndose como mayoritario, a medida que se iba concretando y desarrollando el proyecto autonómico, con la aprobación de las dos normas básicas que concretan el autogobierno de Cataluña y lo configuran en términos competenciales e institucionales.

Este consenso básico sobre la configuración del autogobierno desaparece a partir de 2010. Así lo revelan también algunos datos básicos, como los relativos, en primer lugar, a la composición de las mayorías parlamentarias surgidas de las elecciones al Parlament de 2010, 2012, 2015, 2017 y 2021. En todas ellas, como se puede observar en el cuadro adjunto, suman más votos y escaños los partidos que forman el llamado bloque soberanista, que llevan en sus programas propuestas que, de un modo u otro, salen del marco constitucional vigente. Solo en las recientes elecciones de mayo de 2024 este conjunto de partidos ha quedado por debajo de la mayoría de votos y de escaños, aunque conservando una fuerza muy notable.

Resultados electorales Parlament de Catalunya (2010-2024)

	2010		2012		2015		2017		2021		2024	
	% votos	Esc.	% votos	Esc.	% votos	Esc.	% votos	Esc.	% votos	Esc	% votos	Esc
CiU-Junts	38,4	62	30,7	50	39,6	62	21,6	34	20,1	32	21,6	35
ERC	7	10	13,7	21			21,4	32	21,3	33	13,7	20
CUP	3,3	4	3,4	3	8,2	10	4,5	4	6,7	9	4,1	4
Al Cat											3,8	2
Total	*48,7*	*76*	*47,8*	*74*	*47,8*	*72*	*47,5*	*70*	*48,1*	*74*	*43,2*	*61*
PSC	18,4	28	14,4	20	12,7	16	13,9	17	23,3	33	28	42
IC-V (ECP,CS)	7,4	10	9,9	13	8,9	11	7,5	8	6,8	8	5,8	6
Ciudada-nos	3,4	3	7,6	9	17,9	25	25,3	36	5,6	6	0,7	0
PP	12,4	18	13	19	8,5	11	4,2	4	3,8	3	11	15
VOX									7,7	11	8	11

Parlament: 135 escaños. Mayoria absoluta: 68 escaños

Por otro lado, y en el mismo sentido, las encuestas realizadas en este período muestran también la desaparición en Cataluña del consenso constitucional sobre el modelo territorial, ilustrando de forma empírica la percepción expresada por el president Montilla sobre la *desafección* de la población. Los sucesivos barómetros del *Centre d'Estudis d'Opinió*-CEO (hay que notar que el CIS dejó de preguntar sobre el nivel de aprobación de la Constitución a partir de 2012) manifiestan con claridad en Cataluña la pérdida de apoyo popular a la Constitución y al modelo territorial que se ha desplegado a partir de su aprobación. Así, en el último barómetro conocido con preguntas sobre la cuestión (octubre de 2023), solo un 21 % de los encuestados votaría en la actualidad a favor de la Constitución, mientras que un 42 % lo haría en contra, un 14 % en blanco o nulo y un 16 % no iría a votar. Ésta no es una respuesta aislada, fruto de unas circunstancias temporales o especiales. En efecto, en los sucesivos barómetros desde 2015 hasta 2024, en la pregunta recurrente sobre la preferencia por la configuración político-institucional de Cataluña (como región de España, comunidad autónoma, estado dentro de una España federal o estado independiente), las opciones preferidas, invariablemente —aunque con diversos porcentajes— son aquellas que se sitúan fuera del marco constitucional y suponen un mayor nivel autogobierno (estado independiente y estado dentro de un estado federal español), como se observa en el cuadro que figura a continuación.

Pregunta de los Barómetros CEO sobre las preferencias de las relación
Cataluña-España

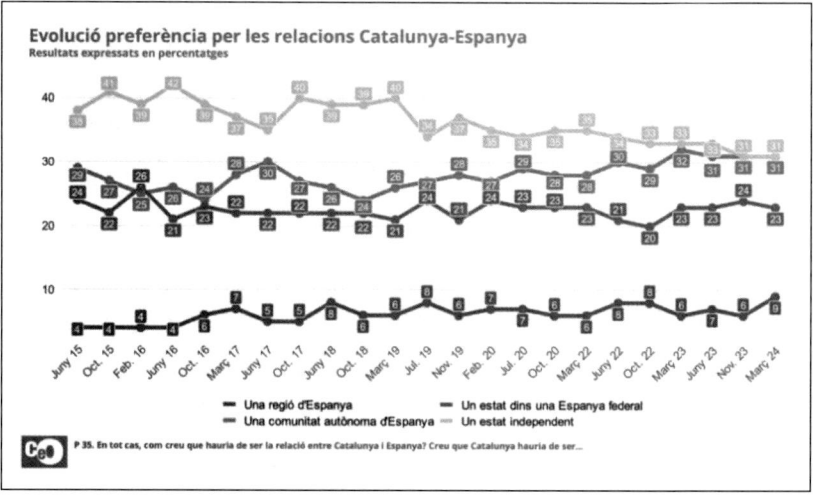

Puede hablarse, pues, de crisis constitucional —manifestada a través de las acciones de las instituciones, las posiciones de los partidos políticos y la opinión de los ciudadanos—, pero no es menos cierto que no existe un diagnóstico común o compartido acerca de ella. No es éste el momento de analizar esta cuestión con detenimiento, pero sí creo que pueden hacerse algunas consideraciones generales en torno a ella. Desde luego, en primer lugar, no se trata, o al menos no solo, de un problema ordinario relativo al funcionamiento o incluso al diseño inicial del Estado autonómico, sino más bien de una confrontación entre dos visiones de la unidad estatal [la unidad en términos uniformistas o pluralistas; incluso, si se prefiere, la España vertical y la España horizontal, en expresión de García Cárcel (2002); o, de alguna manera también, las dos visiones enfrentadas de España de Ortega y Gasset (1964)], que la Constitución de 1978 pareció armonizar, pero cuyo desarrollo político e institucional ha situado claramente en posiciones antagónicas.

Ese puede ser el marco general que explique la actual crisis constitucional, pero, a su vez, en segundo lugar, hay causas próximas que la han desencadenado. Y entre ellas destaca, a mi juicio, el fracaso del nuevo Estatuto de Autonomía de Cataluña de 2006. La magnitud del fracaso de un proyecto debe medirse por el alcance de los objetivos y de las finalidades que perseguía y, también, por la altura de las esperanzas depositadas en él. Y, en este sentido, cabe resaltar que el nuevo Estatuto de 2006 suponía, en pocas palabras, el intento de renovación del pacto constitucional sobre la posición de Cataluña en el Estado, después de una experiencia de desarrollo autonómico de casi 30 años en la que se habían manifestado muchos problemas, de índole diversa (de protección de la identidad —especialmente lingüística—, competenciales, de financiación, de relación con el Estado), sin hallar vías adecuadas de solución: ni una «relectura» de la Constitución o del bloque la constitucionalidad, como se propuso en un primer momento por una parte de la doctrina y de las fuerzas políticas catalanas; ni la reforma constitucional, políticamente imposible dada la creciente hostilidad entre los dos principales partidos políticos españoles y el uso que se ha hecho de la «cuestión catalana», y después incluso de la propia Constitución, como campo de batalla electoral; ni, tampoco, un cambio de las prácticas políticas relativas al Estado autonómico y la relación entre el Estado y las Comunidades, y Cataluña en particular, por los mismos motivos anteriores y por la consolidación de una comprensión de la igualdad territorial en términos uniformistas y absolutamente contrarios a cualquier tipo de diferenciación o particularización.

En cambio, el modelo territorial español de 1978, muy complejo pero también muy flexible en su diseño, permite una vía por la que se puede incidir en la configuración de una comunidad sin necesidad de modificar el sistema general: el Estatuto de Autonomía. Y por esta vía, finalmente, se intentó la actualización en Cataluña —y también en otras comunidades que reformaron profundamente sus Estatutos de Autonomía, en términos muy parecidos— del pacto territorial de 1978. Los estatutos de autonomía, como normas estatales que se elaboran y se aprueban con la necesaria participación y acuerdo de las comunidades respectivas, pueden configurar importantes elementos del régimen competencial, institucional, relacional y financiero de la comunidad, partiendo únicamente del respeto del marco constitucional, sin necesidad de ajustarse a un molde concreto, general y predeterminado. En ello reside, precisamente, la esencia del Estado autonómico, que permite, a través de esta norma singular que complementa la Constitución para crear y configurar cada comunidad y que forma parte del bloque de la constitucionalidad, una considerable flexibilidad en la determinación de las competencias y del régimen de cada comunidad. Y ésta es, precisamente, la vía que se utilizó para la actualización del pacto territorial, treinta años después del primero y fundacional. Treinta años que, curiosamente, coinciden básicamente con el período temporal que Sièyes, en 1789, defendía para revisar la Constitución (33 años, en concreto, que se correspondía con la vida media de una persona en su época) y son bastantes más de los que sostenía Jefferson que debía durar la vigencia de una Constitución (19 años, que se correspondía a una generación), que, según su conocida expresión, debía pertenecer a los vivos, sin que las generaciones pasadas ataran a las futuras. Aunque tiene sólidas raíces filosóficas, es difícil compartir esta concepción de la vigencia a término de las Constituciones y muy especialmente estos concretos límites temporales, pero incluso Madison, en su respuesta a la propuesta de Jefferson para establecer una vigencia limitada de la Constitución, reconocía que la supervivencia de una forma de gobierno depende de la utilidad que ofrezca a las generaciones futuras. Conviene traer esto a colación, simplemente para resaltar la necesidad de adaptar las normas constitucionales, incluidas especialmente las relativas a la constitución territorial, a los nuevos tiempos y sus nuevas circunstancias y requerimientos.

La reforma estatutaria de 2006 no era una reforma constitucional, pero sí una vía adecuada para actualizar el pacto territorial dentro del modelo general establecido en 1978 y superar algunos de los problemas y deficiencias que habían mostrado treinta años de experiencia de autogobierno, dentro de un concreto desarrollo del Estado autonómico. El recurso a esta vía encerraba las dos ideas clave con las que se orientó la reforma: debía producirse dentro del marco general establecido por la Constitución de 1978, en primer lugar; y, en segundo lugar, podía adoptar, en este marco, soluciones distintas a las producidas hasta el momento, aprovechando la flexibilidad constitucional y el papel complementario del estatuto. Y con este espíritu se aprobó finalmente, después de un largo y difícil recorrido, el nuevo texto estatutario, mediante el acuerdo del Parlament de Cataluña y de las Cortes Generales y la ratificación posterior en referéndum de la ciudadanía catalana. Como he dicho en alguna otra ocasión, no resulta excesivamente aventurado suponer que este nuevo pacto territorial hubiera permitido establecer un estatus para Cataluña estable y suficientemente satisfactorio, al menos como lo había hecho el de 1979.

Sin embargo, esta operación de reforma territorial limitada, a través de la modificación de uno de los elementos básicos del bloque la constitucionalidad, fracasó. Los motivos hay que buscarlos en la fuerte contestación política que suscitó en uno de los partidos estatales principales, el Partido Popular, en aquél momento en la oposición parlamentaria y que no participó en el acuerdo sobre el nuevo Estatuto ni en el Parlament ni en las Cortes Generales, y en la STC 31/2010, de 28 de junio (principalmente, pues habría que sumar las otras dictadas en los demás recursos presentados contra el nuevo Estatuto), que lo desposeyó prácticamente de valor vinculante para el Estado. Porque la verdadera importancia de esta sentencia, a mi juicio, no reside tanto en las disposiciones estatutarias declaradas inconstitucionales y, en consecuencia, nulas (14, de distinta envergadura, sobre las 245 que contiene el Estatuto, y las 114 que fueron impugnadas por el Grupo Popular del Congreso), sino en el hecho de que, a través de declaraciones interpretativas —algunas llevadas al fallo de la sentencia, otras no, pero que acaban formando parte igualmente de la doctrina del Tribunal—, se priva al Estatuto de prácticamente cualquier valor vinculante para el Estado. No se trata ahora de profundizar sobre esta cuestión y sus implicaciones doctrinales, sino, simplemente, de notar que con esta decisión se dejaban sin efecto (o al menos sin efecto obligatorio) los compromisos del Estado en el nuevo pacto territorial que se había alcanzado. El Estatuto perdía su condición de complemento de la Constitución y sus efectos vinculantes se desplegaban solo con respecto a la Comunidad.

Este fracaso político y jurídico tuvo continuidad en la situación producida después de la STC 31/2010, en la que siguió vigente un Estatuto distinto, en parte de su contenido y en el conjunto de su finalidad, del que se había aprobado por los parlamentos catalán y estatal y había sido ratificado en referéndum. Porque, a pesar de la resolución del Tribunal Constitucional, el Estado hubiera podido ajustar políticamente su actuación a los criterios establecidos en el Estatuto, adecuando la legislación que tenía libertad para aprobar y modificar a las previsiones estatutarias (en materia por ejemplo de Administración de Justicia, de ejercicio de las competencias o de financiación) y, sobre todo, hubiera debido cumplir con aquellas previsiones que no habían sido declaradas inconstitucionales (como por ejemplo las relativas a determinadas formas de participación de la Comunidad en el Estado o a la gestión tributaria en Cataluña). Sin embargo, nada de ello ocurrió y el nuevo Estatuto resultó prácticamente irrelevante en la configuración del autogobierno de Cataluña y en su relación con el Estado.

Si, en el modelo territorial de 1978, el estatuto de autonomía expresa el acuerdo entre el Estado y la comunidad sobre la configuración de su autogobierno dentro del marco constitucional —cuestión que se refleja

en su procedimiento de aprobación y reforma y en su especial rigidez—
y es la norma institucional básica de la comunidad (art. 147.1 CE), puede decirse que su invalidación por el Tribunal Constitucional, en los
términos que se han apuntado, produjo una situación de vacío, con un
pacto político roto que no fue sustituido por otro y con una norma que
quedó sustancialmente disminuida. Los vacíos tienden a llenarse, y este
vacío, que no ha sido cubierto ni desde un punto de vista político ni jurídico, se ha intentado llenar, por parte de la Generalitat, con propuestas
diversas que han derivado hacia acciones unilaterales (la propuesta de
pacto fiscal, en un primer momento; el derecho a decidir, con una consulta y un referéndum unilaterales, después; y una fallida declaración
unilateral de independencia, finalmente); y, por parte del Estado, esencialmente, con la defensa del *statu quo* y una actitud de reacción ante las
acciones provenientes del Gobierno de la Generalitat y de su Parlament
—especialmente mediante instrumentos judiciales—, sin formular, sin
embargo, ninguna propuesta política para intentar colmar el vacío producido. Al final, esta situación ha derivado en un conflicto abierto entre
las dos partes y las respectivas fuerzas mayoritarias en ambos lados, sin
cauce adecuado para su resolución.

III. Las vías de resolución de conflictos y el previsible papel
de la amnistía

Es bien conocido que los conflictos territoriales —y también los conflictos en general— pueden resolverse acudiendo fundamentalmente a
tres vías distintas: la decisión judicial, esto es, por una instancia independiente que aplica reglas de Derecho; por la imposición unilateral o forzosa de una parte sobre la otra; o bien por la negociación entre las partes
implicadas, a la búsqueda de una solución que sea satisfactoria para todas ellas. Naturalmente, las tres no son excluyentes y pueden intentarse,
incluso simultáneamente, en el mismo conflicto. Y así ha ocurrido en el
caso de Cataluña, aunque su uso respectivo ha presentado intensidades
distintas en sus diversas fases o momentos.

La vía judicial, en primer lugar, ha tenido un protagonismo especial
a lo largo de todo el desarrollo del conflicto, a través del Tribunal Constitucional y de los tribunales penales. Cabe notar de entrada que el Tribunal Constitucional fue reforzado enormemente en sus poderes de vigilancia y ejecución de sus propias resoluciones en los momentos
iniciales del conflicto (Ley Orgánica 15/2015, de 16 de octubre, de refor-

ma de la LOTC), precisamente con la vista puesta en este conflicto, como se desprende con claridad de los debates parlamentarios de dicha ley. Esta reforma confirió al Tribunal facultades para controlar, incluso de oficio, el cumplimiento de sus resoluciones y adoptar medidas de ejecución a este fin, entre las cuales destacan las multas coercitivas, la ejecución sustitutoria con el auxilio del Gobierno o incluso la suspensión de «autoridades o empleados públicos de la Administración responsable del incumplimiento» (art. 92.4.b LOTC), así como también la notificación personal de sus resoluciones a autoridades y empleados públicos y la deducción de testimonio a particulares para exigir, en su caso, responsabilidades penales. Con carácter general, esta reforma de la LOTC de 2015 atribuye al Tribunal Constitucional la facultad de disponer en sus resoluciones quién ha de ejecutarlas y las medidas para ello, así como la de resolver de forma expeditiva las incidencias que se produzcan en su ejecución (art. 92.1 LOTC). Y cuando se trata de resoluciones que acuerden la suspensión de actos o disposiciones puede adoptar, de oficio o a instancias del Gobierno, «las medidas necesarias para asegurar su debido cumplimiento, sin oír a las partes», medidas que deberán, tras la audiencia posterior de las partes y del Ministerio Fiscal, ser ratificadas o levantadas (art. 92.5 LOTC).

Como se ve, se trata de facultades de ejecución sin parangón en el derecho comparado que, aunque fuera confirmada su constitucionalidad (SSTC 185/2016 y 215/2016) y no dictaminadas desfavorablemente por la Comisión de Venecia (Dictamen 827/2015), fueron objeto de unos durísimos votos particulares en el seno del propio Tribunal y de crítica y prevención por la Comisión de Venecia, que explícitamente dijo en sus conclusiones que, aunque tal regulación no contravenía ningún estándar europeo, porque no había ninguno, no recomendaba la atribución de poderes de ejecución a los tribunales constitucionales. Aprobada la reforma de la LOTC de 2015, estos poderes se unieron a las facultades de las que ya disponía el Tribunal Constitucional desde su origen para intervenir en los conflictos territoriales, muy especialmente a la de suspender, automáticamente, las disposiciones y actos de todo tipo adoptados por las Comunidades Autónomas a partir de la simple petición del Gobierno en el momento de impugnarlos. El Tribunal Constitucional, así, se ha configurado como un órgano especialmente potente para intervenir en los conflictos territoriales y, específicamente, en el conflicto de Cataluña.

Y, pertrechado con estos poderes, efectivamente, el Tribunal Constitucional fue llamado a intervenir para suspender y anular prácticamente todas las actuaciones del Parlament y del Gobierno de Cataluña relacionadas con el llamado proceso soberanista. Así, la larga lista de impugnaciones incluye la práctica totalidad de las actuaciones legislativas y gubernamentales catalanas orientadas a la celebración de la consulta del 9 de noviembre de 2014 o del referéndum del 1 de octubre de 2017, incluyendo las previsiones presupuestarias para ello, así como las que tenían por finalidad la creación de las denominadas «estructuras de Estado» y la transitoriedad jurídica y la fundación de una República catalana. Pero no solo se impugnaron ante el Tribunal Constitucional actos legislativos y administrativos, sino también resoluciones políticas aprobadas por el Parlamento y actos de tramitación parlamentaria, como la convocatoria de sesiones, la admisión a trámite de iniciativas legislativas, la celebración de debates y la votación de informes en el seno de comisiones de estudio. Y, a partir de estas impugnaciones, el Tribunal ha empleado gran parte de la extensa batería de medios a su disposición: la suspensión de los actos impugnados (no solo en virtud de la facultad del Gobierno de suspender automáticamente los actos recurridos, sino en ocasiones también como medidas cautelares en procesos de amparo interpuestos por parlamentarios autonómicos); la anulación por inconstitucionalidad de las actuaciones impugnadas, a veces a través de incidentes de ejecución de resoluciones anteriores; la imposición —y posterior levantamiento— de multas coercitivas; la notificación personal de sus resoluciones, con advertencias y apercibimientos de responsabilidades en caso de incumplimiento, incluidas las penales, dando cuenta en ocasiones al Ministerio fiscal. En esta extensa intervención, en cambio, en lo que probablemente constituya un signo de autocontención del Tribunal, quedaron inéditos alguno de los poderes que la Ley Orgánica 15/2015 le había otorgado, y, de manera particular, la de suspender cargos públicos que se resistieran al cumplimiento de sus resoluciones.

Con esta amplísima apelación a intervenir, se colocó al Tribunal Constitucional en una posición central en el conflicto de Cataluña, convirtiéndose en un actor con un acusado protagonismo, con un papel activo de primer orden, que en muchas ocasiones tenía lugar, además, con una gran inmediatez a los acontecimientos, debido especialmente a los poderes suspensivos de que gozaba.

La intervención del Tribunal Constitucional, sin embargo, no es la única de carácter judicial que se ha producido en este conflicto. A ella hay que añadir la de los tribunales penales que, a instancias del Ministerio fiscal o de la acción popular ejercida por algunos grupos políticos, han abierto numerosas causas por hechos relativos a lo que hemos denominado en general *proceso soberanista*, algunas ya concluidas, muchas con sentencias condenatorias, y otras pendientes aún, con o sin medidas cautelares, que han sido también profusamente utilizadas en estos procedimientos y que han tenido efectos muy notables, no solo sobre la libertad de los encausados sino también sobre sus derechos políticos e incluso la situación política general, incluyendo el proceso de investidura del Gobierno de la Generalitat. Además, a los procedimientos penales hay que añadir los de carácter contable, autónomos o a partir de una responsabilidad penal previamente declarada, muchos de los cuales se encuentran aún pendientes de resolución definitiva.

La magnitud de esta respuesta penal se expresa tanto por el número y la condición de los encausados como también por los delitos imputados. Así, han sido procesados tres presidentes de la Generalitat, diversos miembros del Gobierno, dos presidentes del Parlament y otros miembros de la Mesa y diputados/as, diversos altos cargos gubernamentales y administrativos, más de 70 alcaldes, varios dirigentes de organizaciones sociales y numerosos activistas y manifestantes. El abanico de delitos imputados, por su parte, abarca los de rebelión, sedición, terrorismo, organización criminal, malversación de fondos públicos, desórdenes públicos y desobediencia, entre los más significativos, habiéndose producido condenas, hasta el momento, por sedición, malversación de fondos públicos, desórdenes públicos y desobediencia.

La acción penal ha tenido también una notable dimensión internacional, ocupando un lugar destacado la emisión de varias órdenes europeas de detención, que han sufrido diversas vicisitudes y que, hasta el momento, han resultado fallidas, bien por haberse retirado alguna de ellas o por haberse resuelto en contra por parte de los tribunales de los países receptores. Hay que destacar también en este plano que gran parte de los procesos penales que han finalizado con condenas han sido objeto de demandas ante el Tribunal Europeo de Derechos Humanos por violación de distintos derechos del Convenio de Roma, entre los que destacan el derecho a un proceso equitativo, la libertad de expresión, la libertad de reunión y de manifestación y el derecho a la libertad y a la seguridad, sin que, hasta el momento, el Tribunal de Estrasburgo se haya pronunciado sobre ellas. Sí lo han hecho en cambio el Comité de Derechos Humanos y el Grupo de Trabajo sobre Detención Arbitraria de la Comisión de Derechos Humanos, ambos de Naciones Unidas, respecto de alguna de las comunicaciones recibidas de algunos procesados, denunciando la violación de alguno de los derechos reconocidos en el Pacto Internacional de Derechos Civiles y Políticos de 1966. En este sentido, hay que notar que el Grupo de Trabajo ha considerado, en dos ocasiones, que la privación inicial de libertad de los denunciantes —responsables políticos y activistas sociales que habían sido detenidos y posteriormente encausados y sometidos a prisión provisional— había constituido una detención arbitraria que entrañó la violación de los derechos reconocidos en la Declaración Universal de Derechos Humanos (art. 18 a 21) y en el Pacto Internacional de Derechos Civiles y Políticos (art. 19, 21, 22 y 25) (Opiniones 6 y 12/2019, aprobadas el 25 y 26 de abril, respectivamente, de 2019 por el Grupo de Trabajo sobre la Detención Arbitraria del Consejo de Derechos Humanos). Por su parte, el Comité de Derechos Humanos ha dictaminado que la suspensión de los diputados catalanes autores de la comunicación dirigida al Comité, en virtud de su procesamiento por un presunto delito de rebelión —que terminó en condena por sedición—, vulneró su derecho a la participación política, reconocido en el art. 25 PIDCP (Dictamen respecto de la Comunicación 3297/2019, aprobado el 12 de julio de 2022).

No es éste el lugar para analizar estas actuaciones penales, que entrañan una amplia y compleja variedad de cuestiones, pero sí cabe subrayar que el enfoque de la actuación del Estado en el conflicto de Cataluña se ha producido en gran parte desde la perspectiva del derecho penal y que esta reacción penal ha pasado a ocupar un lugar central en el conflicto, con un efecto de realimentación muy notable.

En segundo lugar, en el conflicto de Cataluña se ha recurrido también a la segunda de las vías a las que se ha hecho referencia: la imposición unilateral o forzosa de una parte sobre la otra. En esta categoría hay que situar en efecto la celebración unilateral de la consulta de 2014 y el referéndum de 2017, la aprobación de las leyes de ruptura de 2017 y, en fin, la declaración de independencia y proclamación de una República en Cataluña, a los que ya se ha hecho referencia. Y, por parte del Estado, en esta vía se inscriben tanto la aplicación de los poderes extraordinarios del artículo 155 CE en octubre de 2017 como el empleo de otras medidas que, aun sin el amparo formal de esta previsión constitucional, suponían también una intervención extraordinaria de las competencias autonómicas. Así, en efecto, hay que calificar la intervención financiera acordada por el Gobierno estatal formalmente al amparo de la Ley 2/2012, de estabilidad presupuestaria y sostenibilidad financiera, pero que respondía —como se declaraba explícitamente en las normas que se dictaron para instrumentarla— a la finalidad de controlar la legalidad del gasto de la Generalitat para evitar que se destinaran fondos públicos para sufragar el referéndum o, en general, actuaciones relacionadas con el proceso soberanista. Pero sin duda, el punto culminante de la respuesta estatal al conflicto de Cataluña mediante medios de intervención forzosa fue la aplicación del artículo 155 CE, que comportó la adopción, por parte del Gobierno y con la aprobación del Senado, de una serie de medidas extraordinarias entre las que destacan la destitución del president de la Generalitat, del vicepresident y de todos los miembros del Gobierno; la disolución del Parlament y la convocatoria de nuevas elecciones; la supresión de diversos órganos de la Generalitat y el cese de sus titulares y otros altos cargos; y la designación de órganos del Estado para ejercer las funciones de las autoridades y cargos cesados, especialmente la Presidencia y el Gobierno, designación que se hizo a favor del presidente del Gobierno estatal, la vicepresidenta, el Consejo de Ministros y los ministros. Estas medidas extraordinarias suscitan diversas cuestiones constitucionales, sobre las que aquí no procede entrar. Baste decir que el Tribunal Constitucional las consideró conformes a la Constitución (SSTC 89 y 90/2019, de 2 de julio), pero que, precisamente por su entidad y por su carácter excepcional, remarcado por el propio Tribunal, constituyen el reflejo de una situación extraordinaria que solo cabe calificar, como se ha venido haciendo aquí, como crisis constitucional.

No es éste tampoco el lugar para profundizar sobre las causas de estas acciones unilaterales, y si son o no, unas y otras, el resultado de intentos fallidos de negociación y acuerdo. Baste a los efectos que aquí interesan considerar que, objetivamente, tales actuaciones constituyen acciones unilaterales por las que una parte ha querido imponer su voluntad a la otra para inclinar a su favor la resolución del conflicto. Sin embargo, es también fácilmente constatable que estos medios unilaterales no han conseguido resolver la cuestión, logrando que una de las partes se imponga sobre la otra. Por un lado, en efecto, la Generalitat de Cataluña y las fuerzas políticas que formaban el Gobierno y la mayoría parlamentaria no han logrado celebrar un referéndum de autodeterminación que pueda ser reconocido por el Estado y/o por la comunidad internacional, ni menos aun han conseguido hacer efectiva la declaración unilateral de independencia y la proclamación de la República catalana. Pero por otro, la aplicación por parte del Estado de los poderes de intervención extraordinarios del artículo 155 CE y las otras medidas de coerción directa empleadas tampoco han conseguido resolver el fondo del conflicto. Han tenido, sin duda, efectos importantes en su desarrollo y su aplicación lo ha conducido por unos caminos determinados, pero resulta claro que a través de estos medios no se ha resuelto el conflicto de fondo de Cataluña, la relación entre Cataluña y España o, más precisamente, la posición de Cataluña con respecto al Estado español.

En conclusión, creo que puede decirse que, una vez fracasada la renovación del pacto territorial que supuso el Estatuto de Autonomía de 2006, puede observarse un proceso de ruptura del consenso constitucional en Cataluña, especialmente acelerado entre los años 2014 y 2017. De una parte, la Generalitat adoptó una serie de iniciativas que, de forma gradual e incremental, partiendo de la Constitución con propuestas de nueva financiación y de consultas no vinculantes, se deslizaron hacia la actuación unilateral, hasta llegar a la convocatoria de un referéndum de autodeterminación y la declaración de independencia, expresándose de este modo la quiebra del consenso constitucional sobre el modelo territorial. De otra parte, frente a estas iniciativas, el Estado sólo reaccionó en defensa del *status quo*, sin realizar propuestas o contrapropuestas de carácter político, con el argumento esencial de la defensa de la legalidad vigente. Esta reacción, así, se ha caracterizado por recurrir a los instrumentos jurisdiccionales, tanto constitucionales como penales, y a los poderes extraordinarios de intervención forzosa, como la intervención financiera y la aplicación formal del artículo 155 CE.

Ninguna de estas vías, sin embargo, ha sido capaz hasta el momento de resolver el conflicto existente. De un lado, no se trata de un conflicto de naturaleza jurídica, que pueda ventilarse en sede jurisdiccional mediante la simple aplicación de las normas vigentes, incluso si tal aplicación no admitiera otras alternativas interpretativas. Y de otro, las medidas excepcionales derivadas del artículo 155 CE y otras que han sido aplicadas tienen necesariamente carácter temporal, son en general reversibles y, a menos que se subviertan completamente los derechos y libertades políticos, el sistema representativo y el carácter abierto y no militante de nuestra democracia, no pueden impedir la libre expresión de la ciudadanía, la formación de mayorías parlamentarias y gubernamentales que reproduzcan las existentes ni el mantenimiento de un proyecto político de carácter soberanista en Cataluña. Por su parte, las acciones unilaterales adoptadas desde Cataluña no contaron ni con la legitimidad para ser reconocidas, en términos de mayoría de votos expresados con todas las garantías, ni con la fuerza suficiente para poder imponerse. Por tanto, hay que concluir que estas vías, la judicial y la de la imposición unilateral, las únicas practicadas durante mucho tiempo, no han sido las adecuadas para resolver un conflicto de esta naturaleza. Más bien al contrario, apuntan a que la única vía idónea es precisamente la única que no se ha empleado o que solo ha empezado a utilizarse tímidamente y de forma tardía: la negociación política.

En efecto, la tercera de las vías indicadas para resolver conflictos, la de la negociación, solo ha sido intentada en el conflicto de Cataluña a partir de 2020, una vez superados los momentos álgidos de la crisis constitucional. En esta categoría cabe incluir la creación de mesas de diálogo y negociación, primero entre el Gobierno del president Torra en Cataluña y del presidente Sánchez por parte del Estado, y después entre el Gobierno del president Aragonés y, de nuevo, el presidente Sánchez, y ampliándose a otras fuerzas políticas después de las elecciones generales de 2023. Aunque las reuniones de estas mesas de diálogo han sido muy escasas y sus resultados, al menos públicos y hasta el momento, también muy limitados, su creación ha supuesto un cambio esencial en el enfoque del conflicto de Cataluña, introduciendo la vía del diálogo y la negociación, prácticamente inédita hasta entonces. En esta vía hay que inscribir la concesión por el Gobierno estatal de indultos parciales a las personas que fueron condenadas por el Tribunal Supremo a penas de prisión por los delitos de sedición y de malversación de fondos públicos (Reales Decretos 456 a 464/2021, todos de 22 de junio), así como la reforma del Código penal para suprimir el delito de sedición y modificar los de malversación de fondos públicos y de desórdenes públicos (Ley Orgánica 14/2022, de 22 de diciembre), todo ello con la finalidad reconocida de sacar de los tribunales el conflicto de Cataluña y llevarlo al terreno de la política, en una reconducción que está resultando muy costosa y que se viene produciendo no solo con una gran oposición política, especialmente por parte de los partidos opositores al Gobierno estatal, sino también con una notable resistencia judicial.

A pesar de las dificultades, resistencias e incomprensiones, la vía de la negociación y el acuerdo, siendo inidónea la vía judicial y no disponiendo ninguna de las partes de fuerza suficiente para imponer unilateralmente una solución perdurable, es la única que puede ofrecer un arreglo adecuado, estable y duradero o, al menos, tan estable y duradero como puede ser este tipo de cuestiones, de hondas raíces históricas. En efecto, si, como se ha venido insistiendo, el conflicto de Cataluña es una auténtica crisis constitucional porque se ha roto el consenso constitucional sobre el modelo territorial, al menos en relación con Cataluña, resulta claro que la vía idónea para resolverlo pasa por intentar construir un nuevo consenso, negociando una solución que satisfaga razonablemente a todas las partes. En otros lugares (Albertí, 2018) me he referido a las condiciones que, a mi entender, deberían propiciar la reconstrucción de este consenso. Este, sin embargo, no es el único escenario posible en el que puede desenvolverse el conflicto de Cataluña en el futuro próximo. Pueden contemplarse, además, dos situaciones hipotéticas adicionales: la ruptura y el enquistamiento. La primera, no gozando ninguna de las partes de fuerza suficiente para imponerse, resulta menos probable, al menos en un futuro previsible. Por ello, de no lograrse un nuevo consenso constitucional, el escenario más probable es el del enquistamiento del conflicto, con las graves consecuencias que conlleva para Cataluña, pero también para el conjunto de España y de su sistema constitucional, el hecho de que una parte significativa de la población y de las fuerzas políticas que la representan no se sientan suficientemente integradas en el sistema político y cuestionen el orden constitucional existente. En el contexto histórico y político actual no resulta aceptable, ni viable, un sistema político que no cuente con el consenso general de la población. Enquistar el conflicto político de Cataluña supone dejar fuera de la Constitución a una parte muy significativa de la ciudadanía catalana y de sus fuerzas políticas, con el resultado de que el conflicto quede abierto y sin perspectivas de resolución. Una situación así generaría sin duda tensiones y conflictos que, manifestándose de forma más o menos aguda según las circunstancias, imposibilitarían una convivencia política normalizada en el conjunto del Estado y supondrían un gasto extraordinario de energía política. Además, el enquistamiento del conflicto afectaría al entero sistema constitucional español, no sólo al modelo territorial, y a la función primordial de la Constitución, que dejaría de jugar el papel de integración política que le corresponde de forma esencial, sirviendo de cauce para la resolución de los conflictos políticos a partir de la garantía de los derechos y libertades de todos los ciudadanos.

La ley de amnistía intenta desandar el enfoque penal que se ha aplicado al conflicto de Cataluña y que ha ocupado un lugar central en la actuación del Estado en el mismo y, con ello, se inscribe claramente en esta tercera vía, la de la negociación, que debería poder conducir a la reconstrucción del consenso constitucional sobre el modelo territorial y la posición de Cataluña. Como se ha dicho al principio, recurriendo al símil de los despedidos en una huelga, constituye una medida que allana el camino y favorece las condiciones para que pueda desarrollarse una vía de negociación con esta finalidad. A pesar de todas las dificultades y resistencias, éste es hoy, a mi juicio, el único cauce que ofrece alguna posibilidad para intentar un acuerdo razonable de solución al conflicto político de Cataluña.

Referencias bibliográficas

ALBERTÍ, Enoch (2018). «El conflicto de Cataluña como crisis constitucional», *Fundamentos, Cuadernos monográficos de Teoría del Estado, Derecho Público e Historia Constitucional*, 10.

GARCÍA CÁRCEL, Ricardo (2002). *Felipe V y los españoles. Una visión periférica del problema de España*. Barcelona, Plaza Janés

ORTEGA Y GASSET, José (1964). *España invertebrada*. Madrid, Espasa Calpe Austral (1.ª ed. 1922)

SIEYÈS, Emmanuel (1990). *Escritos y discursos de la Revolución*. Madrid, Centro de Estudios Constitucionales (recopilación de escritos entre 1788 y 1799, con Prefacio de Ramón Máiz).

La amnistía en clave autonómica: un estudio demostrativo desde el principio de igualdad territorial

ESTHER SEIJAS VILLADANGOS

Catedrática de Derecho Constitucional. Universidad de León

El presente análisis de la Ley Orgánica 1/2024, de 10 de junio, de amnistía para la normalización institucional, política y social en Cataluña parte de abordar su contenido en clave territorial, conexión que se acometerá desde una triple perspectiva, fruto de su proyección a efectos expositivos en tres planos de distancia, uno cercano, otro medio y un tercero más alejado, de modo similar a la presentación de los demostrativos, esta, esa y aquella. Sentada esa propedéutica, esos tres planos de análisis confluyen, como circunferencias concéntricas, sin que podamos desconectar ninguno de sus contenidos, resultando el siguiente mensaje: la amnistía no es aislable de un contexto que afecta a su naturaleza jurídica y territorial. En el primero de esos planos apuntaremos a un análisis de causalidad sobre el que también se insertará una valoración en clave temporal.

Otro apunte inicial será que estas reflexiones tratarán de acotarse al plano jurídico-constitucional, buscando siempre la relevancia constitucional, siendo conscientes de la fragilidad la frontera entre las cuestiones aquí debatidas y de su tendencia a la confusión, especialmente desde aspectos políticos, pero también económicos, sociales y culturales.

I. ESTA: La forma territorial del Estado español y la Ley Orgánica de amnistía

Un análisis de la «relevancia» territorial de la Ley Orgánica de amnistía para la normalización institucional, política y social en Cataluña pasa por un estudio de la literalidad de su articulado, de los debates en sede parlamentaria que la han acompañado, del contexto social y político en el que se inserta y se gesta, así como de los informes que, especialmente, desde los cuerpos técnicos de las cámaras legislativas, se han redactado [Nota de la Secretaría General relativa a la Proposición de Ley Orgánica de amnistía para la normalización institucional, política y social en Cataluña. Secretaría General del Congreso de los Diputados 20 de noviembre de 2023; Observaciones técnicas a la proposición de Ley Orgánica de amnistía para la normalización institucional, política y social en Cataluña (expediente 122/19) Letrados de las Cortes Generales adscritos a la Comisión de Justicia del Congreso de los Diputados. 10 de enero de 2024; Informe del Contenido autonómico de la Proposición de Ley Orgánica de amnistía para la normalización institucional, política y social en Cataluña (*BOCG, Senado,* 5 de abril de 2024, núm. 82, pp. 28-42)].

Lo primero que tenemos que reparar es que Cataluña aparece una docena de veces en el texto, como sustantivo que se completa con su adjetivación catalana, «sociedad catalana» (EM V.7) o catalán, «proceso independentista catalán» (EM II. 7, VI.2 o art. 1.1). Por lo tanto, a la pregunta de si existe un contenido o impacto autonómico de la ley, la respuesta inicialmente es afirmativa. Para ello, hemos de partir del propio título: la Ley Orgánica de amnistía para la normalización institucional, política y social en Cataluña. Esta se enmarca en un «contexto concreto» (EM.1) y ese es de anclaje territorial, específicamente referido a la Comunidad Autónoma de Cataluña.

Para reforzar esta posición acudiremos a tres referentes: primero, la literalidad del texto, en el que ahondaremos en la motivación de la ley; segundo, el procedimiento de su tramitación en el Senado, concretamente en la Comisión General de Comunidades Autónomas, desde el análisis del Informe de la Ponencia; tercero, el debate que en el seno de dicha Comisión se desarrolló en la sesión celebrada el lunes 8 de abril de 2024 (Diario de Sesiones. Cortes Generales. Senado. XV Legislatura. Comisión General de las Comunidades Autónomas. pp. 1-62).

Primero: la literalidad del texto y la motivación de la Ley Orgánica. Cualquier disposición normativa debe sustentarse sobre una motivación, tener una razón y, coherentemente con ello, identificar un objetivo. En el supuesto que nos ocupa, la excepcionalidad que va aparejada a la amnistía enfatiza ese deber de motivar, «exteriorizar las razones que justifican su excepcional iniciativa» (Cruz Villalón, 2023-2024: 58), que ha de incluirse en el control que se realice de la ley, no solo formalmente, es decir, que se haya cumplido con ese requisito, sino materialmente, que lo sustentado en esa fundamentación o motivación sea, en principio, veraz y luego constitucional.

La *finalidad* de esta Ley Orgánica se epitomiza en «excepcionar la aplicación de normas vigentes a unos hechos acontecidos en el contexto del proceso independentista catalán en aras del interés general, consistente en garantizar la convivencia dentro del Estado de Derecho, y generar un contexto social, político e institucional que fomente la estabilidad económica y el progreso cultural y social tanto de Cataluña como del conjunto de España, sirviendo al mismo tiempo de base para la superación de un conflicto político» (EM. II, 7). Por consiguiente, hallamos un doble objetivo, uno técnico jurídico que incardina con la definición de amnistía, y otro político-social que podemos asociar a la tranquilidad y paz social, bajo la que se subsumiría la económica, la cultural y la política. Ambos confluyen territorialmente, pues el primero se vincula al proceso independentista catalán y el segundo tanto a Cataluña como al conjunto de España.

Teniendo como guía esa referencia territorial, en esta motivación aflora el término proceso independentista, que se configura como epicentro del objeto de la norma, que pasa por finalizar la ejecución de las condenas y los procesos judiciales y que afectan a todas las personas, sin excepción, que participaron en dicho proceso (EM II. 6).

En la precisión de lo que la Ley Orgánica entiende por proceso independentista cabe realizar una acotación espacial, «en Cataluña» (EM. II. 1), y otra temporal, referida a su delimitación en el tiempo, periodo de desarrollo del proceso independentista. Esta se refiere, tras la modificación en las enmiendas transaccionales en el Congreso de los Diputados —tras su forzado retorno a la Comisión— al periodo entre 1 de noviembre de 2011 y 13 de noviembre de 2023 (doce años y doce días). En ese tramo hay dos referentes concretos, la consulta de 9 de noviembre de 2014 y el referéndum de 1 de octubre de 2017 (curiosamente pasan a identificarse en el articulado de la ley ambos como consultas, art. 1. 1). Referencias concretas que se han de ampliar a lo que se identifica como «precedente» y que alude al intenso debate sobre el futuro político de Cataluña tras la sentencia del Tribunal Constitucional sobre el Estatuto (STC 31/2010, de 28 de junio).

La motivación de la Ley exige esa contextualización que se plasmaría gráficamente como una sencilla operación de suma (A+B=C), donde A sería ese precedente, B sería el proceso independentista y C, resultado, con el que se condensa esa motivación atinente a «la desafección de una parte sustancial de la sociedad catalana hacia las instituciones estatales»

(EM II. 3). Desafección que no ha desaparecido y cuyas cenizas se aventan cuando afloran las manifestaciones legales de tal proceso, especialmente en el orden penal.

Esta identificación del «proceso independentista» puede ser cotejada con las referencias al mismo en la jurisprudencia del Tribunal Constitucional. No es casualidad que su recepción se asociase inicialmente en la STC 133/2014, de 22 de julio, FJ 9, caso Otegui, al «proceso independentista y de implantación del socialismo en los territorios que hoy agrupa a las Comunidades Autónomas de Euskadi y Navarra» (paralelismo que no debemos descuidar y que ahondaremos en el apartado tercero de esta reflexión). Referido a Cataluña, el «proceso independentista catalán» se define como «proceso encaminado a lograr la independencia de Cataluña fuera de las vías legales» (STC 30/2019, FJ 5), independencia entendida como «fin de la vigencia de la Constitución» (STC 47/2022, de 24 de marzo, FJ 8), a su vez equivalente a «proceso soberanista» (STC 31/2022, de 7 de marzo, FJ 4, caso Asamblea Nacional Catalana), al hilo de la campaña para «promover la creación de las condiciones políticas y sociales necesarias para constituir el Estado catalán propio, independiente, de Derecho social y democrático. La Ley Orgánica acota temporalmente ese proceso independentista, al que también se alude de modo sustantivo cuando se sometió a su consideración la internacionalización del mismo (STC 47/2022, de 24 de marzo, FJ 4).

Igualmente interesante, en esta motivación literal de la Ley Orgánica, es el término «interés general» que, pese a su consideración como concepto jurídico indeterminado, se llega a fundir con el de «garantizar la convivencia dentro del Estado de Derecho». Sobre si ese interés general es un velo para otro interés particular, la doctrina no tiene mucha discrepancia y alude al mismo como una falacia (Atienza, 2024: 213-216). Aquí es donde procede insertar una relación de causalidad, en clave territorial, que no hallamos. La amnistía no tiene causa en un problema territorial, sino en la aritmética parlamentaria necesaria para una investidura en la XV legislatura.

La afectación territorial de la Ley Orgánica se complementa con la apelación al multilateralismo, a los «poderes territoriales que conforman nuestro Estado autonómico», de la mano de la STC 42/2014, de 24 marzo, conminados a resolver mediante el diálogo y la cooperación los problemas y la búsqueda de soluciones en el ámbito territorial (EM III. 5).

Es decir, desde la literalidad de la Ley Orgánica queda clara su relevancia territorial, no en términos de causalidad, sino en términos consecuenciales de afectación.

Segundo: Informe acerca del contenido autonómico de la Proposición de Ley Orgánica de amnistía para la normalización institucional, política y social en Cataluña, en el Senado. A mayor abundamiento, en la tramitación de la proposición en el Senado, la Ponencia de la Comisión General de las Comunidades Autónomas realizó un «Informe acerca del contenido autonómico de la Proposición de Ley Orgánica de amnistía para la normalización institucional, política y social en Cataluña» (*Boletín Oficial de la Cortes Generales*, Senado de 5 de abril de 2024, pp. 28-42).

Previamente, podemos entender razonable y ajustada a derecho que esta Comisión entienda de la proposición, si la conectamos con las funciones que el Reglamento del Senado le atribuyen de forma prolija en una relación abierta que se enumera en más de una veintena de cometidos. Así, el artículo 56 de dicho Reglamento, en su apartado b, señala de modo expreso su competencia para «informar del contenido autonómico de cualquier iniciativa que haya de ser tramitada en el Senado». Adicionalmente, la cláusula que se inserta en su apartado h, atribuyendo funciones a dicha Comisión en la definición de «ámbitos específicos de encuentro», desde los principios de cooperación y coordinación, que trascendiendo la dimensión formal y su plasmación en convenios y acuerdos, encaja y al fin y a la postre se presenta como una de las razones fundamentadoras de esta ley.

Realizado el 4 de abril de 2024, está redactado a partir de 17 epígrafes, de los cuales uno realmente se conecta de forma específica con el título —«contenido autonómico de la Proposición de Ley Orgánica»—, siendo el primero y el último remisiones contextuales y conclusivas al mismo. Los restantes son una reproducción del informe técnico de la cámara alta de 18 de marzo de 2024. Partiendo de glosar los antecedentes, que se describen como «la insurrección de los poderes públicos de la Comunidad Autónoma de Cataluña en septiembre y octubre de 2017», se identifica el proceso independentista en Cataluña como el epicentro espacial y temporal de referencia de la entonces proposición y, por consiguiente, del Informe de la Ponencia. Tres consecuencias primarias se desgranan de este hecho: su consideración como la mayor vulneración del principio de solidaridad (art. 2 CE) que una Comunidad Autónoma ha perpetrado; la derogación unilateral de la Constitución que se realizó en octubre de 2017 y la deslegitimación que ello supuso del Estado en su conjunto, como Estado autonómico, y, singularmente, del Senado como cámara de representación de las provincias y de las comunidades autónomas, esto es, una deslegitimación de las instituciones de naturaleza territorial del Estado.

La dimensión autonómica de la entonces proposición a juicio del informe del Senado se centra en dos grandes ámbitos, según se analiza en su apartado segundo bajo el título «contenido o dimensión autonómica de la ley de amnistía» (pp. 30-31). El primero de ellos lo podemos catalogar de naturaleza política con relevancia constitucional y se conecta a la deslegitimación global del Estado autonómico como consecuencia de una paralela legitimación de su quebrantamiento, por la cobertura otorgada al proceso independentista que se realiza en la proposición de la mano de amnistiar a todos, sin excepción, los que participaron en dicho proceso. El segundo, de naturaleza estrictamente jurídico-constitucional, se centra en que la entonces proposición incide de modo directo en los principios esenciales y constitucionales sobre los que se asienta. Así, el principio de solidaridad que se equipara con otro principio esencial en los estados descentralizados como es el de lealtad federal, reconocido por nuestra jurisprudencia constitucional como plenamente vigente y sobre el que hemos abogado por constitucionalizar (Seijas, 2018: 1985). El principio de igualdad también sería vulnerado por esta Ley Orgánica. La igualdad en su dimensión autonómica quedaría lesionada, pese a que la amnistía se focaliza en personas, ya que la vinculación de esas personas a una sola comunidad autónoma, Cataluña, rompe la igualdad formal con la que la Constitución concibe a las comunidades (arts. 2 o 137 CE). El principio de seguridad jurídica, imprescindible para todo Estado de Derecho y para la regulación de su forma territorial, que toma como referentes la Constitución y los estatutos de autonomía, también estaría afectado. Igualmente, el interés general, que integra e implica a todas las comunidades autónomas, pero que se difumina en un interés particular, se quebrantaría desde esta ley. Aquí el interés particular es el interés de determinados sujetos implicados en el proceso independentista, beneficiarios de la amnistía, pero sobre todo un interés particular y coyuntural de conseguir una investidura. Dice el Informe (p. 32) que «la finalidad real de la Proposición de Ley Orgánica de amnistía era lograr los siete votos de los diputados de Junts».

Esta dimensión autonómica de la Ley Orgánica se concreta con un ejemplo relevante de afectación autonómica, el que tiene como eje la malversación, por su incidencia en detraer caudales públicos que repercutiría en el sistema de financiación de las comunidades autónomas, particularmente las de régimen común, y con ello en uno de los elementos clave sobre los que se erige el Estado autonómico.

Por último, y no menos importante, se alerta sobre el hecho de que esta proposición sentaría un serio precedente «muy peligroso para la subsistencia del Estado autonómico» (p. 31). Aquí estaríamos frente a un argumento teleológico, al proyectarse su formulación sobre potenciales consecuencias de la ley. Frente a lo que la literalidad del preámbulo contempla, su tramitación y ulterior aprobación puede alentar todo tipo de movimientos separatistas y actos insurreccionales, contra los principios que sustentan el Estado autonómico (unidad, igualdad, autonomía y solidaridad), en consecuencia, sobre su propia existencia, en lo que sería un auténtico efecto boomerang. En este sentido, se apunta la generación por la proposición de una desviación de poder, conectado a la vulneración del principio constitucional de interdicción de la arbitrariedad de los poderes públicos, vaticinando prospectivamente su resultado futuro: «la amnistía ni pretende ni va a conseguir reconciliación alguna. Al contrario, alienta a los amnistiados a volver a incurrir en comportamientos antijurídicos por los que no han mostrado arrepentimiento alguno y provoca la división de los españoles. Lo único que se pretende con la Ley de amnistía es algo que no aparece en la Exposición de Motivos de la ley: obtener el apoyo de los diputados de Junts a la investidura del Presidente del Gobierno» (p. 41). Esta explicación pro futuro no tendría mucho sentido, salvo cuando reparamos en que el propio legislador incorpora esa dimensión prospectiva y «cuasiprofética» a su regulación. Al considerar la ley como un paso necesario para superar las tensiones derivadas del proceso independentista y eliminar la desafección de las instituciones estatales, se alerta sobre que esas «consecuencias» (tensiones y desafección) «podrían agravarse en los próximos años» (EM II.6). Así, si el legislador la utiliza en su argumentación, también es válida para una contraargumentación.

Esa vocación profética del legislador es un auténtico desvarío, que no se compensa ni por quienes en su réplica han vaticinado justamente lo contrario, ni por aquellos que han creído corroborar esa vis milagrosa y taumatúrgica en los resultados de las elecciones catalanas de 2024 y en la investidura de su presidente. En cada voto no hay una nota al pie que explique su porqué, dado que sería una causa de su invalidación por nulo. Hay tantos porqués como votos y hay tantas razones como ciudadanos. Trazar una ecuación que vincule un resultado electoral a una predicción plasmada normativamente es una burda simplificación y una rotunda falacia.

Este Informe concluye con tres argumentos que concentrarían la afectación autonómica de la proposición:

— Desde el punto de vista político, la deslegitimación del Estado, de su derecho y de sus instituciones. El Senado, el Gobierno, el Tribunal Constitucional y el Poder Judicial (p. 42).

— Desde un punto de vista jurídico, «debilita la fuerza vinculante de los principios del Estado de Derecho y la normalización de la Constitución». Con ello se crearía un precedente nefasto.

— El tercer argumento tiene una naturaleza teleológica de impacto territorial, al sostener (p. 42) que «la Proposición de Ley Orgánica de Amnistía deja desprotegido el Estado Autonómico al sentar un precedente peligroso para su propia supervivencia, puesto que ofrece una expectativa de impunidad a todo tipo de movimientos separatistas y de actos insurreccionales que, en el futuro, puedan volver a desafiar los principios constitucionales de unidad, autonomía y solidaridad sobre los que se asienta nuestro modelo de organización territorial. Asimismo, el Senado —Cámara de representación territorial— ve fraudulentamente neutralizadas sus facultades reconocidas por el artículo 168 CE, al esquivarse, mediante el procedimiento de una ley orgánica, la vía obligada de una reforma constitucional».

La conclusión del Informe se condensa en un veredicto rotundo que cataloga la proposición como «el mayor atentado contra el principio de seguridad jurídica que se ha producido en España desde la aprobación de la Constitución de 1978».

Tercero: El debate en la Comisión General de Comunidades Autónomas. El debate que derivó en la aprobación de dicho Informe, celebrado el 8 de abril de 2024, es otro de los referentes más ilustrativos en la conexión de la proposición al modelo territorial del Estado autonómico. La valoración global del debate es «más de lo mismo», un monumento a la polarización, a la fragmentación y al monólogo ideológico y partidista que impregna la realidad política española.

En ese debate podemos distinguir tres bloques: uno, el de quienes niegan cualquier tipo de afectación territorial de la proposición; dos, quienes esgrimen su grave incidencia sobre el Estado autonómico y, tres, el discurso del entonces presidente de la Generalitat de Cataluña que merece un punto y aparte por presentar sin tapujos un proyecto más amplio, del que la amnistía solo es un primer asiento.

La inexistencia de un contenido o impacto autonómico de la proposición se sustenta sobre tres argumentos. El primero, la no colisión o intromisión por parte de la proposición de ley en las competencias de las comunidades autónomas (voto particular n.º 2, presentado por el Grupo Parlamentario Socialista y defendido por el senador Remírez Apesteguía, p. 4). A este respecto, es preciso recordar que las comunidades autónomas no pueden resumirse en un elenco de competencias, aún siendo este uno de los contenidos esenciales de su autonomía y de su estatuto (art. 147.2.d CE). Las comunidades autónomas son Estado y Estado es Constitución. En sus estatutos se consagran instituciones, básicas y propias, que quedan desvirtuadas, ubicadas en una posición de desigualdad respecto a las instituciones catalanas, especialmente su presidente. Sus ciudadanos tienen derechos, que se aplican de modo diferenciado si se vinculan a actos del proceso independentista catalán o no, y la gestión de sus políticas públicas pende de una financiación que también se afectaría si se asume la amnistía de malversaciones y las condonaciones de deuda, deuda en parte generada por ese uso fraudulento de los recursos públicos.

Un segundo argumento que rechaza esa dimensión autonómica de la proposición estriba en catalogar la ley de modo exclusivo como «una ley de ámbito estatal en materia penal» (voto particular 3º, de Junts, defendido por la senadora Pallarés Piqué, p. 8). Sería un espacio vinculado a la exclusividad del Estado, ex artículo 149.1.6 CE, que no repercutiría en las comunidades autónomas. Empero, la propia titulación de la norma, bien sea por su naturaleza singular o por su carácter excepcional, ya alude a una comunidad autónoma, Cataluña, por lo que esa exclusividad estatal competencial de origen se modula porque en su contenido se atiende a una sola comunidad, Cataluña, y el Estado y su regulación no puede acotarse a ese referente, aunque en ocasiones podamos pensar lo contrario.

El tercer argumento de este primer bloque se ciñe a la no afectación estatutaria. Así, el senador Poveda Zapata sostiene que «ni uno solo de los representantes de las comunidades autónomas hoy aquí ha podido sostener que la ley vulnera ni uno solo de los estatutos de autonomía en ninguno de sus artículos» (p. 43). Al margen de su fundamento, al menos esa afirmación entra en franca contradicción con lo sostenido en el debate, donde, a modo de ejemplo, el senador Sánchez Capuchino, de designación autonómica por la Comunidad de Madrid, sí llegó a identificar preceptos del Estatuto de la Comunidad de Madrid afectados (así, el art. 1.3, que defiende la igualdad para todos los madrileños, de conformidad con el principio de solidaridad entre todas las nacionalidades y regiones de España; art. 7.1, «Los derechos y deberes fundamentales de los ciudadanos de la Comunidad de Madrid son los establecidos en la Constitución», o su dimensión material, regulada en el apartado 4 de ese artículo séptimo). Artículos que con similar factura podemos hallar en otros estatutos de autonomía.

La argumentación de la efectiva afectación autonómica de la proposición arranca de la defensa del informe, asumida por el exalcalde leonés Silván Rodríguez, senador del Grupo Popular, que sintetiza esa incidencia en la ruptura de la igualdad de los españoles en función de sus territorios, la ruptura del principio de solidaridad y la adulteración del sistema de financiación autonómico, «al servicio de la obtención de réditos políticos unilaterales» (p. 3). Los riesgos para la supervivencia de la estructura del Estado autonómico, tal y como lo hemos considerado hasta nuestros días, se concentran en los envites que desde la proposición se realizarían: la deslegitimación al Estado en su conjunto y a su forma territorial; la impunidad para la destrucción de la unidad de España; la afectación de la igualdad (argumento más recurrente, desde las representaciones de Cantabria —p. 30—, a los que se agrega la solidaridad —Sanz Cabello, desde Andalucía, p. 28—; la desautorización al Senado, como institución de referencia en dicho modelo territorial y el descenso «al ámbito de la irrelevancia a otros territorios e instituciones con intereses» igualmente legítimos, en materia de educación, sanidad a la que se refirió el presidente de la Comunitat Valenciana, Mazón Guisol, p. 16). Los argumentos más reiterados focalizan su punto de mira en la afectación de la igualdad, la igualdad entre territorios. Así, Fernández Mañueco, desde la Presidencia de Castilla y León, sostiene que «estos mismos delitos terminan en condena en Comunidades Autónomas, como en Castilla y León, y absolución en Cataluña» (p. 24). Otro dato reseñable de esa afectación se refiere a la convivencia. Si desde la proposición se busca mejorar esa convivencia, «esta se complica en el resto de España» (Calvo Pouso, consejero de Presidencia de Galicia, p. 25). Razones fiscales se concentraron en ver cómo la dimensión económica de la proposición iba a redundar en una minoración de los recursos para sus ciudadanos (Madrid o Galicia). En resumen, los representantes de las autonomías que concurrieron, unidos por el denominador común de su vinculación al Partido Popular, se consideraron concernidos y perjudicados, siguiendo la expresión literal del representante riojano (p. 31).

El monólogo del entonces presidente catalán merece un tratamiento separado de las dos posiciones marcadas. Lo primero a destacar es su presencia. Que se digne a acudir a un foro multilateral ya es en sí significativo. Lo segundo es que no fue a escuchar, ni a conciliar, sino que lanzó un mensaje unidireccional, sin atender a más razones, ausentándose físicamente por si quedaba alguna duda de otra voluntad. De su discurso cabe sacar tres mensajes. El primero, el de su fortaleza frente a la debilidad estatal. Habla de un Estado muy débil, erigido sobre «cimientos muy débiles» (p. 13), del que obtiene, él y sus aspiraciones —no tanto en calidad de presidente de todos los catalanes, sino de los que imperativamente han sustentado la formación política de Junts— todo lo que quiere («la amnistía de la noche a la mañana dejó de ser inconstitucional, dejó de ser imposible» (p. 11). Eso supone que la relación con el Estado es bilateral, «de tú a tú», en una paridad que en absoluto contempla la Constitución, donde el Estado central devendría en un *primus inter pares* respecto a todas las autonomías. El segundo es que pone nombres al anonimato de la entonces proposición. Así, habla de Puigdemont, Rovira, Comín y Wagenberg (p. 12). El tercero, y más importante, es que quita el velo a la proposición de amnistía y la contextualiza en un proyecto de que es solo su primer estadio, su antesala. Ese proyecto tiene dos pilares y un frontispicio. El primer pilar es la celebración de un referéndum en Cataluña sobre la independencia. De forma paralela, segundo pilar, la articulación de un sistema de financiación singular para Cataluña, en el que gestionen directamente todos los recursos que generen, acompañándose de una «cuota de solidaridad». El frontispicio es que Cataluña sea independiente. Esa sinceridad se agradece, para dejar de hacer especulaciones y futuribles sobre el sentido de esta ley.

Llegados a este punto cabe condensar el mensaje de este primer epígrafe sobre la incidencia de la proposición de ley en el marco territorial. Esta afectación es afirmativa. *Atenta al modelo autonómico, a su diseño constitucional*, donde la autonomía cobra sentido desde la unidad, una unidad que le confiere el Estado. Desde la amnistía, ese Estado pasa a ocupar una posición menor que se extrapola al resto de comunidades autónomas, siendo el epicentro del modelo la comunidad de Cataluña y su proceso independentista. Bueno es recordar lo que no es la autonomía. Autonomía no es *soberanía*. La autonomía no es un título absoluto e ilimitado, identificable con una concepción clásica bodiniana de soberanía, que ni tan siquiera se puede sostener en la actualidad. En consecuencia, los titulares del derecho a la autonomía han de respetar la Constitución y el reparto de poder que en ella se regula (STC 4/1981, FJ 3; STC 247/2007, FJ 4; STC 124/2017, FJ 5c). Autonomía no es el *antónimo de unidad*. Nuestro sistema constitucional descansa en la adecuada integración del principio de autonomía en el principio de unidad, que lo engloba. «En ningún caso el principio de autonomía puede oponerse al de unidad, sino que es precisamente dentro de este donde alcanza su verdadero sentido, como expresa el artículo 2 de la Constitución» (STC 4/1981, FJ 3). La forma compuesta del Estado es el resultado de la conjunción, de una parte, del principio de unidad indisoluble de la Nación española y, de la otra, del derecho a la autonomía de las nacionalidades y regiones que la integran: desde ese binomio han de interpretarse congruentemente todos los preceptos constitucionales (STC 35/1982, FJ 2). Autonomía no tiene un origen basado en el *pacto entre territorios*. El Estado autonómico no es el resultado de un pacto bilateral y excluyente entre instancias territoriales históricas que conserven unos derechos anteriores a la Constitución y superiores a ella, sino una norma del poder constituyente que se impone con fuerza vinculante general en su ámbito, sin que queden fuera de ella situaciones históricas anteriores (STC 76/1988, FJ 3; reiterado en STC 247/2007, FJ 4a).

La Ley Orgánica afecta a los principios que sustentan el Estado autonómico (unidad, autonomía, igualdad y solidaridad). La unidad es un auténtico principio estructural, mientras que la autonomía es una posibilidad organizativa cuyo ejercicio se relega a la discreción de la voluntad de los sujetos para ello legitimados. Aministíar significa convalidar la ruptura de esa unidad, legitimar y legalizar el proceso independentista, amparar el desarrollo de esa hoja de ruta trazada que culmina en la independencia de Cataluña y sentar un precedente para futuras ocasiones y futuros territorios. Vulnera el principio de autonomía. La autonomía es el derecho a acceder al autogobierno y a convertirse en comunidad autónoma directamente emanado del artículo 2 CE. Como principio organizativo fundamentado en el artículo 137 CE, la autonomía consiste en la atribución a las comunidades autónomas de potestades legislativas y gubernamentales que la configuran como una autonomía política. Esta amnistía supone un poder exorbitante derivado de esa autonomía. El ámbito de aplicación de la autonomía se concreta en el propio marco institucional y en el ámbito competencial atribuido. Con esta ley se desborda ese marco institucional mediante el reconocimiento de la facultad de anular la Constitución, con lo que se atribuye una nueva competencia que es la de desvincularse de la norma suprema discrecionalmente. Un límite a sus actuaciones que deriva del interés nacional o interés general. Aquí la eventual colisión de este interés con el de una determinada comunidad (STC 100/84, FJ 3) se revuelve por el camino expedito de mutar ambos intereses, siendo el particular el que se imposta como general.

La vulneración del principio de igualdad territorial se proyecta en su doble dimensión, formal y material. Por una parte, en un plano formal, el principio de igualdad territorial concebido como la igual subordinación al orden constitucional de todas las comunidades autónomas se exime para Cataluña en cuanto se justifica y olvida su pulso secesionista, confiriéndole un privilegio negado al resto de autonomías. Por otro, la igualdad material o real entre comunidades autónomas centrada en el «establecimiento de un equilibrio económico, adecuado y justo entre las diversas partes del territorio español» (art. 138.1 CE), conectado a la solidaridad, se violenta en cuanto se valida la malversación de caudales públicos dirigidos a «financiar, sufragar o facilitar la realización» de actos directa o indirectamente vinculados al proceso independentista desarrollado en Cataluña. El principio de «igualdad territorial» (STC 120/2016, FJ 7) se vulnera desde la imprimación de legalidad que se da al supuesto habilitante de la ley, el proceso independentista. El específico principio de igualdad territorial se ha integrado en la jurisprudencia constitucional, fundamentalmente desde dos ámbitos materiales, el de la sanidad (Seijas: 2024) y el de la economía. En el ámbito sanitario el referente es el art. 91 del Real Decreto Legislativo 1/2015, de 24 de julio, por el que se aprueba el texto refundido de la Ley de garantías y uso racional de los medicamentos y productos sanitarios, en el que se consigna de modo expreso el «principio de igualdad territorial» con una identidad propia al principio de igualdad. En ese específico ámbito su definición se conecta al reconocimiento de un derecho de *todos los ciudadanos* a obtener una prestación (en este caso medicamentos, pero lo podríamos suplir por un trato judicial) *en condiciones de igualdad* en todo un Sistema, en ese caso el de salud, aquí el judicial. Dado que esos ciudadanos residen en diferentes territorios, el principio de la igualdad territorial se afecta cuando se atenta a esas condiciones de igualdad proyectables sobre todos los ciudadanos (STC 210/2016, de 15 de diciembre, FJ 3; STC 6/2015, de 22 de enero, FJ 2; STC 211/2014, de 18 de diciembre, FJ 2 o STC 71/2014, de 6 de mayo, FJ 7). Desde la economía, el principio de igualdad territorial se asocia a «criterios homogéneos en todo el territorio español» (STC 120/2016, de 23 de junio, FJ 7), lo que redundaría en un reforzamiento de su carácter básico, no susceptible a ser excepcionado singularmente. El principio de igualdad territorial cobra una entidad propia respecto al principio de igualdad, se erige en pilar de nuestro Estado autonómico y su vulneración ha de ser un parámetro clave en el enjuiciamiento de la constitucionalidad de la Ley Orgánica, siendo una oportunidad única para que el Tribunal Constitucional identifique los atributos y el contenido esencial de dicho principio de igualdad territorial.

Sobre la base de la vulneración del principio de igualdad territorial se hallaría el principal fundamento de la legitimación autonómica para recurrir la Ley Orgánica ante el Tribunal Constitucional. Una legitimación que no puede ser interpretada restrictivamente (STC 48/2003, FJ1) y no cabe acotar a una "defensa de sus competencias" (STC 28/1991, FJ3). Se trata de salvaguardar la posición institucional que en el ordenamiento ostentan las Comunidades Autónomas (STC 56/1990, FJ3), todo ello argumentado desde la afectación a su "propio" ámbito de autonomía (art. 32.2 LOTC), dato que resulta incompatible con recursos clonados, orquestados ideológicamente desde autonomías convertidas en antipoderes que mutan la función de oposición parlamentaria.

Por su parte, el principio de solidaridad, configurado como «un factor de equilibrio entre la autonomía de las nacionalidades y regiones y la indisoluble unidad de la nación española» (STC 135/1992, FJ 7), queda profundamente vulnerado por una ley orgánica que convalida el quebrantamiento de dicho equilibrio, al reducir a la invisibilidad a las restantes comunidades autónomas, ignoradas por el legislador, entregado al proceso catalanista.

Unido a ellos también cabría identificar una vulneración del principio de lealtad que opera en nuestro ordenamiento. El principio de lealtad constitucional ya ha sido consolidado jurisprudencialmente (STC 68/1996, de 18 de abril), por el legislador estatal (Ley 6/1997, de 14 de abril, de Organización y Funcionamiento de la Administración General del Estado) y por el estatutario (art. 3.1, Ley Orgánica 6/2006, de 19 de julio, de reforma del Estatuto de Autonomía de Cataluña: «las relaciones de la Generalitat con el Estado se fundamentan en el principio de la lealtad institucional mutua»). El principio de lealtad constitucional ha de presidir las relaciones entre Estado y Comunidades Autónomas, basal en las relaciones entre las diversas instancias de poder territorial, «constituye un soporte esencial del funcionamiento del Estado autonómico y cuya observancia resulta obligada» (STC 239/2002, de 11 de diciembre, FJ 11) y tiene una específica proyección en la materia financiera, tal como se recoge en las normas vigentes que integran el bloque de constitucionalidad en esta materia (STC 109/2011, de 22 de junio, FJ. 5). Desde esta aproximación genérica a dicho principio conviene recordar que, de acuerdo con la STC 25/1981, de 14 de julio, FJ 3, el principio de lealtad constitucional requiere que las decisiones tomadas por todos los entes territoriales —dimensión subjetiva— y en especial, por el Estado y por las Comunidades Autónomas, tengan como referencia necesaria la satisfacción de los intereses generales —dimensión objetiva— y que, en consecuencia, no se tomen decisiones que puedan menoscabar o perturbar dichos intereses, de modo que esta orientación sea tenida en cuenta, incluso, al gestionar los intereses propios. En suma, la lealtad constitucional debe presidir «las relaciones entre las diversas instancias de poder territorial y constituye un soporte esencial del funcionamiento del Estado autonómico y cuya observancia resulta obligada (STC 239/2002, FJ 11)» (STC 13/2007, de 18 de enero, FJ 7 o STC 102/2015, de 22 de mayo, FJ. 6). Esta ley conculca frontalmente esta lealtad constitucional por el modo en que se ha gestado y por su contenido, desde el que se da cobertura a quienes se vincularon a un proceso independentista en el que se derogó unilateralmente la Constitución. La garantía de estos principios y vía de actuación de las comunidades autónomas que los contemplan en sus propios estatutos es la interposición de un recurso de inconstitucionalidad (art. 32. 2 LOTC), al ver afectado su «propio ámbito de autonomía», esencialmente por la vulneración del principio de igualdad territorial. Para ello no basta la invocación formal de una serie de preceptos, sino que es necesario aportar una argumentación específica que fundamenten la «presunta contradicción constitucional», alejada de una impugnación global (STC 13/2007, de 18 de enero, FJ 1), y, por consiguiente, argumentando desde su marco estatutario, así como recordando que «no es suficiente la mera discrepancia política» (STC 67/2023, de 6 de junio, FJ 4), para tachar a la norma de arbitraria o destruir su presunción de constitucionalidad.

II. ESA: el reforzamiento de los antipoderes. El papel del Senado y la reacción en el «Resto de España» (RDE) ante la amnistía

En un segundo plano de afectación territorial de la ley podemos señalar la actuación del Senado y de las diferentes comunidades autónomas, en particular de sus instituciones básicas.

En lo que se refiere al Senado, es preciso hacer dos consideraciones. La primera referida a la reforma de su Reglamento. Una reforma a la carta, consecuencia directa de la tramitación de la proposición de ley en la que se buscaba dilatar el procedimiento legislativo. La reforma del artículo 133 de su Reglamento también supone alejarse del argumento esgrimido en la Exposición de Motivos. «Ofrecer mayores oportunidades al rigor y la calidad de la función legislativa del Senado, abriendo la posibilidad de que, en el trámite de las proposiciones de ley, y a diferencia de lo que sucede con los proyectos, los senadores cuenten con el tiempo necesario para poder paliar, al menos, los déficits de documentación y análisis técnico y jurídico, así como de debate público y de participación social, de los que, como la experiencia demuestra, suelen adolecer este tipo de iniciativas legislativas». Si el grupo parlamentario socialista quiso eludir los trámites aparejados a los proyectos de ley mediante la presentación de una proposición, ese atajo le condujo a un callejón más largo de lo esperado. El Tribunal Constitucional habrá de pronunciarse, pero este acortamiento de los plazos, cuando la urgencia se imprime desde el Gobierno o desde el Congreso, es un mandato constitucional que se funda en el bicameralismo desigual e imperfecto con que se diseñaron nuestras Cortes Generales. El mismo que legitima al Congreso a levantar el veto y las enmiendas del Senado. Con esta reforma, el Reglamento del Senado se aleja de la Constitución, pero sobre todo de la verdad en su fundamentación.

Otra evidencia de esta posición de clara mutación constitucional es el planteamiento de un conflicto de atribuciones entre órganos constitucionales (art. 73-75 LOTC) (Informe de la Secretaría General del Senado sobre la inconstitucionalidad del dictamen del pleno del Congreso sobre la PLOANIPSCat, p. 56). La discrepancia de las mayorías políticas de cada cámara no es inconstitucional, es pluralismo.

Sobre el papel de la Comisión General de Comunidades Autónomas ya hemos mostrado nuestra posición. Otra cuestión es cómo se ha canalizado el debate, las ausencias, las presencias efímeras y su conversión en una orquesta donde todos los participantes escenificaron una partitura de autoría única, la del partido que conectaba a sus gobiernos. Este uso del Senado, que parece recuperar su protagonismo solo cuando declina su función representativa y ejerce su papel de cámara partidista ejecutora de un mandato imperativo, nos lleva a apuntar que los avisos de filibusterismo no están tan alejados.

La conexión de la ley de amnistía y el reforzamiento del papel autonómico como antipoder frente al Gobierno también se evidencia en las decisiones adoptadas dentro de las cámaras autonómicas. Así, desde el Parlamento de la Rioja se aprobaría una proposición mo de ley de rechazo de la amnistía el 28 de septiembre de 2023. Igualmente, las Cortes de Castilla y León, que aprobarían una proposición no de ley reclamando un trato igualitario a esta Comunidad en relación con el resto de Comunidades Autónomas y en la que se abordó de modo fundamental el rechazo a la amnistía el 13 de diciembre de 2023.

La expresión «the tug of war» (tira y afloja) ha venido a desplazar a una concepción integradora de las comunidades de la mano de su función como contrapoderes constructivos (*checks and balances*). Hemos de reconocer que es una mutación desviada de la acepción positiva de contrapoder, de cuña liberal (Castellà, 2018: 31), que se idealiza, como señala Máiz (2014: 61) en *El Federalista* desde «la concepción madisoniana del federalismo como sistema de autorrefuerzo, basada en checks and balances, competición y control electoral, entre los diferentes ámbitos del sistema (parlamentario) multinivel (*El Federalista*, 62) y opinión pública vigilante (control popular)». Así, Madison consideraba que «un buen gobierno implica dos cosas: la primera, la fidelidad al objeto del gobierno, que es la felicidad del pueblo; en segundo lugar, un conocimiento de los medios por los cuales se puede lograr mejor ese objeto», medios entre los que hay que contar con que «ninguna ley o resolución puede aprobarse ahora sin la concurrencia, primero, de la mayoría del pueblo, y luego, de la mayoría de los Estados», debiendo reconocerse que «este complicado control de la legislación puede, en algunos casos, ser tanto perjudicial como beneficioso» *(El Federalista*, 62).

Esta posición de potenciar el rol de autonomías antipoderes a partir de la ley de amnistía enlaza con una práctica legislativa que podríamos reconducir a tres comportamientos o pulsos legislativos: la ley del mínimo y del máximo (*lex meiore*) —especialmente en materia tributaria—; el no acatamiento por elusión (*lex fugit*) —en la legislación de desarrollo educativo— o el paralelismo normativo *(lex repetitae)* —en la legislación en materia de memoria democrática—. Los boletines oficiales de cada autonomía se han convertido en crisoles privilegiados donde se han evidenciado esas posiciones antagónicas y contestatarias que materializan el rol de antipoder que se ha acentuado con la ley de amnistía. Es otra manifestación de lo que Luhman (2024) describía como bloqueo por los subsistemas. Una forma patológica y exorbitante de desviar la oposición desde las bancadas parlamentarias a los vetos cruzados entre cámaras o su deslocalización en los diferentes parlamentos autonómicos.

III. AQUELLA: el escenario de los pactos conexos a la negociación y el compromiso de regular la amnistía

El Tribunal Constitucional (STC 124/2023, de 26 de septiembre, FJ 3) ha reconocido que una ley debe cumplir con las exigencias derivadas de los principios de proporcionalidad, seguridad jurídica y transparencia. Si la proporcionalidad se justifica en la exposición de motivos y la seguridad jurídica se ha analizado tanto por la doctrina como por los técnicos parlamentarios con un balance negativo, respecto a la exigencia de transparencia entendemos que es preciso acudir a los pactos políticos en los que esta ley se ha gestado, los pactos de investidura. El 10 de noviembre de 2024 se firmó entre el PSOE y el PNV un pacto de relevancia y que destaca por la transparencia y detalle. Su contenido se puede epitomizar en lo siguiente:

a) Apuesta por el bilateralismo presidencial. Cada seis meses habrá una reunión de los Gobiernos español y vasco, con la presencia de sus respectivos presidentes, sobre la base de una «comisión bilateral permanente». Su objetivo será culminar el autogobierno con la transferencia a Euskadi de las competencias pendientes, para lo que se fija un plazo de 2 años.

b) Cláusula foral. Todos los proyectos de ley que afecten a competencias de la Comunidad Autónoma del País Vasco contarán con una cláusula foral que se acordará previamente con EAJ-PNV.

c) Preaviso vasco y monitorización de los decretos-leyes. Se acuerda el compromiso loable de utilizar la fuente del decreto-ley en los casos de «urgente y excepcional necesidad», que vendría a ser lo mismo que prescribe la Constitución en el artículo 86.1 («en caso de extraordinaria y urgente necesidad»), sobre lo que se proyecta un plus que podría interpretarse positivamente o, de una forma más kafkiana, que conferiría a dichos pactos un valor de rública constitucional. Con anterioridad a su aprobación, el contenido deberá ser conocido y en su caso pactado con EAJ-PNV. Aquí se produce un atropello constitucional, otorgando a la Comunidad Autónoma Vasca un poder exorbitante, paralelo al del gobierno, para «pactar» su contenido.

d) Fijación de las bases desde la cooperación bilateral. Articulación de una función adicional para la Comisión bilateral de cooperación, más allá de la prevención de los recursos de inconstitucionalidad ex. artículo 33. 2 LOTC, tendente a «definir las bases» con el mayor respeto a la autonomía política y al marco competencial.

Estas premisas procesales u orgánicas se completan con otras de carácter sustantivo entre las que podemos destacar algunos aspectos.

a) Transferencia en tres meses de la «homologación y convalidación de títulos extranjeros». La exclusividad estatal en lo que se refiere a la homologación de títulos, concretamente a la convalidación de títulos extranjeros (art. 149.1.30 CE) quedaría severamente lastrada. En su justificación se aboga porque se trataría de una función ejecutiva, coherente con la jurisprudencia constitucional que en este caso ha evolucionado. «Por lo que se refiere a las competencias de ejecución, en un primer momento la jurisprudencia constitucional consideró comprendida en la competencia estatal la competencia para expedir los títulos correspondientes y para homologar los que no sean expedidos por el Estado (STC 42/1981, de 22 de diciembre, FJ 3, reiterado en la STC 122/1989, de 6 de julio, FJ 3). Sin embargo, posteriormente el Tribunal ha considerado que el artículo 149.1.30 CE, al establecer que el Estado tiene competencia exclusiva sobre la «[r]egulación de las condiciones de obtención, expedición de Títulos académicos y profesionales», le ha reservado «toda la función normativa en relación con dicho sector» (STC 77/1985, de 27 de junio, FJ 15), pero en esta materia las Comunidades Autónomas pueden asumir competencias ejecutivas (STC 111/2012, de 24 de mayo, FJ 5, y STC 214/2012, de 14 de noviembre, FJ 3)» (STC 170/2024, de 23 de octubre, FJ. 1).En los acuerdos se hace una preocupante apelación a la necesidad de habilitar una cooperación específica para garantizar de los funcionarios autonómicos «una aplicación homogénea de la normativa estatal», cuya eficacia no se agota solo en dicha convalidación, sino en su posterior utilización, esto es en que quienes hayan visto homologado su título puedan trabajar con base en los mismos conforme a los principios de igualdad, la libertad de circulación y establecimiento y la libre prestación de servicios».

b) La reforma de la LOREG, que se acuerda no modificar, salvo extraordinaria necesidad, siempre con «acuerdo previo» con el PNV.

c) Dar eficacia a la Ley 25/2014, de 27 de noviembre, de Tratados y otros Acuerdos Internacionales, en lo que se refieren a la participación de las autoridades vascas y navarras, especialmente respecto a las disposiciones adicionales sexta y séptima.

Adicionalmente, otros contenidos aluden a la modificación del Estatuto de los Trabajadores en lo que concierne a convenios colectivos, la incorporación a los presupuestos generales del Estado de la tasa de reposición o la modificación de la Ley de Bases de Régimen Local para fijar en 4000 el número de habitantes para crear un nuevo municipio.

Una valoración global sorprende por la concepción de base del PNV «como partido político autoerigido en portavoz único de la ciudanía vasca», pero sobre todo en las cláusulas procesales (Pemán Gavín, 2023). Un auténtico secuestro de la actividad parlamentaria y gubernamental, que enlaza con el origen de la ley de amnistía, pero cuya visibilidad ha quedado empañada por el ruido que ha generado. Estos aspectos de la negociación no serían democráticos y tampoco constitucionales, porque afectan de modo incompatible con la misma la formación de la voluntad general, traducida en leyes.

En ese mismo contexto se suscribe el pacto suscrito entre PSOE y Junts. En éste se hacía una referencia a la ley de amnistía, a modo de guion, al señalar que debería incluir «tanto a los responsables como a los ciudadanos que antes y después de la consulta de 2014 y del referéndum de 2017, han sido objeto de decisiones o procesos judiciales vinculados a estos eventos». Aparejado a ello se pactaba la creación de comisiones de investigación, cuyas conclusiones deberían tener en cuenta la aplicación de la ley de amnistía, avanzando potenciales responsabilidades y modificaciones legislativas. Los otros dos contenidos, ya comentados desde la comparecencia del presidente Aragonés en el Senado, son la celebración de un referéndum de autodeterminación y la articulación de un sistema fiscal propio, fruto de la modificación de la LOFCA en la que se establezca una cláusula de excepción desde la que se facilitara la cesión del 100 % de todos los tributos que se pagan en Cataluña. Procesalmente, el bilateralismo, la negociación entre las partes y la participación directa de Cataluña en las instituciones europeas y demás organismos internacionales eran las otras exigencias que refuerzan el tono imperativo de su contenido.

En este tercer escenario no debemos olvidar la otra reforma reglamentaria, la del Congreso, que tuvo lugar en septiembre de 2023, para introducir un nuevo apartado 3 al artículo 6, de modo que «los Diputados y las Diputadas tendrán el derecho de usar en todos los ámbitos de la actividad parlamentaria, incluidas las intervenciones orales y la presentación de escritos, cualquiera de las lenguas que tengan carácter de oficial en alguna Comunidad Autónoma de acuerdo con la Constitución y el correspondiente Estatuto de Autonomía».

Este tercer círculo de afectación territorial de la ley de amnistía ha de ser integrado en su concepción y en su comprensión. Las derivas electorales que han proseguido a su firma introducen una dosis de suspense en su ejecución, pero no minoran su repercusión directa y meridianamente clara en la adopción de la ley de amnistía y en su focalización desde un plano territorial. La conclusión es la gravedad de los daños colaterales de su aprobación, afectando a la línea de flotación del sistema autonómico.

Reflexión final

A partir de la pregunta de Diez-Picazo (2024: 69), «¿Por qué el Estado autonómico no ha logrado encauzar los nacionalismos catalán y vasco, ni mitigar la pulsión independentista?», que aparentemente conectaría con el problema de fondo de la ley de amnistía, lo primero que debemos hacer es reformularla, para luego intentar darle respuesta.

Los nacionalismos catalán y vasco fueron el detonante del Estado autonómico que ha funcionado razonablemente bien desde su gestación. Para ello se ha realizado un modelo singular, que ha apostado por las asimetrías, de facto por un federalismo resiliente. Dicha apuesta por las asimetrías desde el Derecho Constitucional supone una modalidad de estructuración estatal en la que los entes territoriales dotados de autonomía política que lo componen disfrutan de un trato constitucional diferenciado, legitimado por el reconocimiento positivo de disponer de singularidades de diversa índole (lingüísticas, culturales, jurídicas o financieras) con relación a los restantes componentes del Estado. En otros términos, se trataría de la interpretación de las consecuencias que derivan del reconocimiento constitucional de ciertas particularidades específicas o propias de determinados territorios (Trujillo, 1997: 18). Estos factores de heterogeneidad se designan en el contexto español, virtualmente federal, como «hechos diferenciales», con reconocimiento constitucional pero sin adscripción territorial a las futuras Comunidades Autónomas. La principal *consecuencia* que deviene de la asimetría es la intensificación competencial, en términos cualitativos, de los sujetos territoriales legitimados constitucionalmente como titulares de asimetrías, especiales diferencias no discriminatorias. Su función es esencialmente integradora, persiguiendo dotar de estabilidad a la organización estatal en la que se incardina. Fuera de ese espectro, estaríamos en el terreno de las *disimetrías*, de las discriminaciones arropadas por el velo de la diferencia. Es aquí donde la patología de nuestro Estado autonómico ha allanado el campo para la ley de amnistía.

Por ello, nuevos principios de carácter sectorial pueden aparecer en la dicción de las constituciones. Así, en el marco de la organización territorial de los Estados, el reflejo en la norma suprema del *principio de identidad* puede trasladar modelos inspirados en el federalismo asimétrico, especialmente interesantes en países con territorios con vocación separatista o secesionista (art. 193 «principio de identidad» vinculado a la organización territorial, Constitución de la República Dominicana,

2015; art. 265 «reconocimiento de las asimetrías», Constitución de Bolivia, 2009). El principio de identidad halla su fundamento en la diversidad de percepciones de la realidad, que se derivan de evoluciones históricas, pautas culturales y otras. Lo que aquí se postula es una juridificación de dichas percepciones, asociándola una carga de neutralidad ideológica que le desvincularía de posiciones particulares (Solozabal Echavarria, 2006: 150-151). La consolidación jurídica del principio de identidad apoya la legitimación de una realidad diferenciada que potenciaría la integración de la misma, aunque sobre esa percepción se erige alguna «visión sombría» (Tudela, 2009: 28). Hoy es harto improbable, porque la organización territorial está monopolizada por el discurso partidista y no por el interés general, pero podemos confiar en un futuro en que esta opción cobre valor. Para ello debemos priorizar una cultura federal, que si hoy no tenemos es porque a los partidos, especialmente a los conservadores, no les interesa.

Y aquí aflora la segunda parte del interrogante, el porqué no se han atemperado los pulsos independentistas desde el Estado, al margen del interrogante de verificar su solidez (Rubio LLorente, 2012). Pues porque el Estado y sus acciones son un elemento esencial para esos retos independentistas, realmente populistas, que utilizan ese «enemigo» en la acepción schmittiana para crearse, activarse y desarrollarse. La Constitución ha de concebirse como un logro evolutivo (Luhman, 2024). Sin embargo, parecemos asistir a su desarrollo involutivo. Son las propias autonomías con derivas independentistas y sus ciudadanos los que van a dirimir esa evolución (v. gr. Quebec). Mientras tanto, la fatiga, en este caso catalanista, ha hecho un hueco no desdeñable en otros sistemas jurídicos autonómicos. Entre esa fatiga (Trapiello, 2024) y la resaca independentista, dos sensaciones difíciles de objetivar, consideramos esta ley como una «temeridad exorbitante», como una dialéctica reactiva, al pretender resolver un problema creando otro mayor, siguiendo el mito de Escila y Caribdis, (De la Quadra-Salcedo, 2023), al afectar al principio de la igualdad territorial. El único antecedente que nos consta sobre una «temeridad exorbitante» es la que justifica D. Quijote tras el lance del carretero y los leones, diciendo que en la obligación de acometer aventuras «antes se ha de perder por carta de más que de menos», de la que solo nos viene a la memoria su vigencia en el Reino de Celama según el flamante premio Cervantes 2024, el leonés Luis Mateo Díez en *El Reino de Celama*, pero no en la realidad constitucional española.

El cuestionamiento constitucional de la Ley Orgánica de amnistía se sustenta en que contraviene dos principios fundamentales en nuestro diseño constitucional, el de seguridad jurídica, vinculado a su alter de interdicción de la arbitrariedad por parte de los poderes públicos y el principio de igualdad territorial. La igualdad territorial entendida como principio organizativo, diferenciado del derecho sustantivo del mismo nombre.

Coherentes con el pesimismo constructivo que profesamos, este contexto es una oportunidad única para el avance y la consolidación constitucional. El Tribunal Constitucional tendrá una excelente oportunidad para, colmando una severa laguna, forjar sólidamente su existencia y dotarle de un contenido material desde el que blinde su patrimonialización política populista. Formalmente, la igual subordinación de todas las comunidades autónomas a la Constitución. Materialmente, la identificación de unas condiciones que impidan una discriminación o trato diferenciado arbitrario de los ciudadanos que tenga por causa su adscripción a una comunidad autónoma.

Así, no nos queda más remedio como constitucionalistas que hacer una reflexión sobre la relación entre el poder político o, en la actualidad española, los poderes políticos y la realidad jurídico constitucional. Siguiendo a Luhman, cuando la realidad no puede ser captada por la teoría constitucional imperante, cabe apelar a una teoría de la integración (Smend), la más benévola y sensata, por una dialéctica entre la realidad y la norma (Heller) o por una posición excluyente desde una impuesta unidad política (Schmitt), senderos a seguir, desde una posición que parte en el caso de esta ley, si el Tribunal Constitucional no lo remedia, de una realidad constitucional inconstitucional.

Bibliografía

ATIENZA, Manuel (2024). «La falacia de la amnistía», en Aragón, M; Gimbernat, E.; Ruiz Robledo, A. (dir.): *La amnistía en España. Constitución y Estado de Derecho.* A Coruña, Colex

CASTELLÁ ANDREU, Josep Maria (2018). *Estado autonómico: pluralismo e integración constitucional.* Madrid, Marcial Pons.

CRUZ VILLALÓN, Pedro (2023-2024). «Primeras consideraciones sobre el control de la constitucionalidad de la ley de amnistía», *El Cronista del Estado Social y Democrático de Derecho,* 108-109 (monográfico *La Constitución de 1978 cumple 45 años*).

DIEZ-PICAZO, Luis Mª (2024), «Estado autonómico, asimetría y democracia», *El Cronista del Estado Social y Democrático de Derecho,* 108-109 (monográfico *La Constitución de 1978 cumple 45 años*).

LUHMANN, Niklas (2024). *La Constitución como logro evolutivo.* Madrid, Tecnos.

MÁIZ, Ramón (2014). «'Dividing sovereignty': federalismo y republicanismo en la teoría política de James Madison», *Revista d'estudis autonòmics i federals,* 19.

PEMÁN GAVÍN, Juan (2023). «Un gobierno y un parlamento maniatados: sobre la «letra pequeña» del acuerdo PSOE-PNV», publicado en la página de la Fundación Manuel Giménez Abad (21 de noviembre de 2023).

DE LA QUADRA-SALCEDO, Tomás (2023). «Entre Escila y Caribdis», *El País,* 18 de octubre de 2023.

RUBIO LLORENTE, Francisco (2012). «Un referéndum para Cataluña», *El País,* 8 de octubre de 2012.

SEIJAS VILLADANGOS, Esther (2024). *Sanidad y Constitución.* Madrid, Marcial Pons.

— (2018). «Modernas tendencias en el Derecho Constitucional: hacia unos nuevos principios constitucionales», en Pendás, B. (dir.): *España constitucional (1978-2018). Trayectorias y perspectiva. Vol. III.* Madrid, Centro de Estudios Políticos y Constitucionales.

SOLOZABAL ECHAVARRIA, Juan José (2006). *Tiempo de reformas. El Estado autonómico en cuestión.* Madrid, Biblioteca Nueva.

TRAPIELLO, Andrés (2024). «¿Qué sucedería si Cataluña y el País Vasco se independizaran?», *El Mundo,* 13 de abril de 2024.

TRUJILLO, Gumersindo (1997). «Integración constitucional de los hechos diferenciales y preservación de la cohesión básica del Estado autonómico», en VV.AA. *Asimetría y cohesión en el Estado autonómico.* Madrid,Instituto Nacional de Administración Pública.

TUDELA ARANDA, José (2009). *El Estado desconcertado y la necesidad federal.* Madrid, Civitas.

Cuestión territorial y profundización del autogobierno

TOMÁS DE LA QUADRA-SALCEDO JANINI

Catedrático de Derecho Constitucional de la Universidad Autónoma de Madrid

I. Introducción

En primer lugar, quisiera agradecer a la directora general del Centro de Estudios Políticos y Constitucionales, Rosario García Mahamut, su invitación a participar en la presente Jornada sobre la ley de amnistía y las cuestiones constitucionales que suscita. Es un verdadero placer recuperar el debate plural y sosegado en un foro como este y con participantes a los que aprecio y respeto.

Los intervinientes en esta concreta mesa hemos sido invitados para hablar de ley de amnistía y cuestión territorial. En las mesas anteriores ya hemos debatido sobre las cuestiones constitucionales más directamente relacionadas con la ley de amnistía, por lo que creo que lo que se nos pide es que nos centremos más en la cuestión territorial y a ello me dispongo.

A la hora de abordar la respuesta que nuestro Estado de Derecho debe dar a los hechos acaecidos en los últimos años en Cataluña se debe diferenciar entre, por un lado, la respuesta a los incumplimientos del ordenamiento constitucional y a la quiebra de nuestra sistema democrático que se ha manifestado en el intento de secesión mediante el desmantelamiento de las instituciones constitucionales por aquellos que ostentaban cargos públicos en las instituciones autonómicas y, por otro, la respuesta a la existencia de un sentimiento, que no puede ser negado, de desafección hacia el proyecto común por parte de un importante numero de ciudadanos de Cataluña.

En lo que se refiere a la respuesta a dar con relación al incumplimiento del ordenamiento constitucional no cabe sino aplicar los diversos instrumentos previstos en nuestro ordenamiento jurídico para salvaguardar la democracia y nuestro Estado de derecho, que van desde las impugnaciones ante el Tribunal Constitucional, la aplicación, que no puede considerarse sino como ponderada, del artículo 155 CE o la respuesta penal, hasta la aplicación ulterior de una política de gracia con la finalidad de mejorar la convivencia.

Cabría plantearse también, junto a la referida política de gracia, la necesidad de reforzar aquellos instrumentos ya existentes para salvaguardar la democracia frente a sus enemigos, si cabe considerar que los previstos no son suficientes para evitar nuevos embates.

El reforzamiento iría, por ejemplo, en la línea de establecer un nuevo tipo penal agravado frente a futuros incumplimientos manifiestos y reiterados de las resoluciones del Tribunal Constitucional por parte de los titulares de las instituciones públicas, pues la actual tipificación como mera desobediencia, con la leve sanción punitiva que lleva actualmente aparejada, no puede ser considerada suficiente frente a embates como los ocurridos en el otoño de 2017; o de tipificar un nuevo delito contra el orden constitucional desprovisto de la exigencia de violencia que realiza el actual delito de rebelión y que podría ir en la línea del delito existente en el artículo 167 del Código Penal de 1932.

En lo que se refiere a la respuesta a dar a la desafección al proyecto común cabe considerar la necesidad de ofrecer un proyecto autonómico renovado que permita dar salida a lo que serían las legítimas aspiraciones de mayor autogobierno y reconocimiento que respaldan un número significativo de ciudadanos catalanes.

La razón de tratar de dar respuesta a esta segunda cuestión proviene de la constatación de que una Constitución, que no es otra cosa que un proyecto común colectivo, no puede sobrevivir al desapego de una parte importante de la ciudadanía concentrada en una parte del territorio nacional.

No se trata de ceder o claudicar ante aquellos que quieren destruir la Constitución y la democracia sino de proponer la renovación de un proyecto colectivo como fue el de la Constitución de 1978, que ha sido puesto en cuestión en los últimos años por los sectores ideológicos más extremistas de nuestro país.

No se trata de contentar tampoco a aquellos que jamás podrán ser contentados, pues es evidente que hay una incompatibilidad consustancial entre una profundización de tipo federal y el nacionalismo radical, pues mientras que lo primero sólo puede tener como presupuesto la lealtad, el segundo se habría demostrado intrínsecamente desleal con la construcción del proyecto común. Así, con una nueva propuesta de Estado autonómico renovado jamás se contentará a aquellos que no buscan sino la construcción de un proyecto propio excluyente, pero la cuestión es tratar de recuperar a los más posibles al proyecto común.

II. La profundización del autogobierno

Para profundizar en el autogobierno un primer paso es defender las virtudes del autogobierno existente frente a los ataques del secesionismo, pero también frente a los ataques de aquellos que consideran que el secesionismo es una demostración del fracaso del Estado autonómico.

Pero además de desarrollar una defensa del Estado autonómico actual, frente al actual desafío se hace necesario ofrecer un proyecto para el desarrollo del Estado autonómico, siempre en el marco de la Constitución y atendiendo las legítimas críticas que se han podido plantear al actual sistema en aquellos casos en que se concluya que estas son legítimas.

Cabría destacar en primer lugar que los límites a la profundización del autogobierno vía reforma de los estatutos de autonomía quedaron definidos en la STC 31/2010, sobre el Estatut de Cataluña, donde el Tribunal Constitucional rechazó la posibilidad de que a través de la definición del alcance de las competencias estatales en un estatuto se pudiese llevar a cabo el blindaje de un ámbito propio de decisión autonómico. Cabe por tanto considerar que la vía de la reforma estatutaria no permitiría dar completa respuesta a la cuestión de la desafección planteada.

Lo ideal sería poder proponer un proyecto que implicase una reforma constitucional que se pactase con los grandes partidos nacionales (apartado 1). Pero se debe ser consciente de las dificultades y de la complejidad política que la reforma constitucional conlleva y sobre todo de que es una cuestión en la que los planteamientos de las fuerzas políticas pueden resultar muy alejados y con posiciones dispares. En ausencia del clima necesario para proceder a una reforma de la Constitución, cabe explorar la vía de profundizar en el autogobierno a través del mero ejercicio de las competencias del Estado (apartado 2).

A) UN PROYECTO DE MEJORA DEL AUTOGOBIERNO CON REFORMA
     CONSTITUCIONAL, APENAS UN ESBOZO

La reforma constitucional, caso de abordarse, debería ir en la línea de proponer una profundización tanto del autogobierno (*selfrule*) —la capacidad de un gobierno regional de adoptar políticas propias en su propio ámbito territorial— como del gobierno compartido (*sharerule*) —la participación de un gobierno regional o sus representantes en la determinación de las decisiones para el conjunto del país con la reforma del Senado para convertirlo en una Cámara de gobiernos autonómicos como una de las propuestas-.

Ello no significa, sin embargo, que no se pueda valorar la necesidad de recentralizar determinadas decisiones o competencias si así se considerase necesario tras la experiencia de los últimos 40 años. La idea que debe guiar la reforma sería la profundización del autogobierno, pero ello no puede significar la imposibilidad de revisar aquellos aspectos que se considere que deberían ser recentralizados.

Ninguna de las reformas señaladas, profundización del autogobierno y del gobierno compartido, sería, en realidad, específica para Cataluña, sino que es una pretensión de profundizar en el modelo de descentralización aplicable a todas las comunidades.

Pero junto a las reformas generales del modelo se debería producir una reforma que sí sería específica para determinadas comunidades autónomas, una reforma en la línea del reconocimiento de la diferencia de las denominadas, ya en el año 78, nacionalidades y que seguramente sería posible reconducir a las tres Comunidades Autónomas que habían plebiscitado en su día estatutos de autonomía[1] y que supondría un reconocimiento simbólico de su diferencia que no tendría porque llevar aparejado privilegio alguno[2].

En esta línea el gobierno federal de Canadá del liberal Jean Chrétien tras el fallido referéndum de Quebec de 1995 promovió la adopción de medidas tendentes a satisfacer algunas de las aspiraciones quebequesas:

1. El Parlamento canadiense aprobó una declaración sin valor legislativo que afirmaba que «Quebec forma, dentro de Canadá, una sociedad distinta» y que la Cámara de los Comunes y el Senado

---

[1] En esta línea Cruz Villalón (2019) ha destacado la oportunidad perdida tras la diferenciación en la Constitución entre nacionalidades y regiones y sostiene la necesidad de que se produzca, ahora, un reconocimiento de las tres nacionalidades históricas, por parte desde luego del Estado en su conjunto, pero también por parte del resto de Comunidades Autónomas.

[2] En esta línea la resolución del Parlamento de Canadá relativa al reconocimiento de Quebec como una sociedad distinta en el seno de Canadá. Y en esta línea irían las propuestas para el reconocimiento de nuestro Estado como una Nación de naciones, como por ejemplo Solozabal Echavarria (2019).

«incitan a los poderes legislativos y ejecutivos a tomar nota de tal reconocimiento y a actuar en consecuencia». Además, el ejecutivo manifestó su voluntad de incluir en el futuro un texto similar en la Constitución.

2. Igualmente se aprobó una ley federal que establecía que el gobierno vetaría cualquier reforma constitucional que no tuviera la aprobación de Quebec, Ontario, Columbia Británica, dos de las cuatro provincias atlánticas o dos de las tres provincias centrales, en los dos últimos casos, siempre que representen a la mitad de la población.

3. Por último, el Gobierno anunció determinadas medidas de «modernización» del sistema federal tendentes a ampliar las competencias provinciales e incrementar el diálogo entre gobierno federal y provincias.

B) UN PROYECTO DE MEJORA DEL AUTOGOBIERNO SIN REFORMA CONSTITUCIONAL

Sin embargo, las dificultades para iniciar una reforma constitucional no deben suponer que mientras esta llega, en su caso, no se considere necesario plantear un proyecto distinto de Estado autonómico, incluso sin reforma constitucional.

Tal posibilidad se funda precisamente en uno de los rasgos que tiene nuestro modelo autonómico constitucional, y cualquier sistema federal de nuestro entorno, y que supone que el grado de autogobierno no se encuentra fijado y petrificado en la Constitución y en los estatutos de autonomía, sino que, en buena medida, depende en cada momento de cómo ejerza en la práctica el Estado sus competencias.

En consecuencia, dentro del marco constitucional actualmente existente, es posible mejorar el autogobierno, mediante, por un lado, la apertura de nuevos espacios de decisión de políticas propias para las comunidades autónomas (*selfrule*) y, por otro, la profundización de la participación de las comunidades autónomas en las decisiones del Estado (*sharerule*) dotando al modelo autonómico de órganos, procedimiento y métodos de trabajo que aseguren la coherencia y eficiencia del sistema descentralizado.

Antes de examinar cuales pueden ser los mecanismos concretos para mejorar el autogobierno de todos los territorios sin una reforma constitucional o estatutaria, es igualmente necesario asumir una segunda idea junto a la idea ya señalada —y que es inherente a todo Estado descentralizado— de que el grado de descentralización es variable y depende de cómo ejerza el poder central sus competencias, la idea de que nuestro Estado autonómico es asimétrico en la voluntad de ejercer la autonomía.

En efecto, nuestro Estado autonómico es en buena medida homogéneo en el grado de autogobierno formal y legalmente reconocido a sus territorios, pues ya son pocos los ámbitos competenciales en los que existen diferencias estatutarias desde el punto de vista de las competencias asumidas (evidentemente existen algunas diferencias como por ejemplo en materia de policías autonómicas, prisiones o administración de Justicia). Las sucesivas reformas estatutarias han generado un proceso de emulación en el que las comunidades autónomas han tratado de alcanzar el máximo techo competencial posible. Sin embargo, y pese a la homogeneidad en lo asumido, la vocación de ejercer ese autogobierno legalmente reconocido es distinta en cada territorio.

Así, se debe asumir que nuestro Estado descentralizado es asimétrico, pero no lo es tanto por los hechos diferenciales o competenciales que puedan en su caso existir y que se puedan haber reconocido jurídicamente, sino que es asimétrico fundamentalmente por la distinta vocación de autogobierno que se quiere en la práctica ejercer.

Como ha señalado la doctrina científica, hay comunidades autónomas que abiertamente consideran restringida su capacidad de adoptar políticas propias por bases estatales cada vez más expansivas, mientras que hay otras que se sienten cómodas con una legislación expansiva del Estado. Hay comunidades autónomas que reclaman el cumplimiento de la doctrina constitucional en materia de ayudas y subvenciones y que supone el reconocimiento de su gestión descentralizada, pero también hay otras comunidades autónomas, la mayoría, que prefieren que sea el Estado el que siga gestionando las ayudas, a pesar de no ser competente para ello.

En cualquier proyecto de profundización del autogobierno se hace por tanto necesario proponer mecanismos que permitan articular un Estado autonómico de geometría variable, donde todos se sientan cómodos con lo atribuido, que será en buena medida común, pero que igualmente se sientan cómodos a la hora de ejercer lo atribuido. Se trata de dar una respuesta a la asimetría en la vocación de ejercer el autogobierno reconocido.

Asumidas las dos ideas anteriores,

- la de que el grado de descentralización depende de cómo ejerza el Estado efectivamente sus competencias (pues nuestro modelo

de descentralización es, como el de todos los estados descentralizados de nuestro entorno, abierto)
- y la de que la vocación de ejercer la autonomía es diferente en cada comunidad autónoma (pues nuestro modelo es en la práctica, que no en la teoría, asimétrico),

cabe proponer diferentes líneas de actuación de profundización del autogobierno y de la participación autonómica en lo común sin reforma de la CE.

1. Un ejercicio más deferente de sus competencias por parte del Estado. Un mayor respeto por la capacidad autonómica de adoptar políticas propias (selfrule)

Es posible un ejercicio de las competencias propias del Estado más deferente, en algunas cuestiones, con la capacidad de decisión de políticas propias de todas las comunidades autónomas.

- Interpretación de las bases como parcialmente desplazables: las bases asimétricas.

La distinta vocación de autogobierno que tienen las distintas CCAA debería permitir acudir a técnicas que permitan que aquellas que en un momento dado no quieran ejercer con la misma plenitud la autonomía reconocida puedan no hacerlo sin impedir que aquellas que sí lo quieran hacer puedan hacerlo.

Se trataría de recuperar conceptos como el de la supletoriedad del derecho estatal (cuya potencialidad fue en buena medida cegada por la STC 61/1997), que permite a aquellas que quieren ejercer sus competencias desplazar la normativa estatal dictada con tal vocación y al tiempo permite aplicar ésta en los territorios que así lo dispongan por no estar interesados en realizar políticas propias.

También se trataría de desarrollar conceptos como el de bases asimétricas o parcialmente desplazables, que suponen que, al regular una materia, el Estado haga una doble evaluación: hasta dónde *podrían* llegar sus bases (esto es, cuál sería el límite máximo de su competencia) y hasta dónde es *imprescindible* que llegue la regulación uniforme. A partir de ahí, en cada materia o asunto el Estado dictaría una norma básica indisponible, vinculante en todo caso para todas las comunidades autónomas, y otras normas básicas desplazables por las Comunidades Autónomas que así lo considerasen oportuno.

Las bases «desplazables» serían normas competencialmente válidas (se dictarían al amparo de una competencia básica estatal) aunque *desplazables por opción política* del propio Estado que las dicta(Velasco Caballero, 2018).

La posibilidad de las bases asimétricas o parcialmente desplazables ha sido validada por el Tribunal Constitucional en la STC 141/2014.

- Interpretación de las bases vinculadas con la conformación del Estado social como un mínimo: las bases mejorables

El reconocimiento de nuestro Estado como un Estado social ha fundamentado una interpretación amplia de las competencias estatales de cara a que se pueda establecer una igualdad mínima en todo el territorio nacional.

Así, la jurisprudencia constitucional ha realizado una interpretación amplia de los títulos competenciales reconocidos constitucionalmente al Estado con fundamento en esa caracterización como Estado social, permitiendo por ejemplo la cobertura que puede prestar la competencia horizontal recogida en el artículo 149.1.1 CE sobre las condiciones básicas que garantizan la igualdad en el ejercicio de los derechos al fomento de políticas de asistencia social (la dependencia) sobre las que el Estado no tiene atribuidas competencias materiales. Igualmente ha servido para realizar una amplia interpretación de las competencias del Estado sobre lo básico en materias vinculadas con las prestaciones sociales (bases educativas o bases sanitarias, por ejemplo).

Sin embargo, cabe sostener que el reconocimiento de la capacidad estatal de promover el Estado social no debe suponer la imposición de una absoluta uniformidad en el nivel de prestaciones públicas.

Así, cabría promover una concepción de las bases que se refieren específicamente a las prestaciones como mínimo común uniforme pero mejorable por parte de las Comunidades Autónomas (De la Quadra-Salcedo Janini, 2017).

El Estado garantizaría un determinado nivel subjetivo y objetivo de prestaciones sanitarias, educativas o sociales, pero permitiendo que las comunidades autónomas establezcan sus propias políticas diferenciadas siempre que mantengan el nivel mínimo establecido por el Estado y teniendo únicamente como límite el cumplimiento de los principios de estabilidad presupuestaria y sostenibilidad financiera.

En realidad, en el supuesto de la determinación del nivel de prestaciones sociales no se produce una verdadera contraposición entre el «interés autonómico» y el «interés general» (estatal), pues en una materia como es la relativa a las medidas públicas de acción y protección social no puede darse una colisión de intereses, que siempre serán coincidentes como consecuencia del mandato constitucional de promoción de los derechos sociales (se interpretan así los principios rectores de la política social y económica como mandatos de optimización). La colisión de intereses no se dará por tanto en relación con el nivel de prestaciones sino en todo caso en el momento de la distribución interregional de los recursos, siempre escasos e insuficientes en este campo.

Sería, por tanto, en el ámbito del desarrollo del Estado social en el que cabría una verdadera experimentación de políticas propias de mejora por parte de las comunidades. El Estado fija un mínimo común y las comunidades autónomas pueden mejorar tal mínimo teniendo como único límite financiárselo ellas.

Se trata de una concepción de las bases en materia social como mejorables, pero con responsabilidad, pues el límite es el déficit público. En resumen: el desarrollo efectivo del Estado social es una tarea que no sería exclusiva del Estado.

- Un ejercicio de la competencia estatal sobre la ordenación general de la economía más deferente con la capacidad de decisión autonómica

De acuerdo con la doctrina más reciente del Tribunal Constitucional (STC 79/2017), la norma fundamental no impondría directamente el mantenimiento de un mercado nacional único y sería perfectamente constitucional la existencia de un mercado nacional fragmentado; sin embargo, la norma fundamental sí consentiría la promoción de la existencia de un mercado nacional único a través del ejercicio efectivo de determinadas competencias estatales de uniformización normativa (fundamentalmente las reconocidas en los arts. 149.1.1 y 149.1.13 CE).

En el caso de que el Estado efectivamente adoptase medidas para promover los rasgos del mercado interior, la promoción de la uniformidad en las condiciones de ejercicio de la actividad económica sí sería un límite a la diversidad normativa derivada del legítimo ejercicio de las competencias autonómicas, pues el interés general reflejado en la existencia de un mercado único se contrapone al interés autonómico reflejado en la posibilidad de desarrollar políticas propias. Esta contraposición de intereses desemboca en la exigencia de equilibrar o sacrificar, en aras de la unidad, los intereses más concretos y particulares, territorialmente hablando, a los intereses más generales.

Ahora bien, es posible sostener que el Estado, con base en su competencia sobre ordenación general de la actividad económica (art. 149.1.13 CE), ha dejado sin campo de acción a las comunidades autónomas en materias que podrían perfectamente ser reguladas por ellas sin que se afectase gravemente al funcionamiento del mercado único.

1. Por ejemplo, en materia de horarios comerciales donde la decisión acerca de cuándo operan los establecimientos abiertos al público bien podría ser autonómica.

2. Cabe asimismo plantearse la necesidad de dar mayor capacidad a las comunidades autónomas a la hora de establecer restricciones justificadas y proporcionadas al ejercicio de las actividades económicas, por ejemplo, modificando el artículo 5 de la Ley 20/2013, de garantía de la unidad de mercado, para permitir que las razones imperiosas de interés general no estén tasadas en la norma estatal como no lo han estado nunca en el ámbito europeo, del que nos hemos apartado siendo más estrictos.

2. *Aspectos referentes al sistema de financiación*

- Desarrollo de la corresponsabilidad fiscal y posibilidad de ampliar el campo de algunos impuestos autonómicos.

La cuestión de la financiación autonómica tiene un papel central y prioritario entre las demandas autonómicas y en el debate sobre el futuro autonómico.

En este sentido, han sido constantes en los últimos años los esfuerzos y las iniciativas autonómicas para obtener nuevas fuentes de financiación, sobre todo a partir de la crisis económica y financiera iniciada en 2010. Los Gobiernos autonómicos han explorado diferentes vías, entre otras la aprobación de nuevos recursos tributarios. Una iniciativa convertida en normas propias que con elevada frecuencia ha sido cuestionada por el Estado mediante recursos de inconstitucionalidad planteados ante el Tribunal Constitucional, que por cierto en numerosas ocasiones ha dado la razón a las comunidades autónomas.

En este escenario se contraponen la urgente necesidad de obtener nuevos ingresos por parte autonómica y la preocupación del Estado por mantener unos niveles de coherencia tributaria que no supongan una quiebra manifiesta de la igualdad de los ciudadanos a la hora de efectuar sus aportaciones para el mantenimiento de los servicios que reciben. Una preocupación que se ha trasladado al vigente texto de la Ley Orgánica de Financiación de las Comunidades Autónomas (LOFCA), que en la práctica supone una fuerte limitación a la autonomía tributara autonómica.

El Estado puede evitar un exceso de heterogeneidad fiscal regulando de forma armonizada, pero a priori esta diversidad fiscal no es inconstitucional, sino que es posible en el marco constitucional actual.

• Transparencia y limitaciones a la solidaridad interterritorial. Asunción del principio de la realización de un esfuerzo fiscal similar en la LOFCA

El Estatuto catalán de 2006 incorporó en el artículo 206.5 el denominado principio de ordinalidad como límite a la solidaridad en la conformación del sistema de financiación. El principio de ordinalidad supone un mandato dirigido al Estado de que «garantizará que la aplicación de los mecanismos de nivelación no altere en ningún caso la posición de Cataluña en la ordenación de rentas per cápita entre las Comunidades Autónomas antes de la nivelación».

Para el Tribunal Constitucional la inclusión de tal principio en el Estatuto de Autonomía sería constitucional, pues interpreta en la STC 31/2010 que se encuentra ya implícitamente contenido en la propia norma fundamental. Así, para el Tribunal Constitucional el principio de ordinalidad «no es propiamente una condición impuesta al Estado por el Estatuto de Autonomía de Cataluña, sino sólo la expresión reiterada de un deber que para el Estado trae causa inmediata y directa de la propia Constitución, que le impone la garantía de la realización efectiva del principio de solidaridad» entre las comunidades autónomas; principio que, según interpreta el Tribunal, no puede «redundar para las más ricas en mayor perjuicio que el inherente a toda contribución solidaria para con las menos prósperas en orden a una aproximación progresiva entre todas ellas, excluyéndose, por tanto, el resultado de la peor condición relativa de quien contribuye respecto de quien se beneficia de una contribución, que dejaría entonces de ser solidaria y servir al fin del equilibrio para propiciar, en cambio, un desequilibrio de orden distinto al que se pretende corregir» (STC 31/2010, de 28 de junio, FJ. 134).

No corre, sin embargo, la misma suerte un segundo límite a la solidaridad incluido en el artículo 206.3 del Estatuto de Cataluña de 2006 como era la exigencia estatutaria de que para «garantizar la nivelación y la solidaridad con las demás Comunidades Autónomas» ello se condicione a que estas lleven a cabo un «esfuerzo fiscal similar». Para el Tribunal Constitucional «la determinación de cuál sea el esfuerzo fiscal que hayan de realizar las comunidades autónomas es cuestión que sólo corresponde regular al propio Estado, tras las actuaciones correspondientes en el seno del sistema multilateral de cooperación y coordinación constitucionalmente previsto. Se trata, en suma, de una cuestión que, en ningún caso puede imponer el Estatuto a las demás comunidades autónomas, pues al hacerlo así se vulneran, a la vez, las competencias del Estado y el principio de autonomía financiera de aquéllas, autonomía financiera que el artículo 156.1 CE conecta expresamente con el principio de coordinación con la hacienda estatal» (STC 31/2010, de 28 de junio, FJ. 134).

La declaración de inconstitucionalidad no se funda, en realidad, en la contradicción material con la norma fundamental del condicionamiento de la solidaridad a la realización de un esfuerzo fiscal similar, sino en la inclusión de tal condicionamiento en un estatuto de autonomía cuando debería ser un requisito de aplicación general que debería encontrarse en la LOFCA.

El sistema constitucional español permite modificar la LOFCA para incluir el condicionamiento de la solidaridad a la realización de un esfuerzo fiscal similar.

C. ASPECTOS REFERENTES AL FUNCIONAMIENTO DEL ESTADO AUTONÓMICO. LA MEJORA DE LA PARTICIPACIÓN DE LAS CCAA EN LAS DECISIONES COMUNES (SHARERULE).

• Desarrollo de los instrumentos de cooperación, mediante la potenciación de la Conferencia de Presidentes, las conferencias sectoriales y las comisiones bilaterales de cooperación

La apelación al desarrollo y mejor aplicación de la cooperación en el sistema autonómico ha sido un planteamiento reiteradamente demandado por medios políticos y académicos en los últimos años.

Se trataría de una superación definitiva de la cooperación informal y una mayor institucionalización y perfeccionamiento del funcionamiento de los órganos de cooperación y, singularmente, de las de cooperación multilateral, como son las conferencias sectoriales. Se trataría además de promover que en el seno de estas se produzca una participación autonómica en el proceso de elaboración de normas del Estado.

• Gestión de subvenciones financiadas con cargo a los presupuestos generales del Estado por parte de las comunidades autónomas en régimen de cooperación

La cuestión de la gestión de las subvenciones y ayudas públicas con cargo a fondos estatales y su relación con el sistema constitucional de distribución de competencias es una de las más controvertidas de nuestro Estado constitucional, pues hasta ahora ha presentado un nivel de conflictividad muy alto.

Ciertamente, el nivel de conflictividad no se puede achacar a la ausencia de una interpretación clara de la cuestión, pues ha quedado en buena medida resuelta por la doctrina del Tribunal Constitucional.

En efecto, en el ámbito de las ayudas públicas con cargo a fondos estatales en aquellas materias en las que las comunidades autónomas tienen atribuidas competencias estatutarias, el Tribunal Constitucional lleva dictadas decenas de sentencias en los últimos años dando en buena medida la razón a las comunidades autónomas y específicamente a Cataluña, en relación con que son ellas las que tienen la competencia ejecutiva sobre las ayudas.

El Tribunal ha señalado que «para la plena realización del orden de competencias que se desprende de la Constitución y los Estatutos de Autonomía, se [debe] evitar la persistencia de situaciones anómalas en las que sigan siendo ejercitadas por el Estado competencias que no le corresponden pues 'la lealtad constitucional obliga a todos'».

1. De acuerdo con la jurisprudencia constitucional, el Gobierno considera que la regla general de gestión de las subvenciones financiadas con cargo a los presupuestos generales del Estado en las que las comunidades autónomas tengan competencias ejecutivas debe ser la gestión descentralizada de las ayudas y subvenciones, es decir, a cargo de comunidades autónomas

2. Ahora bien, esta gestión deberá realizarse por las comunidades de acuerdo con las condiciones objetivas establecidas por el propio Gobierno o el departamento sectorialmente competente, ya que corresponde al Estado «la regulación de los aspectos centrales del régimen subvencional». Esto es, según la doctrina del Tribunal Constitucional, «la determinación del objeto y finalidad de las

ayudas, modalidad técnica de las mismas, beneficiarios y requisitos esenciales de acceso reconociendo», debiendo quedar dentro de la competencia autonómica «lo atinente a su gestión», esto es, la competencia para la tramitación, resolución y pago de las subvenciones a las comunidades autónomas.

3. La gestión de las ayudas por parte de las comunidades requiere de la previa territorialización del crédito disponible en la correspondiente conferencia sectorial. En este marco es el que el Estado y las comunidades autónomas pueden poner sobre la mesa sus perspectivas e intereses.

III. La autodeterminación no puede ser una de las respuestas posibles a la desafección

La continua exigencia por parte de algunos partidos de Cataluña del reconocimiento del derecho de autodeterminación y de la celebración de un referéndum no cabría dentro del marco de la Constitución que, a día de hoy, no permite, ni de forma unilateral ni de forma pactada, la celebración de un referéndum, aún consultivo, de autodeterminación.

En efecto, el Tribunal Constitucional ha venido a sostener, entre otras en las más recientes SSTC 51/2017 y 90/2017, en línea con los tribunales constitucionales alemán e italiano o con el Tribunal Supremo de Alaska, que tampoco en nuestro ordenamiento constitucional cabría la realización de un referéndum consultivo pactado —territorialmente limitado o incluso de todo el pueblo español— sobre una eventual secesión de un territorio con carácter previo al planteamiento y tramitación de una iniciativa de reforma constitucional en tal sentido por parte de los órganos parlamentarios a los que el artículo 166 CE otorga tal iniciativa, pues la intervención directa del pueblo (en su conjunto) sobre una cuestión como esta que afecta a la soberanía debe llevarse a cabo de acuerdo con lo previsto en nuestro procedimiento de reforma constitucional.

Así, recuerda el Tribunal en la STC 90/2017, la redefinición de la identidad y unidad del sujeto titular de la soberanía es una cuestión que ha de encauzarse a través del procedimiento de reforma de la Constitución previsto en el artículo 168 CE, por lo que sólo puede ser objeto de consulta popular por la vía del referéndum de revisión constitucional. La redefinición de la identidad y unidad del sujeto titular de la soberanía no puede ser planteada —insiste el Tribunal— como cuestión sobre la que simplemente se interesa el parecer del cuerpo electoral de una comunidad autónoma, es decir, no puede plantearse a través de un referéndum consultivo con carácter previo a la reforma, «puesto que con ella se incide sobre cuestiones fundamentales resueltas con el proceso constituyente y que resultan sustraídas a la decisión de los poderes constituidos».

Se ciega así una vía a la que se siguen aferrando algunos partidos nacionalistas catalanes con base en algunas interpretaciones, que no han sido acogidas por el Tribunal Constitucional, que habría hecho alguna doctrina constitucionalista (Ruiz Soroa, De Carreras o Rubio Llorente).

La línea recogida en la jurisprudencia constitucional de nuestro país fue asimismo acogida por la Corte Constitucional italiana. Los límites materiales intrínsecos a la utilización del referéndum en el ámbito regional se recogen expresamente en dos sentencias de la Corte Constitucional (Sentencias núm. 496 de 27 de octubre de 2000 y 118 de 29 de abril de 2015, relativas a leyes de la Región del Véneto que preveían referéndums consultivos sobre cuestiones ajenas a la autonomía regional). En aquellas dos decisiones, la Corte Constitucional italiana consideró que la decisión política de acometer una reforma constitucional se atribuye en la norma fundamental a la representación política y parlamentaria. Para la Corte las decisiones fundamentales que adopta la comunidad nacional, y que son inherentes en el pacto constitucional, están reservadas a la representación política, en cuyas decisiones los ciudadanos no pueden intervenir excepto en las formas típicas previstas por la propia Constitución. El pueblo interviene en realidad sólo como una instancia de confirmación posterior. Para la Corte italiana, el pueblo a través del referéndum no ha sido diseñado como el promotor de una reforma constitucional y su intervención debe llevarse a cabo, de acuerdo con lo previsto en el procedimiento de reforma constitucional, en un trámite final.

No cabe pues tampoco en nuestro ordenamiento constitucional referéndum pactado y consultivo sobre la autodeterminación, ni a nivel autonómico ni a nivel nacional, pues el único referéndum posible es el que se produzca al final de un procedimiento de reforma constitucional en el que se reforme tal cuestión.

En todo caso y a pesar de que determinadas fuerzas políticas únicamente están pensando como respuesta en un referéndum de autodeterminación para resolver el conflicto sobre el futuro de Cataluña, además de no ser constitucionalmente posible, tampoco es políticamente conveniente que se pudiese articular con una reforma previa de la Constitución. Por tanto, cualquier propuesta que supere el actual marco constitucional o estatutario mediante las procedentes reformas constitucionales debería ser una propuesta con la finalidad de mejorar el autogobierno y no una propuesta para permitir la futura celebración de tal tipo de referéndums, pues cabe argumentar tanto que el derecho a la autodeterminación supone reconocer el derecho de unos ciudadanos a privar de los derechos de ciudadanía de otros como que el reconocimiento de tal derecho no se recoge en ningún ordenamiento homologable al nuestro y en aquellos en los que se han realizado referéndums de carácter consultivo sobre el eventual apoyo a la secesión de una parte del territorio estatal (Canadá o Reino Unido) se trata más bien de una excepción en ordenamientos con constituciones flexibles donde la soberanía reside en el Parlamento y no en los ciudadanos directamente.

El derecho de secesión dentro de un estado democrático que además reconoce la pluralidad territorial mediante el reconocimiento del derecho a la autonomía de sus territorios y fuera, por tanto, del contexto de los territorios no autónomos y de los pueblos sometidos a la subyugación, dominación y explotación extranjera supone poner en cuestión los derechos fundamentales de ciudadanía de aquellos que no comparten aquella.

La respuesta a la desafección no debería ir, por tanto, en la línea de vehicular una propuesta política que consista en un cambio constitucional para amparar la celebración de referéndums de independencia, pues ello además es inviable que fuese aprobado por el parlamento en su actual composición y es asimismo poco probable que fuese ratificado por el soberano, el pueblo español, pues la aprobación de una reforma constitucional en tal sentido supondría renunciar precisamente a serlo.

Pero más allá de su viabilidad práctica, hay que rechazar que la puesta en cuestión de la soberanía sea una respuesta adecuada a la desafección, pues el Estado autonómico ha sido la respuesta jurídica y constitucional a la pluralidad de realidades políticas y culturales existentes en nuestro país en el momento constituyente y que se identifican bajo la referencia a las nacionalidades y regiones. A través del reconocimiento de la autonomía es como se permite conciliar la unidad y la diversidad.

Bibliografía

CRUZ VILLALÓN, Pedro (2019). «En la hora del Estado de las nacionalidades», en VV.AA.: *La Constitución de los españoles. Estudios en Ho-*

menaje a Juan José Solozábal Echavarría. Madrid, Centro de Estudios Políticos y Constitucionales.

DE LA QUADRA-SALCEDO JANINI, Tomás (2017). «El Estado autonómico social. El efecto de irradiación de los derechos sociales sobre el modelo constitucional de distribución de competencias», *Revista General de Derecho Administrativo*, 46

SOLOZABAL ECHAVARRIA, Juan José (2019). «España: Nación de naciones», en *Pensamiento federal español y otros estudios autonómicos*. Madrid, Iustel.

VELASCO CABALLERO, Francisco (2018). «Reforma territorial sin reforma constitucional (II), bases asimétricas o desplazables», *Blog de Francisco Caballero*, 12 de julio de 2018